AM YR AWDUR

Brodor o Gaerdydd yw Llwyd Owen. Dyma ei chweched nofel. Mae'n byw yn ardal Rhiwbeina y ddinas gyda'i wraig Lisa a'u hangylion, Elian Sgarlad a Syfi Nona.

Am fwy o wybodaeth, trowch at

www.llwydowen.co.uk

UN DDINAS
DAU FYD

LLWYD OWEN

Argraffiad cyntaf: 2011

Dymuna'r cyhoeddwyr gydnabod cymorth ariannol
Cyngor Llyfrau Cymru

Cynllun y clawr: Jamie Hamley
Llun yr awdur: Llwyd Owen

Rhif Llyfr Rhyngwladol: 978 1 84771 322 3

FSC

Cyhoeddwyd ac argraffwyd yng Nghymru
ar bapur o goedwigoedd cynaladwy
gan Y Lolfa Cyf., Talybont, Ceredigion SY24 5HE
gwefan www.ylolfa.com
e-bost ylolfa@ylolfa.com
ffôn 01970 832 304
ffacs 832 782

I Arwel a Russ,
y tad a'r brawd gorau ar wyneb y ddaear,

ac i Al Te a'i bigwrn
ar eu pen-blwydd yn bum mlwydd oed.

Er cof am Mam a Dad-cu Spens
– chwi a wyddoch beth ddywed fy nghalon.

Hoffwn ddiolch i'r canlynol:

Lisa, Elian a Syfi,
am fod yn ysbrydoliaeth barhaus;

gweddill fy nheulu am fod mor gefnogol ac amyneddgar;

Jamie Hamley am greu clawr cofiadwy arall;

Fflur Dafydd a Dewi Prysor;

Lefi, Alun a Nia yn Y Lolfa,
am eu gwaith caled a'u cefnogaeth barhaus.

Hoffwn hefyd gydnabod cefnogaeth ariannol
Cyngor Llyfrau Cymru.

'O! Gwyn eu byd hwynt-hwy
Y gwahanglwyfon meddyliol…'

Eirwyn George
(o'r gerdd 'Ysbyty Kensington')

'Apart from the known and the unknown,
what else is there?'

Harold Pinter

CYWILYDD A CHELWYDDAU

'Mae'r euog yn baglu eu hunain.'
Anhysbys

Caeau Llandaf, Caerdydd: Bore Dydd Sadwrn

'Dw i'n feichiog.'

Wrth glywed y geiriau, peidiodd y ddaear â throelli am eiliad trwy lygaid Emlyn Eilfyw-Jones. Tawelodd yr adar yn y coed, cyfarth cyfagos y cŵn a lleisiau eu perchnogion. Trodd y cymylau gwyn yn ddüwch llwyr uwchben, a tharanodd y duwiau yn y pellter. Caeodd Emlyn ei lygaid a gweld wyneb ei fam farw yn toddi o'i flaen, fel mwgwd erchyll o gŵyr. Agorodd nhw unwaith eto ac edrych ar ei wraig yn ei chwrcwd wrth ochr y llwybr yn codi cachu ci lliw tikka, ei bysedd mewn cwdyn plastig. Syllodd Emlyn heibio iddi a gweld pelen o chwyn yn rholio rhywle rhwng ei ddychymyg a'r coed derw anferth oedd yn ymgodi tu ôl iddynt fel côr o gewri yn gwegian yn y gwynt.

'Dwed rwbath!' ebychodd Cariad, wrth godi a sefyll o'i flaen yn clymu'r cachfag yn hollol ddidaro.

Clywodd Emlyn glebran cecrus y cigfrain yn y coed a cheisiodd ei orau i ymateb ar lafar, ond roedd ei lais wedi'i heglu hi o 'na; wedi cipio'r blaen ar ei goesau a gweddill ei gorff. Roedd e eisiau smalio nad oedd hyn yn digwydd. Eisiau diflannu. Ond gwyddai nad oedd hynny'n opsiwn. Gwenodd yn wan o'r diwedd, a llwyddodd i wthio dau air bach dinod o'i geg.

'O-o-ond... s-s-sut?'

'Dw i'n gwbod, dw i'n gwbod!' cydnabu Cariad. 'Ond ma'r pethau 'ma'n gallu digwydd, dim ots pa mor ofalus 'dach chi...'

Roedd y pâr priod wedi trafod cychwyn teulu ond wedi penderfynu peidio â gwneud. Gyda gyrfaoedd prysur, pwysig, roedd meddwl am fagu plant yn codi ofn arnynt.

Wel, yn codi ofn ar Emlyn ta beth.

Yn ddiarwybod iddo, roedd Cariad wedi stopio llyncu

ei thabledi atal cenhedlu rai misoedd ynghynt, wythnosau yn unig ar ôl dathlu ei phen-blwydd yn dri deg oed. Gallai deimlo, os nad clywed, ei chloc biolegol yn tic-tocian rhywle yn ddwfn ynddi; yn ei byddaru gyda'r nos cyn tawelu unwaith eto ar doriad gwawr. Doedd hi ddim eisiau twyllo'i gŵr, ond roedd hi'n haws fel hyn.

Yn llawer haws.

'Ond...' ailadroddodd Emlyn. Doedd dim byd ganddo i'w ddweud, dyna'r gwir, ond roedd yn rhaid iddo geisio dangos i Cariad nad oedd ei ben ar chwâl a'i fywyd ar ben, fel yr ymddangosai pethau iddo ar yr eiliad hon.

Gwyliodd yr hen gi, Trefor, yn dadlwytho rhyw hylif melynllyd o dwll ei din rhyw ugain llath tu ôl i Cariad, ond ni wnaeth ymateb mewn unrhyw ffordd. Ei dro fe oedd casglu'r caca, a doedd dim siawns ei fod yn mynd i wirfoddoli gwneud hynny ar ôl gweld beth ffrwydrodd o gachdwll ei hen gyfaill.

Trodd i ffwrdd oddi wrth Cariad a chydio unwaith eto yn nolenni cadair olwyn Stifyn, cyn gwthio unig oroeswr ymosodiad Luc Swan ddegawd ynghynt tua'r groesffordd fach a'r ffynnon ddŵr hynafol wrth ei hochr, i ffwrdd o'r parc chwarae a lleisiau hapus y plantos a swniai fel tasent yn ei wawdio wrth droi fel ffyliaid ar y chwyrligwgan, siglo ar y siglen neu lithro i lawr y llithren.

Byddai Emlyn a Cariad yn mynd â Stifyn am dro unwaith bob mis. Bore Sadwrn ola'r mis fel arfer – rhyw draddodiad bach oedd yn lleddfu euogrwydd Emlyn rhyw fymryn, gan roi awyr iach i'r fresychen ddynol oedd yn eistedd yn gam yn y gadair olwyn o'i flaen. Rhwygodd y bwled o wn Luc Swan trwy stwmog y cantor gan chwalu ei asgwrn cefn yn deilchion a'i adael mewn cyflwr o anobaith. Ni allai wneud unrhyw beth ei hun, ar wahân i ddriblan yn ddireolaeth a sgrechen yn annisgwyl o bryd i'w gilydd. Pan fyddai'n sgrechen byddai Emlyn yn cael ei dywys ar unwaith yn ôl i'r diwrnod hunllefus hwnnw ddeng mlynedd ynghynt. Roedd yr atgofion mor fyw yn ei gof a'r un cwestiwn fyddai'n codi bob tro: a fyddai wedi bod yn well petai Stifyn wedi marw'r diwrnod hwnnw, fel Marcel a Snez, ei gyd-aelodau yn y boy band Fflach!? Wrth edrych ar ei gorff gwargam, gwyddai Emlyn beth oedd yr ateb. Roedd ei weld bob mis fel maen am ei wddwg. Cariad awgrymodd gynta y dylent fynd â fe am dro ac erbyn hyn doedd dim ffordd i atal yr arferiad. Dim ond marwolaeth fyddai'n dod â'r artaith i ben bellach.

Roedd yr haul yn gynnes braf ar y bore o haf bach Mihangel hwyr hwn, ond roedd mantell rewllyd wedi cau'n dynn am Emlyn. Nid oedd hyn yn rhan o'r cynllun. Roedd bywyd yn braf. Wel, doedd e ddim yn hollol hwylus, ddim o bell ffordd, ond ni fyddai plentyn yn gwella'r sefyllfa, roedd e'n sicr o hynny.

Gwyliodd Trefor a Meg yn hercian yn araf wrth ei ochr. Roedd y cŵn yn hen iawn erbyn hyn; yn ddeuddeg oed o leiaf, os nad yn hŷn. Roedd Meg yn fyddar ac felly'n gaeth i dennyn oedd yn llaw Cariad, tra bod Tref yn hen gi barus a fyddai o hyd yn chwilio am rywbeth i'w fwyta – boed yn fwyd, yn blastig neu'n rhywbeth llawer gwaeth. Doedd dim ots gan yr hen gi, cyn belled â'i fod yn llyncu rhywbeth bob pum munud, os nad yn amlach.

'Pam wyt ti'n actio fel hyn?' mynnai Cariad wybod, er nad oedd Emlyn yn ymwybodol ei fod yn gwneud unrhyw beth o'i le.

'Be ti'n fe…?'

'Y tawelwch 'ma. Y pen i lawr. Y cerddad i ffwrdd. Y diffyg… y… dw i'm yn gwbod…'

'Wel, beth ti'n ddisgwyl? Mae dweud bod hyn yn sioc yn understatement a hanner…'

'Ond does dim rhaid i chdi ymddwyn fel plentyn dros y peth. Ti bron yn bedwar deg, Emlyn!'

Oedd gwir angen ei atgoffa o hynny? meddyliodd Emlyn. Ond dim dyma'r adeg i ofyn, dim dyma'r amser i godi stŵr. Ac er nad oedd Emlyn wedi bod yn un o'r gwŷr gorau, efallai, roedd e wedi dysgu pryd i gau ei geg, pryd i wenu a phryd i ddweud celwydd wrth ei wraig.

Stopiodd gerdded a throi i wynebu Cariad. Roedd ei gwallt cochlyd yn tonni dros ei hysgwyddau, yr awel yn treiddio trwyddo a'r haul yn gwneud iddo sgleinio. Nid oedd wedi gwerthfawrogi ei phrydferthwch ers amser maith.

Teimlodd bwl o euogrwydd am hynny ond, fel arfer, roedd Emlyn yn ei chael hi'n hawdd gwthio'r emosiwn hwnnw i'r naill ochr. Roedd e'n feistr ar wneud hynny ar ôl oes o ymarfer. Edrychodd Cariad yn ôl a gwenu arno, gan ystumio'n dawel arno i edrych tu ôl iddo. Yno roedd tad ifanc yn cario baban bach ar ei gefn – gyda'r bychan yn gwylio'r byd o'i gwmpas a'i lygaid yn serennu – ac yn gwthio merch tua thair blwydd oed oedd yn wên o glust i glust ar gefn ei beic pinc llachar. Gwelodd Emlyn yr olwg ar wyneb y tad – hapusrwydd llwyr a balchder amlwg. Roedd e'n ddigon i wneud iddo chwydu. Trodd at Cariad a'i gweld yn sychu deigryn â chefn ei llaw.

''Drych, Cariad,' dechreuodd, gan ei thynnu tuag ato a'i chofleidio'n dynn. 'Rho gyfle i fi gyfarwyddo â hyn, iawn? Ma fe ychydig bach o sioc, 'na gyd. Ma fe'n newyddion gwych, wir nawr...'

Ac wrth i'r geiriau adael ei geg, ffarweliodd ag unrhyw obaith oedd ganddo i atal yr anochel.

Roedd e'n mynd i fod yn dad.

Fuck...

Spar, Grand Avenue, Trelái: Prynhawn Dydd Sadwrn

Safodd Rod yn edrych ar y clogwyn o losin o'i flaen wrth geisio'i orau i ymddangos yn brysur a gwastraffu deng munud olaf ei shifft heb orfod gweithio'r tiliau na gwneud unrhyw dasg arall fyddai'n ei orfodi i aros yn hwyr. Dros y danteithion gallai weld Dev, ei fos, wrth y tiliau'n gweini llinell hir o gwsmeriaid – gydag un llygad ar y til a'r nwyddau a'r llall yn sganio'r siop i weld ble roedd y gweithwyr oedd i fod i'w helpu.

Plygodd Rod a mynd ati i dacluso'r ddwy res isaf – lle roedd y Refreshers a'r Whams, a'r lasys mefus amryliw. Dim bod Rod yn ddiog na dim, ond gwyddai tasai'n cael ei alw draw nawr y byddai'n dal i weithio'r tiliau ymhen hanner awr, ac roedd e'n barod i adael eisoes.

Roedd ei goesau'n absennol erbyn hyn, a gweddill ei gorff yn arnofio o gwmpas y lle, heb wybod yn iawn beth ddigwyddodd i'r hanner isaf. Gan iddo fod ar ei draed yn y siop ers naw y bore, edrychai ymlaen yn fawr at orweddian yn stafell wely gyfforddus ei ffrind gorau, Brynley, yn gwylio ffilmiau ac yn anghofio am ei holl bryderon ychydig yn hwyrach heno.

Wedi gorffen twtio'r losin ar y rhesi gwaelod, sganiodd weddill yr arddangosfa gan sythu ac aildrefnu. Roedd wedi gweithio yma ers tair blynedd – dwy shifft saith awr a hanner bob wythnos yn unig, er mwyn parhau i allu hawlio'i Lwfans Ceisio Gwaith. Yn wahanol i fwyafrif ei gyfoedion, dymunai weithio mwy o oriau – er, mewn gwirionedd, doedd dim pwynt gwneud hynny gan y byddai'n dlotach na phe na bai'n gweithio'r lleiafswm o oriau ac yn hawlio cymorth ariannol gan y llywodraeth.

Gwenodd wrth weld bod y Munchies i gyd wedi diflannu unwaith eto, ac i ffwrdd ag e am y storfa gefn i hôl bocs arall er mwyn llenwi'r silff yn ogystal â gwastraffu'r munudau prin oedd ar ôl o'i ddiwrnod gwaith. Wrth gerdded am y drws cefn, i'r dde o'r oergelloedd, y caws wedi'i brosesu a'r cigoedd, gallai deimlo llygaid Dev yn llosgi'i gefn. Pan drodd yr allwedd yn y clo, clywodd ei fos yn galw ei enw ond ni chymerodd unrhyw sylw ohono. Dim nawr. Dim peryg. Caeodd y drws tu ôl iddo ac anelu am y storfa. Yn sefyll wrth y drws i'r maes parcio bach gwelodd Tara a Sophie yn smocio, mwydro a mwmian.

'Uh… Dev was looking for you a second ago… wants you at the tills as soon as, like,' dywedodd Rod.

Sugnodd y ddwy weddillion eu sigaréts heb ateb Rod, cyn taflu'r stwmps i'r blwch llwch awyr-agored a dychwelyd i'r siop. Job done. Wedyn, datglodd Rod ddrws y storfa a cherdded yn syth at y Munchies. Gwyddai'n iawn ble roedden nhw gan mai dyma'r losin oedd yn gwerthu orau yn y siop. Wel, efallai nad 'gwerthu' yw'r gair cywir, ond yn sicr nhw oedd y losin fyddai'n diflannu gyflymaf. Roedd Spar Trelái yn ddigon tebyg i'r rhan fwyaf o'r Spars eraill sydd i'w gweld o gwmpas y wlad, er bod hon efallai wedi gweld mwy o ladradau arfog na mwyafrif siopau'r gadwyn.

Gyda'r Munchies o dan ei fraich, dychwelodd Rod tuag at eil y losin, gan gloi'r drws ar ei ôl. Pan drodd i'r chwith wrth y pentwr tiwna, arafodd ei gam wrth weld MC Kardz yn sefyll o'i flaen, yn pori'n araf trwy dudalennau'r *DJ-Magazine* diweddaraf. Llenwai hanner yr eil, fel cefnder scally'r Michelin Man, gyda'i gap pêl-fas yn pwyntio am yn ôl, ei siaced puffa sgleiniog a'i ddaps llachar, er mai dyn ifanc eiddil oedd yn cuddio o dan yr arfwisg echrydus. MC Kardz a'i deip oedd yn rhoi enw gwael i weddill poblogaeth Trelái. Dwyn a delio, colbio a rheibio. Dyna oedd ei broffesiwn.

Neu o leiaf, dyna oedd ei fara menyn. Ei ffordd o fyw. A dyna a wnâi nawr, sef aros am gyfle i roi'r cylchgrawn o dan ei siaced a gadael y siop tra bod Dev a'r merched yn brysur wrth y tiliau. Yr unig beth a safai rhyngddo a'i danysgrifiad misol rhad ac am ddim oedd presenoldeb Rod, ond gwyddai'r ddau na fyddai Rod yn gwneud dim i'w atal. Nodiodd Kardz ar Rod pan wasgodd heibio iddo – rhywbeth na fyddai byth yn ei wneud tu allan i'r siop. Gwenodd Rod yn ôl – gwên wan, llawn ofn – a mynd ati i ailosod y Munchies.

Wrth wneud, gwelodd Rod un o ffrindiau Kardz yn agosáu o gyfeiriad y brif fynedfa. Ystrydeb arall yn gwisgo dillad lliwgar yn syth o TK Maxx, neu oddi ar gefn lori. Nid oedd Rod yn cofio'i enw. Spike efallai. Neu Skins. Rhywbeth fel 'na. Sleifiodd i fyny at Kardz, a ddaliai i aros am yr eiliad berffaith i gipio'r cylchgrawn a gadael.

'Word,' dywedodd Kardz.

'Word,' daeth yr ateb. 'I just got a text from DJ FunkyFingaz in Caerau, yeah. They wanna meet us down da Racecourse at 'alf seven tonight. Sort this shit out once and for all, innit.'

'Safe,' oedd ateb cwta'r arweinydd.

Rhoddodd Rod y pecyn olaf ar y silff wrth iddo amsugno geiriau'r gangstas chwerthinllyd, cyn cymryd y bocs gwag ac anelu am y cefn unwaith eto er mwyn casglu ei got a'i heglu am adref. Mentrodd daflu cipolwg i gyfeiriad Kardz wrth basio'r tiwna unwaith yn rhagor, a'i weld yn claddu'r cylchgrawn yn ddwfn o dan ei siaced, cyn gadael y siop wedi cwblhau ei dasg.

Eglwys Dewi Sant, Caerdydd

Yn hwyrach y diwrnod hwnnw, a'r haul yn dal i dywynnu tu allan, eisteddai Emlyn wrth ochr Cariad yng nghrombil yr eglwys oer. Gyda'r paent yn plicio oddi ar y welydd, ymddangosai'r eglwys i Emlyn fel petai'n dioddef o ecsema. Roedd y briodas yn llenwi'r lle'n llawn dop, ond nid oedd Emlyn yn gallu cofio enw yr un o'r ddau oedd yn priodi. Roedd Cariad yn gweithio gyda'r briodferch, ac roedd enw rhyfedd gan y priodfab. Pa ots mewn gwirionedd; roedd gan Emlyn bethau llawer pwysicach ar ei feddwl.

Wedi i'r ficer gyflwyno emyn arall – yr emyn olaf, gobeithiai Emlyn – cododd y gynulleidfa i ganu ac edrychodd i'r dde a dal llygad Steffan Grey, comisiynydd drama a ffilm presennol y Sianel, hen gyd-ddisgybl ysgol i Emlyn a gŵr Beca, oedd yn sefyll rhyngddynt yn y rhes gefn. Edrychai'r ddau'n debyg i'w gilydd, ac er nad oedd Emlyn yn gallu gweld y tebygrwydd ei hun, roedd cymaint o bobol wedi dweud hynny dros y blynyddoedd fel bod yn rhaid eu credu bellach. Bu'r ddau'n cynnal perthynas broffesiynol â'i gilydd ers degawd bellach, gan fod Steffan yn comisiynu cynyrchiadau amrywiol gan Akuma, cwmni teledu Emlyn, fel rhan o'i hen swydd fel comisiynydd rhaglenni plant y Sianel. Er hynny, perthynas broffesiynol yn unig oedd hi. Nid oedd Emlyn yn meddwl rhyw lawer ohono, a gwyddai y byddai Steffan yn troi arno heb feddwl ddwywaith tase comisiwn yn mynd o chwith. Roedd e'n amau y byddai Steffan yn mwynhau gwneud hefyd – dyn fel 'na oedd e, neu o leiaf dyna'r argraff a gâi Emlyn. Roedd Steffan yn unben, yn ddidrugaredd yn ei swydd, yn wir ym mhopeth oedd yn gysylltiedig â'r Sianel. Yn waeth na dim, gwyddai Emlyn fod eu llwybrau proffesiynol ar fin croesi oherwydd cynhyrchiad diweddaraf Emlyn. Ond gallai hynny aros tan ddydd Llun.

Mwmiodd Steffan eiriau agoriadol yr emyn. Canodd y merched yn dawel ac mewn tiwn wrth ei ochr ond nid ynganodd Emlyn yr un gair o gwbwl, yn bennaf oherwydd y chwithdod sy'n mynd law yn llaw ag anallu i wneud rhywbeth mor sylfaenol â chanu. Fel arfer mewn gwasanaeth eglwys neu gapel Cymraeg, roedd un llais benywaidd yn uwch nag unrhyw lais arall, yn moli'r hollbwerus fel Dame Kiri Te Kanawa wedi llyncu uchelseinydd. Rholiodd Steffan ei lygaid mewn ymateb i ymdrech y gantores anhysbys a gwenodd Emlyn arno wrth gofio'i briodas ei hun rhyw flwyddyn ynghynt, tua mis ar ôl iddo golli'i fam.

Mewn ffordd, ymateb i'w marwolaeth oedd y penderfyniad i briodi, er nad ei benderfyniad e yn unig oedd e chwaith, gan fod Cariad yn fwy na pharod i fod yn rhan o'r cynllun. Wedi'r cyfan, roedd hi wedi bod yn ceisio'i berswadio i wneud hynny ers cryn amser.

Nid priodas draddodiadol a gawsant chwaith, ond penwythnos hir yn Las Vegas yng nghwmni Euros ei frawd a'i wraig yntau, Caroline. Gamblo ac yfed; digon, os nad gormod, o garlo; stafelloedd crand yn y Mirage; cyngerdd Céline Dion; sioe Cirque du Soleil; strippers; pancos, bacwn a suryp i frecwast; byrgers i bob pryd arall; ac ymweliad cloi ag un o'r capeli drive-through tacky 'na lle priododd Emlyn a Cariad cyn i Elvis ganu 'Love Me Tender' wrth iddyn nhw adael.

Noson hapusaf eu bywydau? Pwy a ŵyr. Nid oedd Emlyn yn cofio arwyddo'r dogfennau, heb sôn am ddweud 'I do'.

Fel y gwasanaeth priodasol, nid oedd Emlyn erioed wedi cymryd y briodas o ddifrif. Tan heddiw, hynny yw. Tan heddiw, dim ond darn bach o bapur diystyr oedd e. Rhywbeth nad oedd erioed wedi'i ystyried go iawn mewn gwirionedd. Rhywbeth i gadw Cariad yn hapus. Rhywbeth roedd disgwyl iddo fe ei wneud, fel holl aelodau eraill y dosbarth canol, wedi iddynt fod mewn perthynas am hyn a hyn o amser.

Ond wedi datganiad Cariad y bore hwnnw, roedd

rhywbeth wedi newid yn ddwfn yng nghraidd Emlyn Eilfyw-Jones. Newid cynnil iawn ar hyn o bryd, er nad oedd modd ei wadu, na'i anwybyddu.

Wrth i'r emyn gyrraedd ei anterth, teimlodd Emlyn law Cariad yn gwasgu'i fysedd. Edrychodd arni a dilyn ei bys, oedd yn pwyntio at un o'r morwynion priodas ifanc oedd yn chwyrlïo fel balerina yn yr eil yn hollol hapus ac ar goll yn ei byd bach ei hun – byd llawn tywysogesau, cestyll a cheffylau pinc, mae'n siŵr.

Gwyliodd Emlyn yr olygfa heb wybod yn iawn sut i ymateb. Nid oedd yn teimlo dim a dweud y gwir. Roedd hi'n bert, heb os, ond o ddifrif, pa ots? Gwasgodd Cariad ei law unwaith eto, ac edrychodd y ddau ar ei gilydd gan wenu. Ond mwgwd oedd yr hapusrwydd ar wyneb Emlyn ac, oddi tano, dryswch llwyr ac ychydig o arswyd.

Crwydrodd ei lygaid dros y gynulleidfa. Gwelodd nifer o wynebau cyfarwydd ac yn eu plith yr actor diweddaraf i chwarae'r brif ran yn *Doctor Who*. Ni allai Emlyn gofio'i enw chwaith – roedd y gyfres yn mynd trwy brif actorion fel John Terry trwy wragedd ei gyd-chwaraewyr – ond roedd ei bresenoldeb yn esbonio'r sgarmes o baparazzi a stelciai tu allan i'r eglwys.

Doctor Who oedd bara menyn Cariad y dyddiau hyn, ac felly'n wir y briodferch, beth bynnag oedd ei henw. Roedd y ddwy ohonynt wedi bod yn gweithio ar y gyfres ers i'r Beeb symud y cynhyrchiad i Gaerdydd 'nôl yn 2003 a byddai'r briodferch yn gallu ymffrostio wrth ei hwyrion fod y Doctor ei hun wedi mynychu ei phriodas.

Nid fe oedd yr unig wyneb cyfarwydd o fyd y teledu yno heddiw chwaith. Gallai Emlyn weld John Barrowman a'i bartner, Scott, yn gwisgo siwtiau oedd yn cydweddu a lilis pinc yn eu haddurno; Eve Myles a'i gŵr, yr actor anadnabyddus

Bradley Freegard, a'u merch fach Matilda yn cysgu'n drwm ar ysgwydd ei thad; y brodyr Glyn a'u gwragedd yn eistedd wrth y bedyddfaen, ffrindiau'r priodfab mae'n siŵr; Steven Moffat yn gwmni i'r Doctor; heb anghofio Beca a safai wrth ei ochr, sef cyflwynwraig newydd *Dechrau Canu, Dechrau Canmol*. Gan fod y rhaglen yn parhau i geisio apelio at gynulleidfa ifancach, ymunodd Beca â'r criw rhyw flwyddyn yn ôl, yn dilyn cyfnod llwyddiannus ar *Wedi 3* ac *Uned 5* cyn hynny. Doedd Emlyn ddim yn gwybod sut roedd hi a Steffan yn adnabod y cwpwl hapus, ond mewn diwydiant mor llosgachol â hwn peth hawdd iawn fyddai i'w llwybrau groesi. Edrychai Beca yn angylaidd heddiw mewn ffrog wen hafaidd, gyda'i gwallt aur a'i llygaid gleision, ond gwyddai Emlyn fod ochr dywyll i'r ceriwb yma...

Arnofiodd llygaid Emlyn dros y cefnfor o hetiau o'i flaen cyn angori unwaith eto ar un ei wraig wrth ei ochr. Teimlai gysylltiad, gwir gysylltiad, â hi am y tro cyntaf mewn degawd heddiw, a gwyddai'n iawn beth oedd wrth wraidd hynny. Gwasgodd ei llaw'n dyner a gwenodd wrth i'r canu a'r organ dawelu.

'Eisteddwch, os gwelwch yn dda,' dywedodd y ficer, ond cyn i din Emlyn gyffwrdd â'r pren teimlodd law Beca yn mwytho'i ben-ôl trwy ddefnydd sidanaidd ei drowsus. Edrychodd i'w chyfeiriad o gornel ei lygad, ond ni allai weld yr olwg ar ei hwyneb diolch i'r het amryliw anferth ar ei phen...

Tŷ Rod, Cymric Close, Trelái: Nos Sadwrn

Eisteddai Rod ar ei wely sengl o dan lygad barcud y Briodferch yn ei thracwisg melyn, Travis Bickle a'i fohican a'i wn, Seth a Richie ar eu ffordd i'r Titty Twister, Buscapé a'i gamera yn *Cidade de Deus* a Borat. Dyna rai o'i hoff ffilmiau. Byddai mwy o bosteri ar ddangos ganddo hefyd tasai mwy o le ar waliau ei wâl, ond y gwir oedd mai bocs bach oedd yn gartref i'w wely, ei ddillad a'i holl eiddo. Stafell draddodiadol y plentyn ifancaf – yr anaglypta'n hongian o gorneli'r nenfwd a'r tamprwydd yn cripian i fyny'r waliau. Roedd y tŷ yn oer tu hwnt yn y gaeaf ac yn drewi'n uffernol yng ngwres yr haf. Roedd gan ei frawd mawr stafell ddwbwl yng nghefn y tŷ, tra rhochiai ei dad yn y gwely dwbwl yn y stafell drws nesaf – gwely unig ers marwolaeth ei fam.

Yn ei law daliai gamera fideo – anrheg pen-blwydd gan ei frawd rhyw dair blynedd yn ôl, pan oedd Rod yn bedair ar bymtheg. Nid oedd yn gwybod o ble cawsai ei frawd afael ar y camera a doedd dim ots ganddo. Fe oedd piau'r camera bellach, a gwnaeth ddefnydd da ohono ers ei gael. Gwelai Rod y camera fel ei docyn i adael Trelái, ei docyn i ennill ei ryddid, i ennill arian, hunan-barch ac i hawlio llwyddiant. Dyna oedd ei ddamcaniaeth, a'i obaith, ta beth…

Cododd ar ei draed a gosod y camera ar y gwely, cyn camu at y drws a'i gloi. Wedyn, llusgodd focs trwm allan o dan y gwely, cyn sleifio ar ei fol i'r tywyllwch, tynnu'r carped i ffwrdd o'r cornel a symud dwy estyllen o'r ffordd. Gyda thortsh yn ei law edrychodd ar ei archif. Byddai'n cael gwefr bob tro y gwelai ei gasgliad – tri bocs llawn tapiau, a phob tâp yn llawn delweddau o fywyd yn Nhrelái. O'r doniol i'r diflas ac o'r erchyll i'r anhygoel, roedd ganddo gannoedd o oriau o ffilm, ond yn anffodus nid oedd ganddo'r adnoddau na'r gallu i'w golygu er mwyn creu stori gyflawn. Darllenodd ambell deitl – 'gang fight 08/08', 'ram-raid 06/07', 'arson attack 05/08', 'race riot 03/07', 'trojan bus 10/09' – a dychmygu naratif posib y ffilm derfynol. Mewn gwirionedd roedd ganddo ddigon o dapiau i wneud cyfres o raglenni dogfen am ei filltir sgwâr, ond oedd galw am y fath fenter? Cysurodd ei hun wrth gofio am *City of God*. Pwy fyddai wedi meddwl y gallai ffilm fel honno goncro'r byd?

Roedd wedi dechrau'r ffilmio fel ychydig o hwyl, rhywbeth i lenwi'r oriau hir heb wario gormod o arian fel nad âi i ddyled gydag un o'r morgwn lleol. Roedd nifer o bobol ifanc yr ardal yn dewis alcohol neu gyffuriau fel ffyrdd o ymdopi â bywyd, ond dewisodd Rod lwybr gwahanol.

Breuddwydiai'n ddyddiol am ddyfodol gwell. Dyfodol lle na fyddai'n gweithio'n rhan-amser yn y Spar lleol, yn gwerthu'r gwenwyn oedd yn lladd nifer o drigolion Trelái – boed hynny'n chwisgi rhad, sigaréts neu brydau bwyd llawn braster i lenwi boliau'r boblogaeth ifanc ordew ac achosi clefyd y galon ac afiechydon eraill.

Roedd gan Rod weledigaeth, galwedigaeth hyd yn oed, a'r unig beth oedd ei angen arno i lwyddo oedd cael cyfle. Rhywbeth prin iawn yn ei brofiad e. Dychmygai fod yn gyfarwyddwr ffilm enwog yn troedio'r carped coch neu'n derbyn gwobr gan y sefydliad. Ond gwyddai nad oedd hi'n bosib cyrraedd y fan honno heb waith caled ac ychydig o lwc. Roedd wedi mynychu degau o gyfweliadau gyda chwmnïau cynhyrchu teledu a ffilm Caerdydd, ond heb lwc hyd yn hyn. Byddai person gwannach wedi digalonni, ond nid Rod. Wedi brwydro cymaint, dioddef tlodi a siom, roedd ei groen yn drwchus bellach a'i ysfa i lwyddo yn absoliwt. Roedd ganddo gyfweliad arall yr wythnos hon. Falle mai dyma'r un fyddai'n cynnig cyfle iddo, yn agor y drws ac yn ei groesawu i fyd ac i fywyd newydd. 'Runner' oedd y swydd y ceisiai amdani, ond byddai Rod wedi bod yn fodlon glanhau swyddfeydd y cwmnïau cynhyrchu pe câi gyfle i fod yn rhan ohonynt.

Meddyliodd am ei fam. Roedd e'n ei cholli'n arw ac, fel

hi, ysai am gael dianc. Ond, yn wahanol iddi hi, wnaeth e erioed ystyried hunanladdiad fel ffordd o ddianc.

Gafaelodd mewn tâp newydd – y tâp gwag olaf oedd ganddo. Byddai'n rhaid prynu mwy wedi iddo gael ei gyflog mewn cwpwl o ddyddiau. Ond doedd dim ots heno; byddai un tâp yn hen ddigon ar gyfer yr hyn roedd yn gobeithio'i gipio mewn rhyw hanner awr – y frwydr rhwng gang o Drelái (The Ely Boyz) a gang o Gaerau (The Caerau Crew). Fel mewn miloedd o lefydd ledled y byd, roedd trigolion y ddwy faestref yn casáu ei gilydd, yn fwy fyth oherwydd eu hagosrwydd at ei gilydd. Mewn gwirionedd, i bobol nad oeddynt yn hanu o Drelái neu Gaerau, roedd y ddau le'n un. Ond i'r trigolion roedd degawdau o wrthdaro a chasineb yn ffrwtian o dan yr wyneb, a gobeithiai Rod y gwelai'r teimladau a'r emosiynau hynny'n ffrwydro o flaen ei lygaid, o flaen ei gamera, heno.

Cadarnhaodd ei frawd Dave drefniadau'r frwydr pan gyrhaeddodd Rod adref o'r gwaith. Dyna un peth da am gael deliwr cyffuriau fel brawd; byddai llawer iawn o bobol amheus yn galw draw, gan ddatgelu pob math o gyfrinachau wrth siarad â'r gwerthwr.

Wrth iddo ailosod ei guddfan clywodd gnoc ar y drws ffrynt a'i frawd yn ei ateb. Gwyddai Rod fod yr heddlu'n gwylio'r tŷ ers rhyw chwe mis bellach ac mai dim ond mater o amser fyddai hi, felly, cyn y byddent yn galw draw. Nid oedd Rod yn deall pam nad oedden nhw wedi gwneud eisoes gan fod gweithgareddau ei frawd braidd yn amlwg, ac ymddygiad ei gwsmeriaid yn llawer gwaeth.

Smack a sebon oedd ei brif gynnyrch – cyffuriau rhad a brwnt i bobol dlawd yr ardal. Yr un hen stori. Hynny ac ychydig o ketamine, sef tawelydd y bydd milfeddygon yn ei ddefnyddio ar geffylau, gwartheg ac anifeiliaid eraill. Y smackheads oedd y gwaethaf, yn galw bob adeg o'r dydd a'r nos, heb roi unrhyw ystyriaeth iddo fe na'i dad. Er, â'i dad ar goll yng ngwaelodion poteli ers i'w fam ladd ei hun, nid oedd y cnocio ganol nos yn effeithio rhyw lawer arno fe.

Nid oedd Rod wedi gweld ei dad ers rhai dyddiau bellach. Byddai'r hen ddyn yn diflannu am gyfnodau maith – gwyliau cyson yng nghwmni'r Special Brew a'r Buckfast. Un o'r meddwon lleol oedd e erbyn hyn – ffigwr trist a phathetig oedd yn dilyn yn ôl traed meddwon chwedlonol eraill Trelái, pobol fel Drunkie Leighton a Spungie Raymond. Doedd dim gobaith i'r hen ddyn bellach – buodd e farw yr union yr un pryd â'i wraig, er y byddai'n rhaid iddo aros yn y dderbynfa am gyfnod cyn cael mynediad i'r byd nesaf.

Wrth i leisiau ei frawd a'i gwsmer dreiddio'r waliau a'r lloriau tenau, gwthiodd Rod y bocs yn ôl o dan y gwely a gosod y tâp gwag yn y camera. Sicrhaodd fod y peiriant yn gweithio'n iawn, ac wrth iddo wisgo'i got canodd ei ffôn symudol.

'Iawn, Bryn…?'

'Pryd ti'n dod draw, spa? I got some wicked films and a mix on the go yn barod,' dywedodd ei ffrind yn ei Wenglish gorau.

'Mewn rhyw awr. Fi'n mynd i ffilmo'r ffeit 'ma mewn munud…'

'Ah, o'n i'n meddwl you might have got wind of that. Well, there's a cone with your enw on it by 'ere. And don't get caught this time, I don't wanna be cleaning no blood off you tonight.'

'Ok…' llwyddodd Rod i ateb cyn i Bryn ddiflannu 'nôl at ei fong, ei seidr a'i fywyd braf.

Gwesty'r New House, Mynydd Caerffili, Caerdydd

Wedi gloddesta am oriau yng nghwmni llond bwrdd o bobol ddieithr, gwrando ar areithiau hirwyntog ac amherthnasol, yfed gormod o win ac ateb yr un hen gwestiynau, roedd Emlyn yn fwy na pharod i'w throi hi am adref a ffarwelio â'r New House.

Dyma'r drydedd briodas iddo'i mynychu yn y gwesty hwn ar lethrau Mynydd Caerffili, gwesty a chanddo un o'r golygfeydd gorau o Gaerdydd. Yn rhyfedd iawn, roedd yr un peth wedi digwydd i gwrs cyntaf y llysieuwyr druan yn y briodas hon eto. Dim bod Emlyn yn llysieuwr chwaith – allai e ddim para diwrnod heb flasu cnawd rhyw anifail marw. Cariad oedd y llysieuwraig yn eu plith, ac roedd hi bron â cholli'i thymer yn lân pan aroglodd y cawl llysiau a gwynto'r stoc cyw iâr fel y gwnaethai yn y priodasau eraill y buont yn eu dathlu yno.

Nid oedd Emlyn yn un am greu ffws wrth fynd allan am bryd o fwyd, gan ei fod e'n fwy na bodlon i fwyta beth bynnag oedd ar ei blât – boed yn gig neu'n blanhigyn. Roedd Cariad, ar y llaw arall, o hyd yn cwyno. Ni allai Emlyn ei beio chwaith, gan fod agwedd y mwyafrif o fwytai at lysieuwyr yn warthus, ond eto roedd yn blino clywed yr un hen gwynion a'r un hen atebion.

Wedi i Cariad alw am y rheolwr a mynegi ei syndod a'i siom fod yr un peth wedi digwydd am y drydedd flwyddyn yn olynol, daeth y gweinydd ifanc â phlated o felon a mintys iddi yn lle'r cawl 'llysiau'. Llowciodd e mewn deg eiliad, cyn codi'i phen i weld a oeddent wedi dechrau gweini'r prif gwrs. Roedd hi'n llwgu, ac yn gwybod yn iawn pwy oedd ar fai. Câi'r baban yn ei bola effaith arni yn barod – yn gwneud iddi chwydu ben bore ers rhyw wythnos, yn sugno'r egni o'i choesau ac yn mynnu ei bod yn bwyta bob cyfle a gâi.

Roedd Emlyn eisoes yn fwy ystyriol ohoni ers clywed newyddion y bore hwnnw. Gobeithiai Cariad y byddai'r babi'n newid eu perthynas, ond roedd hi hefyd yn ddigon call i wybod nad oedd hi'n bosib i rywun fel Emlyn newid dros nos. Er hynny, roedd yr arwyddion cynnar yn gadarnhaol. Edrychodd Cariad i'w gyfeiriad, ac fel tasai ei gŵr yn teimlo'i llygaid yn ei wylio, trodd a gwenu arni.

Safai Emlyn ar ei ben ei hun yn mwynhau'r diffyg sgwrsio. Roedd yn pwyso ar biler wrth ochr y llawr dawnsio yn sipian V&T ac yn gwylio'r sioe. O'i flaen roedd y cyrff yn shiglo i gyfeiliant 'Rock Your Body' gan Trousersnake fel grŵp o epileptics ar wibdaith i ffatri cynhyrchu goleuadau strôb. Roedd pob ystrydeb yn bresennol – yr ewythr hanner cant oed yn meddwl ei fod e'n ffwc o ddawnsiwr, ond yn edrych ychydig bach yn creepy ymysg y merched ifanc; y plantos bach wedi yfed gormod o bop ac yn rhedeg o gwmpas yn wyllt tra bod eu rhieni'n swingio'i gilydd o gwmpas y lle fel Torvill & Dean ag anghenion arbennig; yr hen fam-gu yn ysgwyd ei chluniau artiffisial yng nghwmni ei hwyrion, diolch i hud a lledrith y gwin gwyn rhad; y briodferch a'i morwynion yn eu ffrogiau drud a rheiny bellach wedi'u staenio gan win a chwys a dagrau o lawenydd; heb anghofio'r cwpwl oedd yn agosáu at eu chweched degawd ar y ddaear yn gwneud y twist fel tasen nhw wedi dwyn Tardis y Doctor er mwyn teithio 'nôl i 1965.

Crwydrodd llygaid Emlyn oddi wrth y dawnswyr a draw at y bar, lle gwelodd y priodfab a'i ffrindiau yn yfed shots o hylif glas llachar. Byddai'r canu'n dechrau cyn bo hir, heb os, i'w ddilyn gan weiddi, ymladd a thacsi i'r dref. Clwb Ifor Bach, City Arms, Ten Feet Tall, Chippy Lane, digon o weiddi, mwy o ymladd, gweld y wawr yn torri drwy ffenestri A&E a gartref i'r gwely gyda braich mewn plaster a phwythau yn y pen. Noson dda. Noson i'w chofio. Er na fyddai'r un ohonynt yn cofio rhyw lawer chwaith. Dim hyd yn oed y priodfab, a dim ond i fyny'r grisiau y byddai'n rhaid iddo fe fynd.

Ceisiodd Emlyn gofio manylion noson ei briodas fe'i hun, ond roedd hi'n debycach i sioe sleidiau erbyn hyn. Delweddau aneglur a wynebau anghyfarwydd − Elvis, cowbois, olwynion roulette, dicky-bows, gweinyddesau bronnog, goleuadau llachar, strippers, digon o chwerthin, lot o gusanu, Cariad yn gwenu, ffwcio ar y balconi gyda'r wawr yn torri dros yr anialwch tu hwnt i'r nendyrau.

Edrychodd Emlyn i gyfeiriad ei wraig, a eisteddai wrth fwrdd llond gwydrau yng nghwmni cynulliad o ferched yn eu dillad gorau. Gwyliodd wrth iddi rwbio'i bola, er bod y ffetws yn llai na gewin ei fawd ar hyn o bryd. Gwenodd, a dechrau cerdded i'w chyfeiriad, ond cyn iddo gyrraedd gwelodd Caroline, gwraig ei frawd, yn nesáu at y bwrdd â photelaid o win yn un llaw a gwydr gwag yn y llall. Eisteddodd ar gadair wrth ymyl Cariad a mynd ati i lenwi ei gwydr, heb gynnig dim i neb arall. Digon teg, meddyliodd Emlyn, roedd yn rhaid i'r gwesteion nos ddal i fyny gyda'r rhai a fu yno drwy'r dydd. Aeth Emlyn draw ati.

'Ble ma Euros?' gofynnodd, gan edrych tua'r bar.

'Wrth y bar,' daeth yr ateb.

'Ble?'

'Y bar arall, wrth y tai bach pan chi'n dod i mewn.'

'Ti moyn rhywbeth?' Trodd Emlyn at Cariad.

'Grapefruit juice a soda, plis.' Ac i ffwrdd ag Emlyn am y bar i weld ble roedd Euros, gan adael Cariad i esbonio i Caroline pam nad oedd hi ar y pop heno.

Wrth i nodau cyntaf 'Life is a Rollercoaster' dreiddio o

uchelseinyddion y DJ, cerddodd Emlyn heibio i'r prif far ac i lawr coridor bach am y brif fynedfa a'r bar arall oedd yn gweini i'r smygwyr a'r gwynfryn-garwyr oedd naill ai yn yr ardd neu 'nôl a 'mlaen i'r tai bach bob munud fel cyfranwyr at arbrawf cyffur carthu. Gallai weld ei frawd yn pwyso ar y bar yn sgwrsio â Steffan, ond cyn iddo allu cymryd cam yn agosach atynt teimlodd law oer yn gafael yn ei wddf a'i dynnu'n syth i mewn i dŷ bach yr anabl, y drws yn cau'n glep tu ôl iddo ac yn cael ei gloi cyn i Emlyn allu yngan gair.

Parc Trelái

Cuddiodd Rod tu ôl i glawdd trwchus hanner ffordd rhwng mynedfa Colin Way a'r stafelloedd newid, gyferbyn â maes chwarae'r plant. Roedd ei guddfan yn drewi o iwrin ond doedd hynny'n effeithio dim arno. Rhaid bod yn broffesiynol, a dyma'r lle gorau iddo guddio er mwyn gweld y frwydr yn ei llawn ogoniant. Gan fod golygfa dda ganddo byddai'n siŵr o weld y gangiau'n cyrraedd, o ba gyfeiriad bynnag.

Roedd hi'n noson braf, yr awyr yn ddigwmwl a'r sêr a'r hanner lleuad eisoes yn disgleirio, er nad oedd hi'n hollol dywyll. Felly, byddai cyfle i Rod gipio delweddau da, delweddau clir, dim ond i'r gangiau gyrraedd ar amser.

Gwyliodd ddau bysgotwr yn cerdded ar hyd y llwybr ar eu ffordd i erlid llysywod enwog afon Elái. Ni fyddai neb, ar wahân i bobol ifanc ac ambell bysgotwr, yn mynd ar gyfyl y parc hwn ar ôl iddi nosi.

Ely Racecourse oedd yr enw Saesneg ar y lle, ond caeau pêl-droed oedd yma heddiw yn hytrach na thrac rasio ceffylau. Corlannwyd y caeau gan dai Trelái Isaf i'r gogledd, Ysgol Gynradd Trelái i'r gorllewin, ffordd ddeuol yr A4232 i'r de ac afon Elái i'r dwyrain. Y lle perffaith i gynnal rhyfel, a gyda hynny clywodd Rod leisiau'n agosáu o gyfeiriad Trelái Isaf.

Pwyntiodd ei gamera tuag at y fynedfa er mwyn ffilmio milwyr Trelái yn agosáu. Roedd tua deg ohonyn nhw'n gwisgo hetiau pêl-fas a phlisgwisgoedd. Yn eu dwylo roedd eu harfau tywyll – barrau haearn, bat criced, sbaner a hyd yn oed nunchucks. Nid oedd pob milwr yn arddangos ei arf, ond gwyddai Rod o brofiad y byddai pob un ohonyn nhw'n cario rhywbeth – ac fel arfer, yr arfau cudd oedd y rhai mwyaf peryglus. Byddai pawb erbyn hyn yn cario cyllyll, a chlywai Rod ynnau'n tanio bron bob nos yn rhywle ar y stad. Gwnâi hynny iddo lyncu'n galed, oherwydd gallai gael effaith andwyol iawn ar ei fywyd yn sgil yr hyn a wnâi fel hobi. Ac roedd e'n agos iawn at y cyffro heno – yn rhy agos o lawer, mewn gwirionedd.

Stopiodd y grŵp reit o'i flaen, a phwyntiodd Rod ei gamera i'w cyfeiriad heb feiddio symud yr un cyhyr nac anadlu trwy ei drwyn.

'Go see if they comin through the main entrance, Troy,' mynnodd yr arweinydd, ac i ffwrdd â Troy fel bachgen da. Adwaenai Rod y wynebau i gyd. Roedd pob un ohonyn nhw'n arfer mynychu Ysgol Glan Ely, rhyw dair blynedd yn ifancach na Rod, ond Grand Avenue oedd eu maes chwarae bellach, a gwelai Rod nhw yn Spar. MC Kardz oedd yr arweinydd, un o ffyliaid mwyaf drwg-enwog dinas Trelái, a'i enw'n amlwg ym mhobman – y bont dros yr afon i Dreganna, muriau'r ganolfan hamdden leol a hyd yn oed ar y wal gyferbyn â swyddfa'r heddlu.

Roedd ar Rod ofn pob aelod gan eu bod nhw'n wyllt ac yn wallgof, heb fod ganddyn nhw unrhyw beth i'w golli. Gwnâi hynny nhw'n bobol beryglus iawn, a phetai Rod yn cael ei ddal â chamera yn ei feddiant heno yn cuddio yn y cloddiau, yn yr ysbyty y byddai'n treulio'r misoedd nesaf. Un ai hynny, neu...

Pam yn y byd roedd e'n gwneud y fath beth? Peryglu ei fywyd heb reswm fel hyn. Parchai Rod y newyddiadurwyr hynny a âi i wledydd anghysbell – Affganistan neu Irac yn ddiweddar, Vietnam a Chambodia gynt – i ddangos i'r byd yr erchyllterau yno, ond o leiaf caen nhw eu talu am gyflawni eu swydd. Beth gâi Rod am wneud hyn? Dim byd. Eto... Dyma fyddai'i basport allan o Drelái, o'r trais a'r tlodi. Dyna oedd Rod yn ei obeithio ta beth...

Rhewodd wrth i Kardz gerdded i'w gyfeiriad. Cyflymodd ei galon nes iddi ei fyddaru. Safodd Kardz reit o flaen y camera. Syllodd Rod trwy'r ffenest fach a gwylio arweinydd y gang yn agor ei gopis, tynnu ei bidyn allan a gwlychu'r camera oedd yn nwylo Rod, a Rod ei hunan. Nid oedd dewis ganddo ond aros mor llonydd â phosib gan obeithio na fyddai Kardz yn ei weld yn penlinio o'i flaen, tu ôl i'r dail. Yn anffodus, roedd Kardz wedi yfed pedwar can o Bow yn ystod yr awr flaenorol, felly roedd ei lif yn ddi-ben-draw, ac erbyn iddo orffen roedd angen tywel ar Rod.

Wedi shiglo'i blaen hi, dychwelodd Kardz at ei ffrindiau gan adael i Rod anadlu unwaith eto. Aeth ati i sychu ei gamera â llewys ei siwmper. Yna dychwelodd Troy.

'No sign of 'em boyz. I went round da changin rooms. Scouted the back over there like. Norra sniff. I reckon they've bottled it...'

'Pussies.'

'Good work, Troy. We'll give 'em ten then fuck off back to da Avenue. See if there's any pussy around tonight... Now who's gorra fuckin fag for me?'

Ac wrth i dair llaw ffyddlon gynnig sigarét i'r arweinydd, gwyliodd Rod yn gegagored wrth i bymtheg ffigwr tywyll ymddangos o'r cysgodion tu ôl i faes chwarae'r plant gan gripian tuag at yr Ely Boyz mor dawel â'r Viet Cong.

Bu bron iddo weiddi arnyn nhw i'w rhybuddio am yr ymosodiad cudd, ond byddai hynny wedi difetha'r ffilmio. Yn hytrach, cadwodd y camera ar Kardz a'i griw, oedd yn smygu heb syniad o'r hyn oedd ar fin digwydd iddynt.

Dros y deuddeg munud nesaf, ffilmiodd Rod rai o'r delweddau mwyaf treisgar a welsai erioed – ac roedd hynny'n ddweud mawr o ystyried iddo ffilmio golygfeydd tebyg ers tair blynedd.

Mewn gwirionedd doedd dim gobaith gan yr Ely Boyz diolch i ymosodiad tawel, dan din y Caerau Crew. Gorweddai pump ohonyn nhw'n anymwybodol ar y llwybr o flaen cuddfan Rod, heb gyfrannu dim at y frwydr, tra bu'n rhaid i'r pump arall ymladd yn erbyn pymtheg milwr Caerau, heb fod gobaith ganddyn nhw ennill.

Defnyddiwyd maes chwarae'r plant fel offer artaith anferth mewn ffyrdd hollol wreiddiol, a ffilmiodd Rod MC Kardz ei hun yn cael ei glymu ben i waered yng nghadwynau'r siglen gerfydd ei bigyrnau a'i wthio'n galed ar y llawr fel bod ei wyneb yn crafu ar y concrid tra bod bois Caerau yn ei gicio i ebargofiant.

Wedi gorffen, dechreuodd y Caerau Crew dynnu lluniau ar eu ffonau symudol o'r hyn a wnaethon nhw i'w gelynion, cyn gadael y parc ac anelu am Gaerau yn llawn chwerthin a brolio.

Stopiodd Rod ffilmio, ac edrych ar yr olygfa o'i flaen. Roedd cyrff llonydd ym mhobman – Kardz yn dal i siglo ar y siglen, pen Troy yn gwaedu dros y llithren – ac ystyriodd fynd yn agosach er mwyn cael ffilmio cwpwl o close-ups, ond yn sydyn cododd un o'r cyrff oddi ar y llwybr a phenderfynodd Rod ei bod hi'n bryd gadael.

Rhoddodd ei gamera yn ei fag a hwnnw ar ei sgwyddau. Cododd ei hwd dros ei ben cyn gadael ei guddfan a rhedeg nerth ei draed yn ôl i gyfeiriad Colin Way. Roedd hi'n ddigon tywyll erbyn hyn fel na fyddai neb yn ei adnabod, ac ymhen dim roedd wedi gadael y parc a'r milwyr cloff ar faes y gad. Atseiniai synau erchyll y frwydr yn ei glustiau, a fflachiai'r delweddau tywyll yn ei ben. Ni stopiodd redeg tan iddo basio Man Po a'r Chippy on the Bridge a chyrraedd cartref Brynley.

Gwesty'r New House, Mynydd Caerffili, Caerdydd

Roedd Beca wedi meddwi. Roedd hi hefyd mor wyllt â bleiddes ac yn fwy horni na charibŵ. Yn fochgoch a di-nics, roedd ei llygaid yn wydrog a gwynt hen Chardonnay ar ei hanadl. Gyda'i dwylaw'n gafael yng ngwddf Emlyn, saethai ei thafod am ei geg, er nad oedd Emlyn eisiau bod yn rhan o hyn – dim nawr, dim fan hyn. Byth eto mewn gwirionedd.

Roedd tŷ bach yr anabl fel pob tŷ bach anabl arall yr ymwelsai Emlyn ag e yn ystod ei fywyd, er mai dyma'r un cyntaf oedd yn cynnwys porn star preswyl yn rhan o'r pecyn.

Pwysodd Beca ar y sinc isel gan anadlu'n ddwfn a dal i geisio bwyta wyneb ei chariad. Anadlodd yn chwantus a chodi ei ffrog haf lac uwchben ei chluniau gan ysu am i Emlyn gladdu ei gledd yn ei churen flysig. Edrychodd Emlyn i lawr am eiliad a gweld llenni moel ei gariad yn ei ddenu a'i dynnu tuag ati, ond wrth i ddwylo Beca geisio agor ei falog er mwyn gafael yn ei gadernid, fflachiodd delwedd eglur yn y drych tu ôl i Beca, delwedd oedd yn ddigon i orfodi iddo wthio ei hun oddi wrthi. Ei fam oedd yno, yn syllu arno â siom yn ei llygaid. Ond diflannodd o'r drych mewn amrantiad wrth i Beca dynnu'i mab yn ôl tuag ati.

'Come on, Emlyn!' ebychodd Beca yn fygythiol. 'Ffwcia fi.' Ond pan ysgydwodd Emlyn ei ben, gafaelodd Beca yn ei goc a'i geilliau a'u gwasgu mor galed ag y gallai. 'Nawr!' mynnodd, a gwelodd Emlyn y gwallgofrwydd yn ei llygaid. Edrychodd i lawr ar ei dwylaw yn gafael mor galed yn ei geilliau a gweld y breichledau efydd llydan yn dynn am ei garddyrnau – yn gorchuddio'i chreithiau hunan-niweidiol. Edrychodd unwaith eto i fyw ei llygaid a gweld rhywbeth llawer gwaeth dros ei hysgwydd – Cariad yn y drych y tro hwn, yn ysgwyd ei phen ac yn bronfwydo baban. Siglodd ei ben ond ni ddiflannodd y ddelwedd. Yn hytrach, trodd pen y baban i ddatgelu wyneb ei fam. Wrth i'r llaeth ddal i lifo o deth ei wraig i mewn i geg ei fam, gwelai ffieidd-dod pur yn llygaid y ddwy.

'Na. No way,' dywedodd Emlyn, gan bilio ei gariad oddi arno.

'Beth?'

'Na. No way. Dim fan hyn…' Cododd Cariad ei haeliau yn y drych. 'Byth eto, Beca.'

'Pam? Beth sy'n bod arna i?'

'Dim byd, Beca. Wir nawr. Ti'n lyfli. Ti'n lush, a fi 'di cael lot o hwyl yn dy ffw…' Diflannodd Cariad a'i fam o'r drych, ond roedd yr olwg ar wyneb Beca yn waeth nag edrychiad y ddwy ohonyn nhw.

Sythodd ei chefn a'i ffrog a gorchuddio'i chedorau, cyn gafael yn ei bag llaw Prada ac estyn potel o gin o'i grombil. Llarpiodd yn farus o'r botel cyn tynnu ei gwefusau yn ôl dros ei dannedd mewn ymateb i flas erchyll yr hylif.

'Beth ti'n ddweud, Ems?'

'Dyma'r diwedd, Beca. Ti a fi. Dim mwy...'

'Ond pam? Beth ydw i 'di neud?'

'Dim ti yw'r broblem. Fi sydd ar fai...'

'Don't give me that shit, Emlyn. Dim merch ysgol ydw i!'

'Na. Wrth gwrs. Ond mae'n hollol wir. Fi sydd wedi neud rhywbeth, dim ti.'

'Beth wyt ti 'di wneud?'

'Ma Cariad yn feichiog. Fi'n mynd i fod yn dad.' A dyna, gobeithiai Emlyn, fyddai'r diwedd arni. Byddai hyd yn oed Beca yn deall hynny...

Yfodd Beca o'r botel ac edrychodd Emlyn arni. Roedd hi'n edrych yn uffernol yr eiliad honno. Yn rwff ac yn drist. Mewn gwrthgyferbyniad â'i wraig, oedd yn tywynnu yn y stafell drws nesaf. Ceisiodd Emlyn gofio sut a pham y dechreuodd ei ffwcio yn y lle cyntaf, ond methai'n lân â gwneud. Ac wedi iddi orffen yfed a thynnu stumiau unwaith eto, edrychodd i mewn i lygaid Emlyn. Gwenodd arno. Ond nid gwên gyfeillgar oedd hi. Gwên sadistaidd, llawn casineb.

'So fucking what.'

Syllodd Emlyn arni'n gegagored. Doedd dim gobaith fan hyn. Dim gobaith dianc o'i chrafangau. Byddai Beca yn gwneud iddo ddioddef, gwyddai hynny. Roedd hi'n arfer cael ei ffordd ei hun, ac ni fyddai'n gadael i Emlyn gerdded yn rhydd o'i gwe.

'Whoopie fucking doo! Be wyt ti moyn, tystysgrif? Clap? Medal?'

'Na. Sa i'n gwybod beth dw i moyn. Ond fi'n gwybod un peth. Sa i moyn dy weld ti eto. Byth eto.'

'Ffwcia o 'ma 'te'r bastard bach. Cer 'nôl at dy wraig. Dy fabi. Dy fywyd cachu.'

A dyna'n union wnaeth Emlyn. Ond cyn agor y drws ac edrych i weld oedd unrhyw un yno, edrychodd ar Beca unwaith yn rhagor. Eisteddai ar yr orsedd bellach, yn yfed y gin fel tasai'n sudd oren. Doedd dim tristwch nac edifeirwch yn agos ati, dim ond casineb pur. Ond doedd dim osgoi hynny bellach. Roedd Emlyn wedi dweud ei ddweud, a byddai'n rhaid iddo ateb y cwestiynau a derbyn ei gosb maes o law. Fel dyn.

'Be ti'n edrych arno?' hisiodd Beca. Felly aeth Emlyn allan gan anelu am y brif fynedfa, a'i gadael yn rhegi tu ôl i'w gefn.

Tŷ Bryn, Mill Road, Trelái Isaf

'Rod. Croeso, croeso. Come in, come in. It is croeso, isn't it?'

'Yes, Auntie Jan.'

'Da iawn. I always get it confused with croesi, see. How are you doing anyway, luv? Bryn tells me you've been out filming again…'

Arweiniodd Anti Jan Rod tua'r lolfa, gan siarad yn ddi-stop. Hi oedd ffrind gorau ei fam, a mam Rod oedd y rheswm fod Anti Jan yn medru dweud rhyw ychydig o eiriau Cymraeg. Roedd y ddwy'n arfer rhedeg y feithrinfa leol, gydag Anti Jan yn rhyfeddu at fam Rod yn siarad Cymraeg â'i bechgyn. Ei fam hefyd oedd y rheswm fod Brynley yn gallu siarad Cymraeg, er nad oedd yn siarad rhyw lawer ohoni erbyn hyn chwaith.

Roedd Rod yn greadur prin iawn yn Nhrelái, sef Cymro Cymraeg. Doedd yr iaith ddim yn cael ei siarad yn yr ardal o gwbwl, er nad oedd yn rhaid mynd ymhell i'w chlywed. Byddai'r iaith ar waith ar y bysiau o Drelái i'r dref − ar rif 13, 17 neu 18 − gan eu bod nhw'n teithio drwy ardaloedd

Parc Fictoria a Threganna ar eu ffordd i'r CBD. Byddai Rod yn rhyfeddu wrth glywed yr acenion gwahanol – y gogs a phobol y gorllewin, heb anghofio'r brodorion â'u hacenion cyfarwydd. Pobol ifanc oedd i'w clywed ar y bysiau, a nifer ohonyn nhw â phlant bach mewn coets neu ar dennyn. Gwnâi hynny Rod yn hapus. Roedd gwybod bod yr iaith yn ffynnu yn gwneud iddo feddwl am ei fam. Byddai hi'n hapus o wybod hynny hefyd...

'Alright, son? D'you want a lager? Jan, get Rod a lager would you, luv? He looks like he could do with one.' Ac ar ôl i Anti Jan gamu am y gegin, edrychodd Wncwl Steve i'w gyfeiriad yn llawn pryder.

'What happened to you? It hasn't been raining...'

Teimlodd Rod ei wallt a hwnnw'n dal i fod yn wlyb diolch i MC Kardz a'i bladren llawn Bow. Sylwodd Rod ar ei siaced. Roedd honno hefyd yn wlyb.

'No rain. I had a bit of a close shave filming this gang fight down the Racecourse a minute ago. You don't mind if I have a shower, do you?'

'Of course not. You knows where it is. And I won't ask no more about what you've been up to tonight...'

'Why, what's happened?' Dychwelodd Anti Jan â dau gan o Breaker oer yn ei gafael. Un i Rod ac un i Wncwl Steve.

'Nothing to worry about, Auntie Jan. Someone peed on me, that's all...'

'And that's nothing to worry about, is it, Rod?!' ebychodd Wncwl Steve, cyn troi 'nôl at y teledu a'r cystadleuydd nesaf ar ba sioe dalent bynnag oedd yn llygru'r tonfeddi heno.

Aeth Anti Jan i estyn tywel i Rod, gan addo y byddai bwyd yn barod wedi iddo ymolchi. Camodd i'r gawod foethus oedd yng nghefn y tŷ, yn yr estyniad diweddaraf i Wncwl Steve ei orffen.

Wrth i'r dŵr ei dwymo a'i olchi, ystyriodd pa mor lwcus oedd Brynley â'i deulu cyflawn, llawn cariad a chefnogaeth. Wrth gwrs, doedd ei fywyd ddim yn fêl i gyd, oherwydd y cyfrifoldeb wedi iddo ddod yn dad yn ddeunaw oed. Roedd ei fab, Cesar, yn bedair erbyn hyn, ac er nad oedd Bryn a Leanne, y fam, bellach gyda'i gilydd, byddai Bryn yn gweld ei fab o leiaf bedair gwaith bob wythnos, ac yn dotio ar y bychan, fel roedd ei rieni'n dotio arno fe.

Gweithiai Bryn fel swyddog diogelwch i lawr yn Fordthorne ar Heol Penarth. Shiffts nos fel arfer, gan gynnig arian reit dda i ddyn o'i oedran, heb gymwysterau. Roedd ganddo gyfrifoldebau go iawn, o'i gymharu â llawer o'i gyfoedion, a'r cyfrifoldebau hynny'n golygu swydd go iawn. Cofiodd Rod iddo chwerthin pan welsai Bryn yn gwisgo'i lifrai am y tro cyntaf rhyw ddwy flynedd ynghynt. Edrychai yn union fel yr hyn oedd e – bachgen yn ceisio gwneud swydd dyn. Ond bellach, diolch i dair sesiwn wythnosol o godi pwysau, llenwai Bryn ei wisg swyddogol ac roedd Rod yn teimlo'n ddiogel yn ei gwmni, diolch i'w gyhyrau cryf, ei gymeriad hoffus a'i feddwl praff.

Yn anochel, roedden nhw'n rhannu nifer o ddiddordebau – ffilmiau, cerddoriaeth, snakebites a smocio ganja yn eu plith. Angerdd Bryn oedd y perlysiau mewn gwirionedd a dim ond o bryd i'w gilydd, yn hytrach nag yn ddyddiol fel ei ffrind, yr hoffai Rod eu defnyddio.

Clywodd y drws yn cilagor, a thrwy'r stêm a lynai wrth wydr y gawod gwelodd Rod fam Bryn yn gosod pentwr o ddillad glân ger y sinc.

'Thanks, Auntie Jan!' gwaeddodd arni.

'Bring your dirty clothes when you're done. I'll have 'em ready for you before you leave in the morning...'

Sychodd Rod ei hun â thywel trwchus, tywyll, a

gwisgo'r dillad – comfy pants rhad o Peacocks ac un o
hen grysau-T Brynley – cyn casglu'r pentwr pislyd oddi
ar y llawr a'i gymryd i'r gegin lle roedd Anti Jan yn aros
amdano.

'Put 'em in the washing machine, luv,' gorchmynnodd
hi, ac wedi i Rod wneud rhoddodd hambwrdd iddo i'w
gario i stafell Bryn yn yr atig, hambwrdd ac arno wyth hot
dog mewn rholiau meddal, ffres, potel o sos coch a mwstard
a chan lager Rod.

Wedi diolch iddi, anelodd Rod am yr atig i weld pa mor
goch oedd llygaid Bryn erbyn hyn.

Edrychai cartref Bryn a'i rieni fel unrhyw dŷ teras arall ar
y stryd o'r tu fas, ond ar y tu mewn roedd e fel palas. Roedd
balchder a gwaith llaw cywrain Wncwl Steve i'w weld ym
mhobman, a chwaeth gartrefol Anti Jan hefyd. O dan draed
roedd 'na garped trwchus, a doedd dim anaglypta nac artex
yn agos at y waliau na'r nenfwd. Ac yng nghefn y tŷ roedd
gardd aeddfed yn cyrraedd dŵr afon Elái ar ei gwaelod. Eden
o le o'i gymharu â chartref Rod.

'Nice threads, dude,' oedd geiriau cyntaf Bryn wrth weld
Rod yn camu i mewn i'w stafell wely. Ond yn hytrach na
chnoi'r abwyd, aeth Rod ati i osod yr hambwrdd ar y bwrdd
coffi isel yng nghanol y stafell a gosod ei fag yn ofalus ger y
wardrob.

'Ti moyn hot dog?'

'Plis. Easy on da Dijon…' Trodd Bryn i wynebu Rod yn
awr, gan godi o'r gadair tu ôl i'r telesgop oedd yn pwyntio
at y sêr tu hwnt i'r Velux. Roedd ei lygaid mor goch â
gwaed Troy. Doedd dim rhyfedd eu bod mor waedlyd
mewn gwirionedd, gan fod y bong yn mygu wrth y ffenest
gilagored – tystiolaeth bod ei ffrind newydd chwalu côn, jyst
cyn iddo gyrraedd.

'Good fight?' gofynnodd Brynley wrth fwyta hanner hot dog mewn un llond ceg.

'Brutal. Hollol brutal. Nath y Caerau Crew ambushio Kardz a'r boys a massacro nhw mewn deg munud…'

'Sweet. Kardz and his boys are a bunch of fuckin idiots os ti'n gofyn i fi. They deserve popeth they get.'

'Ro'dd e'n reit sick though. Seriously. Roedd Kardz yn hongian upside down o un o'r swings pan adawes i…'

'Nice!'

'A pen Troy wedi'i agor gan nunchucks un o'r Caerau Crew a'i waed yn llifo i lawr y sleid…' Byddai parhau i siarad Cymraeg â'i ffrind yn galw am ymdrech anferthol ar ôl cwpwl o gans a smôc, ond dal i wneud wnâi Rod bob amser. Er y byddai Wenglish Bryn yn troi'n Saesneg pur wrth i'r nosweithiau ddiflannu mewn niwl porffor myglyd, ymlaen yr âi Rod â'r frwydr unig.

Yn ogystal â dylanwad ei fam, cafodd Rod ei ysbrydoli gan hen athrawes iddo yn yr ysgol. Roedd brwdfrydedd Miss Michael wedi gadael marc bythol arno, ac roedd peth o'i hangerdd yn rhan ohono o hyd. Yn ôl Miss Michael, ein hiaith yw'r unig beth sy'n ein gwahaniaethu oddi wrth y Sais, ac er nad oedd Rod yn cytuno'n llwyr â hynny, roedd e'n gwerthfawrogi pwysigrwydd ymarferol y Gymraeg.

Byddai'n gallu ymgeisio am bob swydd fyddai'n cael ei hysbysebu yng Nghymru diolch i'r iaith, ac er nad oedd hynny wedi bod o help iddo hyd yn hyn, roedd e'n ffyddiog y byddai yn y dyfodol.

'Good footage though?'

'Gwych. Roedd y golau'n berffaith a'r ambush fel rhywbeth o *Apocalypse Now* – jyst y silhouettes 'ma'n ymddangos yn y cefndir. A dylset ti 'di clywed Kardz cyn i fois Caerau gyrraedd – yn eu galw nhw'n pussies a stwff…'

'Did you get the audio?'

'Aye. O'n i'n cuddio tu ôl i glawdd – ti'n gwybod, opposite y lle chwarae – a nath Kardz hyd yn oed bisho arna i. O leia tri can o Bow dros y camera ac ar 'y mhen i.'

Edrychodd Bryn ar Rod am eiliad, cyn dechrau chwerthin. Gorffennodd ei ail hot dog a mynd ati i newid y CD. Ymhen dim dechreuodd y bas a'r effeithiau electronig tywyll gripian i mewn i'r stafell ac i'w hisymwybod, a'r ddau'n bwyta mewn tawelwch a'u pennau'n dwmpian i guriadau brwnt cymysgdap newydd y Bass FM Crew – criw o gerddorion a chantorion dubstep lleol.

Wedi gorffen bwyta, llenwodd Bryn gôn arall, cyn agor y Velux a sugno'r bong. Chwythodd y mwg tua'r ffurfafen, cyn llenwi un i Rod er mwyn iddo ymuno â fe mewn dimensiwn arall. Aeth Bryn i orwedd ar ei wely, gan doddi i mewn i'r clustogau meddal.

Cyn smocio'r côn, aeth Rod draw at y telesgop ac eistedd yn y gadair droelli ledr. Agorodd y ffenest i'r eithaf fel y gallai weld yn well, a'r eiliad honno cleciodd gwn rywle yn y cyffiniau.

'Fuck!' dywedodd Bryn, heb agor ei lygaid.

'Agos,' medd Rod.

'Idiots.'

Nid oedd Bryn na Rod erioed wedi cael eu denu at ochr dywyll eu milltir sgwâr. Wrth gwrs, roedd y ddau wedi gwneud digon o bethau twp yn ystod eu bywydau, ond dim byd yn ymwneud ag arfau na chyffuriau caled. Diolch byth, roedd rhieni Bryn yn fodlon iddyn nhw ymlacio fan hyn. Credai Wncwl Steve ei bod hi'n well iddyn nhw smocio bach o ganja yma na'u bod ar y strydoedd yn gwneud pwy a ŵyr beth. Dyn doeth oedd Wncwl Steve.

Edrychodd Rod trwy'r telesgop er mwyn gwneud yn siŵr

bod y teclyn yn barod, cyn sugno'r bong, chwythu'r mwg a chwilio am gytser Capricorn yn y nefoedd fry. Ffeindiodd e'n reit hawdd heno, ac wrth edrych ar y siapiau'n disgleirio mor glir o flaen ei lygad, meddyliodd am ei fam, fel y gwnâi bob tro yr ymwelai â'r cytser hwn, gan mai'r afr oedd ei harwydd hi.

Gwesty'r New House, Mynydd Caerffili, Caerdydd

Am yr ail waith heno, gafaelodd llaw anhysbys yng ngwar Emlyn a'i dynnu gerfydd ei goler agored i ddüwch yr ardd o flaen y gwesty. Amheuai Emlyn mai Steffan oedd e, a pharatôdd i ddweud celwydd cyn cymryd cweir haeddiannol am yr hyn a wnaeth. Ond, wedi pasio seddi'r ardd a'r ymbaréls, cafodd ei wthio i eistedd ar fainc haearn, ac oerodd bochau ei din ar unwaith. Edrychodd i fyny a gwenu'n llawn rhyddhad wrth weld mai Euros oedd yn sefyll o'i flaen. Er hynny, doedd ei frawd mawr ddim yn edrych yn hapus iawn…

'Beth yn y byd sy'n bod arnot ti, eh?' sibrydodd yn fygythiol wrth blygu i lawr fel bod eu trwynau'n cyffwrdd. Roedd ei lygaid yn pefrio, ond roedd Emlyn wedi gweld ei frawd fel hyn gannoedd o weithiau o'r blaen. Dyn byrbwyll oedd e, llawn angerdd. Gweithredu nawr, cwestiynu'n hwyrach. Un o'r bobol yna oedd Euros.

'B-b-beth?'

'Paid â bod yn gachgi nawr, Ems. Dim gyda fi. Weles i ti'n dod mas o'r bogs anabl funud yn ôl. Wedyn Beca yn dilyn, worse for wear…'

'Look, Eu…'

'Fuckin paid, Emlyn. Ti'n mynd i fod yn dad. Wedodd Caz wrtha i'n gynharach, a fel hyn ti'n dathlu?!'

'Eu…'

'Paid treial esbonio…'

'Ond, Euros…'

'Fuckin paid. Fi mor grac gyda ti. Beth fydde Mam yn ddweud?'

'Gwranda, wnei di?!'

'Beth?'

'A paid dod â Mam i mewn i hyn chwaith.'

'Sori. Go on 'te, fi'n aros.' Taniodd sigarét bob un iddyn nhw cyn eistedd wrth ochr ei frawd ar y fainc ac edrych i lawr dros y ddinas a honno fel petai'n adlewyrchu'r ffurfafen heno rywffordd.

'Fi 'di bod yn ffwcio Beca ers rhai misoedd, ok. Dim byd mwy, dim byd llai. Jyst ffwcio. Fi a Cariad wedi bod dros y lle i gyd yn ddiweddar, yn broffesiynol a gyda'n gilydd. Ni braidd wedi gweld ein gilydd ers rhyw fis, ac wedyn bore 'ma rhoddodd hi'r newyddion da i fi…'

'A?'

'A nath popeth newid bron ar unwaith…'

'Beth ti'n feddwl?'

'Wel, popeth. Y ffordd fi'n teimlo amdani hi. Amdana i. Am y babi yn ei bola hi. Am Beca. Am fywyd. Jesus, Euros, ma popeth wedi newid. Jyst fel 'na.'

Cliciodd ei fysedd a phwyso 'nôl ar y fainc. Edrychodd ar y sêr, gan gofio'i fam yn esbonio wrtho ar ôl marwolaeth ei fam-gu pan oedd e'n blentyn mai dyna beth ddigwyddai i'r meirw, dyna ble bydden nhw'n mynd – i'r ffurfafen ar ffurf seren newydd. Gwyddai, wrth gwrs, mai bollocks llwyr oedd hynny, ond rhoddodd gysur mawr iddo pan oedd yn ifanc.

'Fi'n falch clywed. Ond beth o't ti'n neud yn y bog gyda hi nawr? Ti'n lwcus mai fi, a dim Steff, oedd yn gwynebu'r ffordd yna pan ddaethoch chi mas…'

'Nath Beca fy nragio i mewn am shag, ond 'nes i wrthod

ac fe orffennes i 'da hi. Wir nawr. A' i ddim yn agos ati eto.'

'Gwna'n siŵr nad wyt ti ddim, iawn?'

'Rhyfedd 'fyd…'

'Beth?'

'Wel, pan ddihunes i bore 'ma, roedd popeth yn normal. Ti'n gwybod, cerdded y cŵn, cinio, priodas blah blah blah, ond ar ôl dau air bach newidiodd popeth. Do'n i ddim hyd yn oed yn gwybod 'mod i eisiau bod yn dad. A dweud y gwir, ro'n i'n meddwl bod yr holl beth yn mynd i basio heb i fi na Cariad ystyried y peth. Ond nawr, ar ôl meddwl, sa i erioed wedi bod mor hapus…'

Taflodd y brodyr eu stwmps i glawdd cyfagos, cyn i Euros gofleidio'i frawd yn gariadus.

'Croeso i uffern!' chwarddodd, ond roedd e eisoes wedi bod trwy'r cyfnod gwaethaf, gan fod ei ddau blentyn bellach yn yr ysgol gynradd.

'Diolch yn fawr,' atebodd Emlyn.

'A beth am y peth arall 'na – unrhyw ddatblygiadau newydd?'

'Na. Dim byd. Pam, ddwedodd Steffan rywbeth?'

'Dim ond dweud ei fod yn edrych ymlaen yn fawr at weld dy ffilm, 'na i gyd…'

A gyda hynny, diflaswyd Emlyn unwaith yn rhagor. Efallai ei fod wedi delio ag un broblem heno, ond roedd un arall anferthol yn aros amdano yn y gwaith ddydd Llun.

Wrth gerdded yn ôl am y parti, pasiodd Emlyn ac Euros lond bwrdd o bobol yn rhannu sbliffs ac yn sugno gwynfryn i fyny eu ffroenau oddi ar y bwrdd, heb boeni dim pwy fyddai'n eu gweld. Synhwyrodd Emlyn gorff ei frawd yn tynhau, ond ymlaen yr aethon nhw er mwyn ffeindio'u gwragedd.

'Ti ddim yn mynd i gael gair?' gofynnodd Emlyn.

'Dim heno,' atebodd Euros. 'Fi off duty. Nawr, beth ti moyn i'w yfed?'

Akuma Cyf., Heol Penarth, Caerdydd: Bore Dydd Llun

Mewn stafell olygu dywyll, ddiffenest, eisteddai Emlyn ar ei ben ei hun o flaen clogwyn o sgriniau teledu â'i ben yn ei ddwylo a'i freuddwydion ar chwâl. Gwylio'r hyn yr oedd wedi gorffen ei ffilmio'n ddiweddar oedd e – ei gampwaith i fod. Ond gwyddai bellach nad oedd e wedi dod yn agos at hynny. Ddim o bell ffordd. Hyd yn oed wrth ffilmio, roedd e'n gwybod na fyddai'r ffilm yn un wych, ond doedd e ddim wedi disgwyl iddi fod mor wael â hyn chwaith.

Ac er mai dim ond y deunydd crai, cyn dechrau ar y golygu go iawn, roedd e'n ei wylio heddiw, gwyddai na fyddai'r golygydd gorau ar y ddaear yn gallu gwneud rhyw lawer â'r hyn a ffilmiodd.

Cododd ei ben a gwasgu 'PLAY' cyn syllu'n gegagored ar olygfa arall ddi-fflach. Digalonnodd. Yfodd ei goffi ac ystyried agor y drws tân er mwyn cael mwgyn i leddfu'r boen, ond ni fyddai hynny o help, dim ond yn gohirio'r artaith am gwpwl o funudau. Gwingodd wrth weld y gwaith camera, ac er ei fod yn ysu am feio'r sinematograffydd, gwyddai mai ei gyfarwyddo gwan ei hun oedd ar fai mewn gwirionedd. Hynny a'r actio annaturiol, heb sôn am y sgript. Fe oedd ar fai am hynny hefyd, gan mai fe oedd yr awdur, yn ogystal â'r cynhyrchydd-gyfarwyddwr.

Anelodd am y drws tân wedi'r cwbwl, ac wrth fygu'n dawel a thrist crwydrodd ei feddwl yn ôl at uchafbwynt ei yrfa: *Murder on the Dancefloor,* y ffilm ddogfen a gynhyrchodd a'i chyfarwyddo rhyw ddegawd ynghynt am Luc Swan a llofruddiaeth y boy band Fflach! Dyna oedd penllanw ei waith creadigol, heb os – y cynhyrchiad a ddaliai i'w lenwi â balchder, a'r unig beth a gynhyrchodd y byddai pobol yn ei gofio.

Wrth gwrs, o'i gymharu â llawer o bobol, roedd Emlyn yn llwyddiannus ac wedi cael digon o lwyddiannau eraill ers hynny, ond nid oedd e'n ystyried creu rhaglenni plant ac ambell sioe gwis gachlyd yn llwyddiant. Dim o gwbwl. Roedd Emlyn eisiau ennyn parch pobol ar sail ei waith, ond doedd hynny ddim yn bosib gyda'r CV oedd ganddo.

I'r mwyafrif o bobol, byddai bod yn berchen ar un o gwmnïau cynhyrchu annibynnol mwyaf llwyddiannus diwydiant darlledu Cymru yn hen ddigon, ond ddim i Emlyn. Roedd e eisiau i bobol gofio'i waith, canmol ei waith, caru ei waith. Heb sôn am gofio'i enw. Ond doedd hynny ddim yn bosib gyda rhaglenni plant nac adloniant ysgafn.

Gwelodd ei gyfle pan gafodd Steffan Grey ei benodi'n gomisiynydd drama a ffilm y Sianel rhyw dair blynedd yn ôl. Roedd Emlyn eisoes wedi bod yn gweithio ar sgript ffilm ers peth amser, a gyda Steffan wrth y llyw aeth Emlyn ati i'w ddarbwyllo i gomisiynu'r ffilm a rhoi rhyddid llwyr iddo o ran yr ysgrifennu, y cynhyrchu a'r cyfarwyddo. Y camgymeriad mwyaf i Steff ei wneud erioed. Ar wahân i briodi Beca, efallai.

Sugnodd yn galed ar y sigarét, cyn taflu'r stwmp i ddraen cyfagos. Wedi'r haf bach Mihangel, roedd yr hydref yn yr aer heddiw. Cymylau llwyd a'r glaw yn bygwth. Gwynt main a'r dail yn dechrau cwympo. Er, doedd dim lot o ddail i'w gweld o'r lle y safai – dim ond brics a choncrid, dur a phaent. Caeodd y drws a dychwelyd i'w sedd, gan gofio'r brwdfrydedd a deimlai ar ddechrau'r prosiect hwn, yn ystod y cyfnod cyn-gynhyrchu. Gwaith creadigol credadwy yr oedd Emlyn wedi gobeithio'i greu – hynny a ffilm gofiadwy fyddai'n torri tir newydd. Ond nawr, wrth edrych ar y delweddau'n symud ar y sgrin, gallai ffarwelio â'r freuddwyd honno unwaith ac am byth.

Roedd y ffilm yn fethiant. Ac felly roedd Emlyn yn fethiant hefyd. Teimlad rhyfedd oedd hynny, gan nad oedd wedi profi'r fath beth o'r blaen. Llenwodd ei gwpan â choffi cryf, cyn gwylio golygfa anghyfforddus arall. Yn hon, roedd prif gymeriad y ffilm – Elvis Jones – yn arteithio dyn drwg mewn hen theatr. Gwyliodd trwy fysedd ei ddwylaw gan ddod i'r casgliad bod yr olygfa, a'r ffilm fel cyfanwaith, yn adlewyrchu ei obeithion i ryw raddau – afrealistig a ffuantus.

Roedd Emlyn, yn bersonol ac yn broffesiynol, wedi colli'i sbarc. Roedd wedi amau hynny ers cryn amser, ond gwyddai heb amheuaeth erbyn hyn. Ceisiodd gofio a oedd ganddo unrhyw greadigrwydd i ddechrau, ond nid oedd dim yn amlwg erbyn hyn. Ar un adeg, gwyddai'n iawn pwy oedd e ac roedd yn sicr o'r hyn roedd e am fod – anfarwol, enwog, pwerus a chyfoethog. Ond doedd un allan o bedwar ddim yn ddigon da.

Roedd Emlyn wedi colli'i ffordd yn rhywle, a doedd dim syniad ganddo pa lwybr i'w gymryd bellach, tan i Cariad rannu ei newyddion gyda fe. Ar unwaith, teimlai rywbeth yn corddi, rhyw gyfrifoldeb newydd, rhyw ddeffroad. Ystyr newydd, hollol unigryw i'w groesawu.

Gwyliodd ddiwedd yr olygfa gan rynnu wrth glywed y geiriau'n llifo o geg Elvis. Ymson a ysgrifennodd Emlyn oedd hi. Ymson roedd e'n falch iawn ohoni ar y pryd, ond ni allai wrando arni bellach.

Meddyliodd am Cariad a'r baban yn ei bol. Roedd eisiau i'w blentyn ei barchu fel person ac am yr hyn a wnaeth â'i fywyd. Stopiodd y ffilm ac eistedd yn ôl yn y gadair ledr. Teimlai wedi diflasu'n llwyr, yn ymwybodol iddo wario'r holl gyllid heb gynhyrchu unrhyw beth o werth. Nid oedd y ffilm yn cyflawni gofynion y contract a golygai hynny drafferthion mawr i Emlyn ar lefel bersonol, ond yn bennaf i enw da Akuma yn broffesiynol. Byddai Steffan ar ei ôl go iawn maes o law, a'r galwadau ffôn cyfeillgar yn troi'n alwadau crac ac ymweliadau personol.

Teimlai Emlyn yn fethiant llwyr: fel cyfarwyddwr, cynhyrchydd, fel dyn a pherson. Estynnodd ei dabledi gwrthiselder o boced ei got a llowcio dwy gyda llond ceg o goffi, er na wyddai a oedden nhw o gymorth iddo'r dyddiau hyn. Roedden nhw'n rhan mor arferol o'i fywyd bellach fel na allai gofio'i fywyd cynt, ac nid oedd am wynebu bywyd hebddynt chwaith. Aeth i estyn y tâp o'r peiriant, ond cyn iddo allu gwneud, canodd y ffôn. Stopiodd Emlyn a syllu arni. Roedd wedi dweud wrth Kate yn y dderbynfa i beidio â'i styrbio, felly cododd y ffôn er mwyn rhoi llond pen iddi.

'Beth?!'

'Sori, Emlyn, fi'n gwbod sa i fod...'

'Beth ti moyn, Kate?'

'Wel... ma Steffan Grey ar line one...'

'So?'

'Ma fe'n dweud bod hi'n alwad bwysig.'

'Fi mewn cyfarfod, Kate...'

'Ond...'

'Na. Scrap that. Fi 'di gadael am y dydd. Am yr wythnos, efallai.'

'Uh...'

'Beth?'

'Pa un – am y dydd neu am yr wythnos?'

'Y dydd, I suppose. Dwed wrtho fe i ffonio 'nôl fory. Neu ddydd Mercher...'

'Ond pa un?'

'Sdim ots 'da fi, Kate. Ond sa i ar gael heddi, iawn?'

Ac i lawr aeth y ffôn ac unrhyw arlliw o obaith oedd ar ôl gan Emlyn. Roedd dyddiad dangos rough cut o'r ffilm i'r comisiynydd yn agosáu, ac roedd Steffan yn amlwg yn awyddus i weld beth oedd gan Emlyn iddo. Roedd Steffan wedi ymddiried yn ei weledigaeth; wedi rhoi'r cyfle iddo greu campwaith, a'r rhyddid i wneud hynny hefyd. Ond ni fyddai'n hapus a byddai'r ffilm yn adlewyrchu'n wael ar Steffan a'r Sianel. Byddai'n siŵr o gofio'r llanast pan fyddai Emlyn ac Akuma yn ceisio ennill comisiynau yn y dyfodol.

Dyma'r tro cyntaf i Emlyn golli rheolaeth dros ei waith, ac nid oedd yn hoffi'r teimlad. Doedd dim modd ailafael ynddo chwaith, dim nawr gyda'r ffilmio wedi gorffen a'r deunydd yn barod i gael ei olygu. Neu ddim yn barod, fel mae'n digwydd. Ni wyddai Emlyn beth i'w wneud. A fyddai'n gallu ad-dalu'r arian a gawsai gan y Sianel, claddu'r cynhyrchiad a symud ymlaen? Annhebygol. Ta beth, hyd yn oed pe byddai hynny'n bosib, fyddai'r Sianel ddim yn anghofio.

Wrth i Emlyn feddwl na allai ei ddiwrnod waethygu, canodd ei ffôn symudol i ddatgan bod neges destun wedi cyrraedd. Oddi wrth Beca.

Cododd y ffôn a darllen y neges syml: 'Pam wyt ti'n anwybyddu fi?' Hon oedd y chweched neges iddo'i chael oddi wrth ei gyn-gariad ers ei gadael yn y tŷ bach anabl nos Sadwrn. Naill ai doedd hi'n cofio dim am y sgwrs, neu roedd hi wedi penderfynu ei hanwybyddu. Roedd Emlyn yn amau mai'r ail bosibilrwydd oedd y mwyaf tebygol. Dyna'r math o fenyw oedd hi – hunllef ar ddwy goes.

Meddyliodd am Cariad, gan obeithio nad oedd ei libido afreolus yn mynd i ddifetha'i gyfle i brofi gwir hapusrwydd gyda'i wraig a'i blentyn. Ond gyda'r pryder yn corddi, nid oedd pethau'n argoeli'n dda.

BBC, Llandaf, Caerdydd

Ceisiodd Cariad guddliwio yng nghanol y cyrff oedd wedi ymgasglu yn y stafell gyfarfod. Teimlodd y gwrid yn codi o fodiau ei thraed, heibio'i phengliniau, ei bola a'i bronnau cyn ffrwydro a chreu mwgwd sgarlad ar ei hwyneb a fu cyn hynny'n welw.

Suodd yn simsan yn ei UGGs brown tywyll cyn edrych o gwmpas i weld a oedd cadair wag yn agos. Dim gobaith. Roedd y stafell yn orlawn, cegau'r cyrff yn clebran a phawb yn aros i Steven gyrraedd i gadeirio'r cyfarfod cynhyrchu wythnosol. Pawb ond Cariad, hynny yw. Aros i'r cyfarfod orffen roedd hi, er mwyn gallu dianc a diflannu am seibiant yn ôl wrth ei desg.

Teimlodd y chwys ar ei thalcen. Wedyn daeth y bendro. Yn ysgafn a chwareus i ddechrau, ond yn dwysáu gyda phob troad. Trodd i adael. Doedd dim dewis ganddi, ond cyn iddi gael y rhyddid cyrhaeddodd y bos gan gau'r drws ar ei ôl.

Pwysodd Cariad ar y wal, gan gofio'r cyngor yn un o'r llyfrau ar feichiogrwydd a gawsai o'r llyfrgell. Anadlodd yn ddwfn, i mewn trwy'r trwyn ac allan yn araf trwy'r geg. Tawelodd y lleisiau wrth i Steven godi'i lais, cyn iddo fynd ati i esbonio amcanion yr wythnos fel y gwnâi bob bore Llun.

Ni chlywodd Cariad yr un gair. Roedd hi'n rhy brysur yn sicrhau na fyddai'n chwydu. Gallai deimlo'r bustl yn bygwth, ond rheolodd reddfau ei chorff drwy anadlu'n ddwfn a myfyrio. Ysai am gael eistedd.

Gyda'r pennaeth yn parhau i barablu, nofiai pen Cariad mewn môr o ryfeddod. Ar adegau, gallai deimlo'r bychan yn tyfu tu mewn iddi, neu o leiaf dyna sut y teimlai. Er y gwyddai nad oedd y ffetws yn fwy o faint na'i bawd ar hyn o bryd, roedd y cysylltiad – corfforol a meddyliol – eisoes yn cael effaith arni. Ni allai stopio meddwl am yr hyn oedd yn ei bol. Bob tro y caeai ei llygaid, neu oedi am eiliad, meddyliai am y baban. Roedd y sefyllfa'n ei brawychu a'i rhyfeddu ar yr un pryd.

Gyda blas y cyfog yn cyrraedd cefn ei gwddf, daeth y cyfarfod i ben heb i Cariad glywed gair. Wrth i'r lleisiau godi, agorodd y drws a brasgamu o 'na, gan anelu am y tŷ bach agosaf. Trodd y brasgamu yn loncian a'r loncian yn ras, ac wrth agosáu at ei chyrchfan teimlai Cariad don o ryddhad. Gyda'i llaw dros ei cheg ysgwyddodd y drws ar agor, ond cyn cyrraedd, ffrwydrodd y chŵd o'i cheg, trwy fysedd ei llaw, dros y drws a'r teils. Chwyrlïai ei phen, ac aeth draw at y sinc a phwyso'n drwm arno gan redeg y tap a golchi'i cheg, er nad oedd modd cael gwared ar y blas. Ceisiodd ei gorau i beidio ag edrych ar ei hadlewyrchiad yn y drych, a chlywodd rywun yn fflysio un o'r toiledau tu ôl iddi. Nid oedd Cariad wedi rhannu'i newyddion â neb yn y gwaith hyd yn hyn, ond anodd oedd gwadu'r gwirionedd hwn ben bore dydd Llun.

Teimlodd law ar ei chefn yn rhwbio'n dyner. Gwefr gyfeillgar, heb sôn am groesawgar. Cododd Cariad ei phen ac edrych yn y drych. Gwelodd Eve yn sefyll yno â gwên wybodus ar ei hwyneb. Wrth gwrs, roedd Eve newydd ddychwelyd ar ôl cyfnod mamolaeth, a gwyddai yn iawn beth i'w wneud.

'Anadla'n ddwfn a cheisia ymlacio.'

'Diolch,' dywedodd Cariad, wrth i Eve symud y gwallt oedd yn glynu'n chwyslyd at ei thalcen.

'Dim probs, fi'n cofio'n iawn sut mae'n teimlo.'

'Pryd fydd o'n stopio?'

'Mae hynny'n dibynnu ers pa mor hir wyt ti'n feichiog.'

'Tua deg wythnos. Ish. Dw i ddim yn siŵr.'

'Wel, ma pawb yn wahanol, ond o'n i'n iawn ar ôl tua pymtheg.'

'Roll on...'

Wrth i Cariad olchi ei hwyneb â dŵr oer, estynnodd Eve dywel papur a'i roi iddi. Sychodd Cariad ei thalcen cyn troi a diolch iddi unwaith eto.

'Wyt ti 'di gorffen?'

'Am rŵan.'

'Dere gyda fi 'te. Paned o de a sit down fach. Byddi di'n iawn mewn munud.'

'Dwyt ti ddim i fod on set?'

'Ydw, ond ma John yn dal yn make-up, so sdim brys.'

Ac wrth i'r ddwy gerdded tua'r ffreutur, gyda Cariad yn pwyso'n wanllyd ar ei ffrind, galwodd Eve ar un o'r runners i 'sortio'r mess', a dyna ddiwedd ar y salwch... am ddiwrnod arall, ta beth.

Spar, Grand Avenue, Trelái: Prynhawn Dydd Llun

'What? Why? I can't believe this! Dev...?'

'I'm sorry, Rod, it's the only way. The recession's biting hard, you know. I've got to make some cut-backs, starting with my part-time staff. I wish there was another way, but...'

Tawelodd y byd gan lenwi Rod ag anobaith. Doedd dim lot o ots ganddo golli ei swydd mewn gwirionedd, ond byddai'n gweld eisiau'r arian, a'r tapiau na fyddai'n gallu eu prynu.

'I can't believe this...' ailadroddodd, wrth edrych ar garped tenau stafell y gweithwyr yng nghefn y siop.

'If I could keep you on, I would. But that's not possible at the moment. Maybe in a few months… it all depends…' Edrychodd Rod ar wyneb tywyll ei fos. Ei gyn-fos. Rhuthrai ei lygaid o'r naill ochr i'r llall mewn ymdrech i osgoi rhai Rod. Roedd y tawelwch yn llethol, felly cododd Rod i adael.

'This is for you though,' dywedodd Dev gan estyn amlen wen o'i boced. 'A week's wage. Cash. Untaxed. I know it's not much, but…'

'Thanks, Dev.' Doedd dim rhaid iddo wneud unrhyw beth o'r fath, gwyddai Rod hynny. 'I really appreciate it…'

'I'm sorry, Rod.'

'Don't be. Think of it as a liberation. You're not sacking me, you're setting me free.'

Gwenodd wrth ddweud hyn ac ymlaciodd Dev. Roedd ewyllys da ei gyn-fos wedi codi calon Rod. Byddai'n gallu prynu cwpwl o dapiau newydd wedi'r cyfan, ac erbyn i'r arian orffen, pwy a ŵyr, efallai y byddai ganddo swydd newydd. Roedd ganddo gyfweliad yfory ac roedd yn fwy penderfynol nag erioed o lwyddo'r tro hwn.

'You're a top man, Rod. I wish you well.'

'Cheers, Dev. I'll see you around anyway,' ac wedi ysgwyd llaw, i ffwrdd â Rod allan trwy'r siop i Grand Avenue, heb wybod yn iawn ble i fynd na beth i'w wneud.

Daeth wyneb yn wyneb ag MC Kardz a'i gang o gleifion allanol yn sefyll o flaen y Spar. Dim ond pedwar ohonynt oedd yn bresennol heddiw, yn hytrach na'r deg arferol, a gallai Rod ddyfalu'n hawdd ble roedd y gweddill. Roedd wyneb Kardz yn gleisiau ac yn gytiau i gyd, a'i fraich dde mewn sling. Wrth frasgamu heibio, clywodd Rod nhw'n sibrwd yn gynllwyngar wrth sôn am ddial ar eu gelynion o Gaerau.

Pwysodd y camera'n drwm ar ei gefn o'u gweld, a dechreuodd Rod gerdded yn gyflym am Groes Cwrlwys er mwyn gwario'r arian ar gwpwl o dapiau newydd yn Comet, ond wrth agosáu at Lidl ar Cowbridge Road West, dechreuodd ei fola rymial gan fynnu cael blaenoriaeth, felly i mewn yr aeth i'r siop fwyd i brynu llond troli o hanfodion – ffa pob, bara, reis, pizzas, sbageti, mins, cyw iâr a Super Noodles. Heb anghofio'r sgrympi, wrth gwrs.

Byddai'r tapiau'n gorfod aros am y tro…

Casa Eilfyw-Jones, Llantrisant Road, Llandaf: Nos Lun

Safai Emlyn yng ngardd fawr ei gartref yn ysmygu'n dawel ac yn meddwl. Am ei ffilm, ei fethiant, ei wraig, y babi a pham yn y byd y gwnaethon nhw symud i'r tŷ hwn rhyw flwyddyn ynghynt.

Roedd Emlyn yn dechrau amau bod Cariad wedi cynllwynio yn ei erbyn. Os nad oedden nhw'n bwriadu cael plant, fel roedd Emlyn wedi credu, pam symud o'u tŷ teras crand yng nghanol Dinas Llandaf, dafliad carreg o'r Eglwys Gadeiriol a'r Summer Palace, i'r plasty chwe stafell wely heb gymdogion agos ger pencadlys y BBC? Wrth gwrs, ni fyddai Emlyn yn yngan gair wrth Cariad am ei amheuon, ond doedd dim ffordd o'u hosgoi nhw nawr.

Taranodd trên arall heibio ar y trac tu ôl i'r tŷ, ac eisteddodd Emlyn ar y fainc o dan y gazebo a'r winwydden anaeddfed oedd yn dringo drosto. Pwysodd yn ôl ac edrych i fyny tua'r ffurfafen. Gyda'r nos yn dechrau cau a'r cymylau'n ymgasglu gan guddio'r sêr oddi wrtho, trodd ei feddyliau at Cariad unwaith eto.

Roedd hi'n hwyr heno. 'Argyfwng' arall ar y set, dyna ddywedodd y neges destun. Gwyliodd ei gŵn yn hercian yn eu henaint o gwmpas y lawnt, yn sniffian y pridd a'r planhigion wrth chwilio am gachfan dderbyniol. Crymanodd Trefor ei gefn fel tasai'n gwneud yoga, a throdd Emlyn ei olygon o 'na'n gloi, gan adael i'w feddyliau droi'n ôl at Akuma a'i ffilm. Achosodd hynny i'w waed fudferwi. Am ddiflastod. Fyddai Steff yn deall? Dim gobaith. A doedd e ddim wedi ystyried a fyddai Beca wedi cyfaddef unrhyw beth wrtho. Roedd tair wythnos ganddo cyn bod yn rhaid dangos rough cut o'r ffilm i Steffan, ond nid oedd Emlyn yn gallu dychmygu sut y byddai'r sefyllfa'n newid o gwbwl yn ystod y cyfnod hwnnw. Ddim mewn ffordd gadarnhaol, ta beth.

Busnes yw busnes, Emlyn, gallai ei glywed yn dweud, a gwên slei yn cripian ar draws ei wefusau. Gallai Steffan wneud dyfodol Emlyn yn lletchwith tu hwnt, a bai Emlyn oedd hynny ar ddau gyfrif. Roedd sefyllfa'r ffilm yn un peth, ond gallai cyfaddefiad Beca fod yn llawer gwaeth. Pwy a ŵyr sut byddai Steff yn ymateb i'w chyffesiad? Gwyddai Emlyn na fyddai'n diolch iddo am ffwcio'i wraig. Pam ddewisodd e hi? Sut buodd e mor dwp? Byddai hudo mam Cariad, neu mam Steff hyd yn oed, wedi bod yn ddewis doethach!

Dychwelodd ei feddyliau at yr hyn oedd ym mola'i wraig. Roedd hwnnw'n smonach i'w groesawu erbyn hyn. Po fwyaf y meddyliai am y peth, y mwyaf roedd Emlyn am gwrdd â'r bychan a gofalu amdano fe a Cariad. Byth bythoedd, amen. Ond wrth gwrs, gwyddai hefyd y gallai'r freuddwyd honno gael ei chwalu'n deilchion diolch i'w berthynas â Beca.

Dywedodd Euros wrtho dros y ffôn ddydd Sul mai'r saith mis nesaf fyddai saith mis hiraf ei fywyd. A gyda'r holl bwysau yma'n gadael ei farc arno'n barod, roedd y tridiau ers iddo glywed y newyddion eisoes yn teimlo fel mis.

Taniodd sigarét arall oddi ar stwmpyn y llall, gosod bwydlen Wok2Go ar y bwrdd pren o'i flaen a gafael yn ei ffôn symudol. Mewnbynnodd y rhifau ond, cyn gwasgu'r botwm gwyrdd, arhosodd i drên arall ruo heibio am Danescourt, Radyr a'r cymoedd tu hwnt.

Wedi iddo archebu hoff fwyd Cariad oddi ar y fwydlen – tofu crensiog hallt, madarch kung bo a llysiau mewn saws ffa du – a digon o gig i fodloni ei fola fe, goleuodd y gegin yn lled-dywyllwch y nos, a gwelodd Emlyn ei wraig yn y ffenest, yn llenwi'r tecell ac yn tynnu ei chot. Hyd yn oed o'r fan hyn, gallai weld y cysgodion o dan ei llygaid a'r blinder yn pwyso arni. Taflodd ei stwmpyn at y gweddill yn y simne fach deracota, cyn codi'r fwydlen a cherdded am y drws cefn er mwyn cyfarch ei wraig ac esgus nad oedd unrhyw beth yn ei boeni.

Cyn iddo gymryd cam i mewn trwy'r drws cefn roedd hi'n amlwg i Emlyn fod rhywbeth o'i le. Roedd yr olwg ar wyneb Cariad yn dweud llawer, ond eto'n osgoi'r manylion er mwyn gadael i Emlyn ddyfalu beth oedd yn bod arni. Gan fod y posibiliadau'n ddiderfyn, penderfynodd droedio'n ysgafn, rhag ofn y byddai'n sefyll ar ffrwydryn.

'Iawn?' gofynnodd Emlyn, heb ymhelaethu. Byddai Cariad yn datgelu'r cwbwl pan fyddai'n barod. Safai dros y sinc yn pwyso'n drwm ar ei ochr. Syllai i'r tywyllwch tu hwnt i'r ffenest, heb ddweud gair mewn ymateb i gyfarchiad ei gŵr. Mwythodd Emlyn ei hysgwyddau'n dyner, ond gwingodd Cariad a chamu o'i afael. Trodd i edrych arno, ei llygaid blinedig yn berwi'n waetgoch.

'Ti'n drewi o ffags, Emlyn! Paid dod yn agos ata i.'

Aeth Emlyn ati i olchi'i ddwylo â Fairy Liquid, er na fyddai hynny'n gwneud dim i waredu'r arogl mwg o'i ddillad, cyn edrych dros ei ysgwydd ar Cariad, oedd wrthi'n arllwys dŵr berwedig dros fag te camil.

'Ti jyst yn gutted nad wyt ti'n cael smoco am y saith mis nesaf.'

Tawelwch.

Trodd Cariad y bag te fel tasai'r trobwll bach yn ei hudo.

Sychodd Emlyn ei ddwylo a mynd ati unwaith eto. Rhoddodd ei ddwylo ar ei hysgwyddau. Ni wingodd Cariad y tro hwn.

'Fi 'di rhedeg bath i ti. Llawn bubbles. Pam na ei di am soak hir nawr? Fi 'di ordro bwyd o Wok2Go 'fyd...'

'Dw i'm isho bath a dw i'm isho bwyd! God.' Ac allan â hi o'r gegin, a'r te yn ei llaw, gan adael Emlyn yn sefyll yno'n meddwl a allai pethau waethygu ymhellach cyn diwedd y diwrnod echrydus hwn...

Ymhen dim cyrhaeddodd eu swper, ac aeth Emlyn ati i drosglwyddo'r bwyd o'r blychau bach plastig i'r platiau. Gosododd un Cariad ar hambwrdd a'i gario i'r lolfa, lle'r oedd hi erbyn hyn yn gorwedd ar y soffa siâp-L yn gwylio *America's Next Top Model* ar Living.

'Glywist ti fi neu be?'

Anwybyddodd Emlyn hi a rhoi'r hambwrdd ar y bwrdd coffi o'i blaen. Doedd dim pwynt ymateb. Cwestiwn rhethregol oedd e. Abwyd gwenwynig. Byd o boen oedd i lawr y llwybr hwnnw.

'Beth ti'n neud?' gofynnodd Emlyn, wrth syllu'n rhyfedd arni. Lledorweddai Cariad ar y soffa, gyda'i siwmper a'i blows mewn pentwr ar y llawr, a dim ond bra amdani. Roedd croen ei bola'n disgleirio o dan olau'r chandelier, a symudai ei dwylo'n gyflym mewn cylchau bach ar ei bol, yn gwasgaru olew arno fel tasai'n ymgodymwraig yn paratoi am ornest.

Llusgodd ei llygaid o'r sgrin at ei gŵr, cyn anadlu'n ddwfn.

'Dw i'n rhwbio olew ar 'y nghroen er mwyn stopio stretch marks. Iawn?'

'Jyst gofyn o'n i, Car.' Ond yn lle gadael y stafell a dod â'r sgwrs i ben, roedd yn rhaid i Emlyn ddweud rhywbeth.

'Un peth bach…' dechreuodd, gan ddifaru gwneud ar unwaith. Er hynny, nid oedd modd stopio'n awr. 'Sdim stretch marks gyda ti…'

Edrychodd Cariad arno eto. Anadlodd yn araf wrth feddwl am anwybyddu ei sylw.

'Dim *eto*, Emlyn. Dim *eto*. A fydd gen i ddim rhai o gwbwl os wna i gario 'mlaen i rwbio hwn ar 'y mol.' Nodiodd ei phen i gyfeiriad pentwr o lyfrau ar y bwrdd coffi. Gallai Emlyn ddarllen teitl ambell un – *The Contented Baby*, *Mum's the Word*, *From Bump to Breast*. Roedd Cariad wedi bod i'r llyfrgell; roedd hynny'n amlwg o'r gorchudd plastig am bob un.

'Top tip rhif un, ife?'

'Rwbath fel 'na. Dw i ddim 'di cael cyfla i ddarllen rhyw lawer eto, ond dwedodd Eve wrtha i am yr olew 'ma, bio oil, sy'n atal stretch marks cyn iddyn nhw ymddangos…'

Ceisiodd Emlyn feddwl am ateb i hynny, ond doedd dim byd ganddo i'w ddweud, felly sefyll yno a wnaeth, mor fud â'r bwrdd coffi.

'Ma 'na un i ti hefyd,' ychwanegodd Cariad ac aeth Emlyn at y pentwr llyfrau a chodi'r unig un oedd wedi'i anelu at ddynion, *Fathers Need Attention Too: Coping with First-time Fatherhood*. Syllodd ar y clawr – delwedd o ddyn yn ei dridegau yn cario babi ar un fraich ac yn gwthio pram â'r llall. Gwreiddiol iawn. Nid oedd yn siŵr beth i'w wneud â'r gyfrol – nid oedd yn mynd i'w ddarllen, roedd e'n sicr o hynny – felly aeth yn ôl i'r gegin i estyn ei fwyd, cyn dychwelyd i'r lolfa, lle roedd Cariad erbyn hyn yn bochio i mewn i'w swper, fel tasai heb fwyta dim byd ers amser brecwast.

Eisteddodd Emlyn ar ben draw'r soffa siâp-L a mynd ati i gladdu ei fwyd. Roedd y pryd yn flasus iawn, fel arfer – cynhwysion ffres a dim MSG. Wrth fwyta, ceisiodd Emlyn anwybyddu'r cach pur oedd yn ymosod arno o'r teledu yng nghornel y stafell. Roedd *America's Next Top Model* yn dal i chwilio am y Naomi neu'r Claudia nesaf, ond o'r hyn y gallai Emlyn ei weld, dim ond merched bach annifyr oedd yn cymryd rhan – yn goesau a breichiau i gyd, bronnau fel marblis a'r bochau miniocaf ar wyneb y ddaear.

Doedd dim syniad gan Emlyn pam roedd Cariad yn mynnu gwylio'r fath gyfres, ond wedi diwrnod yn trefnu a chwrso lyfi-dahlings *Doctor Who* roedd rhaid iddi ddianc rywffordd, mae'n siŵr.

Gyda'r acenion Americanaidd yn crafu bwrdd du ei isymwybod, gwyliodd Emlyn y pysgod yn y belen ddisglair yn y cornel pellaf. Roedd wedi glanhau'r tanc y diwrnod cynt, ac wedi cyfnod setlo o 24 awr roedd y dŵr mor glaear â nant wrth ei tharddle a'r preswylwyr llithrig yn hapus eu byd. Gwyliodd y gwyntyll-gynffonnau'n hwylio o gwmpas, ar wibdaith fythol i nunlle. Sylwodd ar y silcod streipiog yn gwibio trwy arch y castell, draw at y cactws caregog, ac o'r fan honno o dan y bont a 'nôl i'r man cychwyn unwaith yn rhagor.

O'r tanc pysgod i'r ffotos ar y silff ben tân. Lluniau ei rieni e, nad oeddent bellach ar dir y byw, a rhieni Cariad, oedd yn rhywle llawer gwaeth – Porthmadog. Wrth ochr y lluniau safai tlysau BAFTA Cymru Cariad – un 2006, pan oedd hi'n gweithio ar *Pobol y Cwm*, a'r llall y llynedd am *Doctor Who*. Pam gafodd Cariad gadw'r tlysau? Doedd Emlyn ddim yn gwybod ond roedd e'n eu casáu nhw fwy na dim byd arall ar wyneb y ddaear. Roedden nhw fel petaent yn ei wawdio'n ddyddiol yn ei dŷ ei hun. Wrth gwrs, roedd e'n falch iawn o lwyddiannau Cariad, ond yn genfigennus ohonynt ar yr un pryd. Fe oedd fod llwyddo. Dim hi. Ond roedd y tlysau aur yn profi nad yw bywyd yn dilyn y trywydd disgwyliedig bob amser. Atgoffodd hynny Emlyn o'i ffilm unwaith eto. Trodd 'nôl at ei fwyd a chlirio ei blât.

Tawelodd y teledu o'r diwedd, tywyllodd y sgrin o dan orchymyn mynegfys Cariad ac edrychodd Emlyn ar ei wraig. Roedd hi wedi gwisgo'i chrys unwaith yn rhagor. Gwenodd Emlyn arni, ond ni ddychwelwyd y wên. Meddyliodd am ofyn iddi, fel gŵr da, sut ddiwrnod a gawsai, ond cyn iddo gael cyfle i wneud, ynganodd hi'r saith gair nad oes unrhyw ddyn eisiau eu clywed:

'Mae angen i ni gael sgwrs bach…'

Uh-oh.

'Am beth?' gofynnodd Emlyn, gan geisio atal y pryder rhag ysgwyd ei eiriau. Eisteddodd yn ôl ar y soffa fel tasai dim byd yn ei boeni. Ond chwarae teg i Cariad, aeth yn syth am y bibell wynt gan rwygo gwddf Emlyn yn rhacs.

'Chdi. Beca. Dy affairs.'

'Beth?'

'Chdi. Beca…'

'Glywes i ti. Ond…'

'Paid trio gwadu'r peth, Emlyn. Dw i'n gwybod popeth ac yn gwybod ers amser…'

'Ond… uh…'

Fuckfuckfuckfuckfuckfuckfuckfuckfuckfuckfuckfuckfuck!

'Mae hynny'n deud y cyfan,' meddai Cariad gan wenu. Gwên gynta'r nos, a wnaeth chwyddo'r pryder a lethai ei gŵr.

Wrth i agwedd anaeddfed Cariad ddiflannu, daeth yn ei le rhyw lonyddwch oeraidd. Roedd yn well gan Emlyn y fersiwn flaenorol.

Beth ddylai wneud? Dweud celwydd, gwadu popeth? Na, roedd hi'n bryd bod yn onest. Derbyn ei gosb. Erfyn am faddeuant. Unrhyw beth i'w hatal rhag ei adael.

'Ma hynny…'

'Paid â gwadu. Sdim pwynt.'

'Sa i'n gwadu dim os…'

'Emlyn, paid.'

'Sa i'n gwadu dim, Cariad. Sa i'n mynd i dy fradychu di mwyach. 'Nes i orffen gyda Beca o fewn oriau o glywed am ein babi.'

'Be tisio, clap?'

'Beth?'

Gwenodd Cariad eto. Roedd hi'n mwynhau gweld ei gŵr yn dioddef fel hyn, yn gwingo o dan y straen.

'Dw i ddim yn gwybod ydw i'n dy gredu di, Ems. Ac anyway, ma hynny'n amherthnasol.'

'Sut?'

Edrychodd Cariad ar Emlyn. Syllodd Emlyn yn ôl arni. Dyma fe, y diwedd. Roedd y dagrau yn amyneddgar, yn aros am y gorchymyn cyn dechrau llifo. Roedd Emlyn wedi colli un fenyw anhepgor yn ddiweddar, ac ni allai oroesi colli un arall.

'Wel…' dechreuodd Cariad esbonio, gan ystyried pob gair cyn siarad. 'Mae'n amherthnasol achos dyma fi'n sychu'r llechen fel petai…'

'Beth?'

'I'm wiping the slate clean, Emlyn! God.'

'Uh?'

'Be sy mor anodd i'w ddeall, dwed? Dw i'n rhoi cyfla arall i chdi, Emlyn. Y cyfla olaf. Ond cyfla…'

Haleliwia-Haleliwia!

Tywynnodd Emlyn ar y tu fewn, ond brwydrodd rhag

gwenu fel cath o Sir Gaer, rhag ofn y byddai Cariad yn ystyried hynny'n ymateb amhriodol, yn hytrach nag adlewyrchiad o'r rhyddhad pur a deimlai.

'Paid â meddwl am eiliad 'mod i'n maddau i chdi am wneud, chwaith. Wna i byth anghofio hyn, Emlyn. Byth. Ond…'

Gadawodd i'r gair hongian yno am eiliad wrth iddi gipio'r darn olaf o tofu oddi ar ei phlât a'i roi yn ei cheg. Llyfodd ei bysedd ac ailgydio yn ei haraith.

'… ond… ocê… 'da ni'n dau'n euog o ymddwyn fel plant o bryd i'w gilydd, ac efallai nad ydw i wedi bod yn hollol ffyddlon i chdi ar hyd y blynyddoedd chwaith…'

Roedd clywed hynny'n torri calon Emlyn ac yn ei chodi'n uwch na'r cymylau ar yr un pryd. 'A dw i'n gwybod nad ydw i wedi bod yna i chdi ar bob achlysur – dy ffilm a dy fam a phetha felly – ond mae hynny drosodd rŵan…'

Mae wedi stopio'n barod, ysai Emlyn ddweud, ond ni wnaeth gan nad oedd angen.

'O'r eiliad hon rydan ni'n mynd i ymddwyn fel oedolion. Fel gŵr a gwraig go iawn. Mewn mwy na dim ond enw. Rydan ni'n mynd i fod yn *rhieni*, Ems, a fydda i ddim yn gallu gwneud hyn hebddot ti.'

'Na fi…' Gwenodd Emlyn arni nawr, nid oedd modd peidio. Roedd e mor hapus…

'Paid â meddwl mai dyna ddiwedd ar betha, cofia. Dw i'n fodlon esgus bod popeth yn hunky-dory am y tro, a rhoi cyfla i fi ymddiried ynot ti unwaith eto. Ond os gwnei di unrhyw beth o'r fath eto, neu hyd yn oed meddwl am wneud rhywbeth tebyg, mi fydd hi ar ben. Y diwedd, tati-bai. Mi fydda i'n gadael. Mi fydd dy fabi'n gadael ac mi wna i dy flingo di am bob ceiniog sydd gen ti. Ti'n deall?'

Nodiodd Emlyn ei ben yn araf. Roedd e'n deall yn iawn.

Doedd dim modd peidio. Doedd e ddim yn bwriadu gwneud dim i beryglu ei ddyfodol teuluol unwaith eto. Gwyddai iddo ddod yn agos at golli popeth heno, a phwy fyddai wedi gallu beio Cariad am ei adael reit nawr? Ond byddai'n manteisio ar ei ail gyfle, a phrofi i Cariad ei fod yn ei charu hi, a hi'n unig.

'Sor…'

'Paid ymddiheuro, Emlyn. Does dim pwynt. Jyst paid gwneud o eto, iawn?'

'Sori,' a'r tro yma gwenodd Cariad arno.

'Tyd yma,' mynnodd Cariad, a chododd Emlyn ac eistedd wrth ei hochr. Rhoddodd hi ei braich amdano a'i dynnu ati. 'Dw i'n gwybod nad ydw i wedi bod o help, ocê. Gweithio oria hir heb feddwl rhyw lawer amdanat ti. Ond wir rŵan, ma petha 'di newid yn barod efo'r babi 'ma. Yn gorfforol ac yn feddyliol. Mae angen bod yn dîm rŵan, Ems. Er lles y babi ac er ein lles ni…'

'Fi'n addo b…'

'Paid addo dim. Jyst dangos. Dim ffwcio o gwmpas. Dim clwydda. Chdi a fi o rŵan 'mlaen. Go iawn.'

'Go iawn.'

'Lecture over, ocê?' Ac i ffwrdd â Cariad am y bath, gan adael Emlyn yn yr unfan, yn diolch i'r duwiau am yr angylion oedd yn amlwg yn gofalu amdano.

HARA-CIRI

'I wrote you a poem on my wrists.
I used a razor as a pen and I signed my name in blood.'
Cymeriad 'Lonnie' yn y ffilm *Surviving*

Tŷ Rod, Cymric Close, Trelái: Bore Dydd Mawrth

Teimlai bysedd Rod fel tasent wedi'u gwneud o goncrid y bore 'ma, wrth iddo frwydro i glymu'r dei estron o gwmpas coler y crys estron a eisteddai o dan y siaced estronach fyth a fenthyciodd gan Brynley er mwyn mynychu cyfweliad yn Akuma ymhen rhyw awr a hanner.

Ceisiodd eto am y pumed tro, ac er mawr syndod llwyddodd i glymu'r cwlwm, felly tynhaodd y dei a chamu 'nôl i edrych yn y drych. Caeodd fotwm ucha'r crys gwyn a sythodd y dei. Er mai wedi benthyg y siwt roedd e, roedd hi'n ei ffitio'n berffaith. Edrychai cyn sliced â sarff mewn bath llawn Vaseline. Ar wahân i un peth bach…

Wedi twtio'i wallt, safodd yno'n hollol stond yn syllu i fyw ei lygaid ei hun, ac er nad ynganodd yr un gair, adroddodd rhyw fantra mewnol. Defod y byddai'n ei dilyn cyn mynychu pob cyfweliad; defod oedd yn ei helpu i ganolbwyntio ar yr her oedd yn ei wynebu unwaith eto heddiw.

Wrth gwrs, roedd wedi bod yn y sefyllfa hon ddegau o weithiau o'r blaen, felly nid oedd yn poeni'n ormodol sut byddai'n ateb y cwestiynau. Ar ôl cynifer o gyfweliadau, roedd yr atebion yn eglur iawn yn ei ymennydd, fel tatŵs nerfol wedi'u hysgathru yn yr inc mwyaf llachar ar wyneb y ddaear.

Er nad oedd yn ffyddiog nac yn hyderus heddiw – dysgodd y wers honno yn gynnar iawn yn ystod ei ymdrechion – roedd rhyw benderfyniad newydd ynddo, a gwyddai Rod fod hynny'n deillio o'r ffaith fod ei sefyllfa mor fregus bellach. Er ei fod yn siomedig o beidio â chael swydd gyda chwmnïau teledu yn y gorffennol, roedd ganddo'i swydd yn Spar bryd hynny, ac felly roedd ganddo ychydig o sicrwydd ariannol. Ond erbyn hyn roedd wedi colli hynny, a'i fudd-dâl wythnosol wedi hen ddiflannu, ynghyd â'r cildwrn a gawsai gan Dev y diwrnod cynt. Hanner tâp oedd ar ôl ganddo, ac roedd wedi clywed sibrydion am ddigwyddiad anhygoel y penwythnos canlynol − digwyddiad yr ysai am ei ffilmio; digwyddiad fyddai'n rhoi gwrthgyferbyniad cadarnhaol i'r holl erchyllterau y bu'n eu ffilmio.

Crwydrodd ei lygaid o'r adlewyrchiad yn y drych at rai glas ei fam oedd yn syllu arno o'r ffoto yn y ffrâm arian rad wrth ochr ei wely. Byddai'n gweld ei heisiau ar adegau fel hyn, am y byddai wedi bod yn gefn iddo ar fore fel heddiw, wedi dymuno'r gorau iddo, cyn ei gusanu a'i wylio'n gadael o stepen y drws. Ond, yn hytrach na geiriau caredig ei fam, yr unig sŵn a ddeuai o geg ei dad y bore 'ma oedd y rhochian arferol a glywai o'i stafell wely. Eto, roedd hynny hyd yn oed yn rhyw fath o anogaeth, neu o leiaf yn rhybudd, gan nad oedd Rod am weld ei hun yn feddwyn fel fe.

Gadawodd ei stafell a chael cip ar ei dad. Gorweddai ar ei wely yn dal i wisgo dillad y diwrnod cynt (neu hyd yn oed yr wythnos cynt), potel o Buckfast wrth ei ochr a'r hylif wedi trochi'r dillad gwely. Ond gan nad oedd y gwely wedi cael ei newid ers misoedd lawer, nid oedd hynny'n ddrama fawr. Roedd y stafell yn drewi − cyfuniad o rechfeydd, BO, chŵd, traed, gwirod a chwys. Camodd Rod at y ffenest a'i hagor led y pen.

Wrth glywed y sŵn mwmiodd ei dad yn aneglur. Gadawodd Rod y stafell ac anelu am y gegin. Roedd angen llenwi'r bola cyn gadael am Akuma.

Camodd i lawr y grisiau, a mynnodd dau beth ei sylw. Yn gyntaf, sŵn y teledu a lleisiau'r cyflwynwyr boreol yn sgwrsio'n wag am ryw bwnc dibwys; ac yn ail, arogl annymunol iawn, parmesanaidd hyd yn oed, er nad oedd caws o'r fath erioed wedi bod ar gyfyl y cartref hwn. O wybod hynny, gallai Rod ddyfalu beth oedd yn ei ddisgwyl yn y gegin – yr un peth a fyddai'n ei ddisgwyl o leiaf unwaith yr wythnos. Llond sinc o chŵd o stwmog ei dad. Gwnâi'r hen ddyn hyn yn aml. Yn rhy aml. A Rod fyddai'n gorfod ei glirio, gan nad oedd ei frawd na'i dad yn fodlon gwneud. Roedd y ddau'n hapus i'w adael yno i galedu ac i eplesu. Twlc go iawn oedd y tŷ hwn a dau fochyn brwnt yn byw yno 'fyd.

Ond nid oedd amser gan Rod i'w lanhau nawr, felly llenwodd fowlen â chreision ŷd ac agor yr oergell i weld nad oedd llaeth yno. Am syrpréis. Felly, wedi gwneud coffi du melys, aeth â'r fowlen a'r mŵg ac ymuno â'i frawd yn y lolfa, gan eistedd ar y soffa gyferbyn â Dave a oedd, fel arfer, wedi suddo'n ddwfn i'r gadair gyfforddus reit o flaen y bocs.

Edrychodd Dave ar ei frawd bach, yn edrych mor smart y bore 'ma, cyn gofyn:

'Who died?'

'Fuck off, Dave, I've got an interview.'

'Undertakers, is it?'

'Ha-fuckin-ha. I can't believe Dad's done that *again*.'

'Why not? He does it every week.'

'I know, but I wish...'

'Me too, but he's not gonna stop, is he? He's like Eight Ace or summin, except he's got keys to his house and no woman givin him grief.'

'Well, who's gonna clean it up this time?'

'Not me,' oedd ateb Dave, ac er bod Rod yn gwybod hynny'n barod, roedd y sefyllfa'n dal i wneud iddo deimlo'n gandryll.

Aeth ei frawd yn ôl at adeiladu ei sbliff, ac aeth Rod ati i fwyta'i frecwast sych. Roedd y pryd yn artaith, fel y teledu. Eitem ar yr ynfytyn diweddaraf i gael y sack o'r *Apprentice*, wedyn rhyw seleb hunanbwysig yn sôn am drip diweddar i'r Affrig.

Sut gallai Dave wylio'r fath gach awr ar ôl awr, ddydd ar ôl dydd? meddyliodd Rod. Taniodd ei frawd yr ateb, cyn chwythu'r mwg tua'r sgrin a suddo 'nôl i'w gadair â gwên wag ar ei wyneb.

Eisteddodd y brodyr mewn tawelwch. Meddyliodd Rod am y cyfweliad, gan ailadrodd ambell ateb i gwestiynau disgwyliedig, ond cyn iddo gyrraedd y diwedd tarfodd Dave arno.

'You heard abou' this rave thing that's goin down this weekend?'

'I've heard something, but no details like. What d'you know?'

'It's gonna be large. You might wanna film this one. It's gonna go off, big style.'

'Go on.'

'Well,' sugnodd Dave ar y sbliff, cyn chwythu'r mwg a siarad ar yr un pryd. 'It's goin down at the asylum, you know, that derelict house not far from St Fagans...'

'I know it. It's almost falling down though...'

'I knows. Adds a bit of edge to proceedings,' atebodd Dave gyda gwên. 'Anyway, there's a bangin line-up. Zion Hi-Fi, Bass FM Crew, Fadec, One Eye Assassin, Lil Quim, Future Funk and Vader...'

'Sweet.'

'I knows, but whether they all turn up is another matter of course...'

'Man, I wish I could film that shit.'

'Why can't you, little bruv? Nothin stoppin you far as I can tell.'

'One slight problem, Dave. I'm out of tapes and out of money...'

'Razz.'

'You said it. Unless…'

'What?'

'Can you lend us some cash? Twenty quid, say. Until I get my giro next week.'

Ystyriodd Dave y cais am gyfnod. Sugnodd ar y sbliff a gadawodd i eiriau gwag y darlledwyr lenwi'r stafell.

'No can do,' dywedodd o'r diwedd, a phlymiodd gobeithion Rod i ddyfnderoedd newydd. Roedd ei opsiynau'n diflannu'n gynt na dannedd ei dad. 'I wish I could, Rod, I really do, but you knows how my business works. I barely make a profit by here, all I really gets is free gear, innit. And if I'm late with my payments, I'm fucked on every level. Sorry, bruv.'

'Don't worry about it. Maybe I'll get this job today, and then my worries will all be over.'

'I hope so, bruv. This party's gonna go off.'

Ac ar y gair, dyna'n union wnaeth cloch y tŷ.

'Bit early, isn't it?' gofynnodd Rod, wrth edrych ar ei oriawr a chodi i adael er mwyn dal y bws i'r dref.

'It's never too early for the smackheads, is it? They can't get enough of the stuff. Let whoever's there in on your way out, would you?'

'Is that your security measure?'

'Fuck off, Rodney, and just let 'em in.'

A dyna wnaeth Rod. Gwisgodd ei sgidiau'n gyflym wrth i'r helwyr heroin ganu'r gloch unwaith eto, cyn agor y drws a chyfeirio cwpwl, eu crwyn yn welw a chwyslyd, tuag at grafangau ei frawd yn y stafell fyw. Camodd yntau allan i haul y bore, a thaflu'r gwarfag oedd, fel arfer, yn cynnwys ei gamera ar ei gefn.

'Who's that, Sarge?' gofynnodd DC Ellis yn llawn brwdfrydedd wrth iddynt wylio Rod yn gadael y tŷ a dechrau cerdded tuag atynt. Dyma aseiniad cyntaf DC Ellis gyda'r Drug Squad, ac roedd ei bersonoliaeth eisoes yn naddu ar nerfau ei bartner y bore 'ma, DS Euros Jones, ar ôl dim ond dwy awr yn ei gwmni.

'That's Rodney, the target's younger brother.'

'Is he a suspect?'

'No. Not as far as we can tell, anyway. We've had him tailed on more than one occasion, and apart from an occasional dabble with soft drugs, he's as clean as a whistle. He works in the Spar, keeps out of trouble, and even has a hobby that doesn't involve fighting and drinking cider. If you ask me, he's just unlucky. Genetically, that is, to be born Dave's brother…'

'Scum,' oedd ateb y cwnstabl ifanc. Anadlodd Euros yn ddwfn. Roedd rhagfarn o'r fath yn rhy gyffredin o lawer ymysg yr heddlu. Ac er bod y wasg a'r cyfryngau yn hoff o gyhuddo hen bennau'r ffôrs o feddu ar y fath safbwyntiau, y gwir oedd mai heddlu ifanc fel DC Ellis oedd yn bennaf euog.

Teimlai Euros yn flin wrth ystyried sefyllfa Rod. Gwyddai am ei ddiddordeb mewn ffilmio a'i hobi gyda'i gamera. Nid oedd pobol ifanc fel Rod yn cael eu hannog na'u gwthio mewn unrhyw ffordd. Yn wir, roedd 'dianc' o Drelái bron mor anodd â dianc o Alcatraz. Roedd yn garchar agored, heb fawr o gyfle i gael parôl. Yn wahanol i'w cyfoedion o ardaloedd mwy cefnog, dosbarth canol y ddinas – Cyncoed, Llys-faen, Llandaf, er enghraifft – a gâi eu hannog i gwrso'u breuddwydion, nid oedd mwyafrif pobol ifanc Trelái hyd yn oed yn gwybod beth oedd uchelgais, na breuddwyd.

'Why's he wearing a suit?'

'I don't know. Funeral maybe.'

'And what's in his rucksack?'

'A video camera.'

'A video camera? That's a bit suspicious, isn't it, Sarge?'

'No…' Ond cyn i Euros gael cyfle i ymhelaethu, agorodd DC Ellis ddrws y car a chamu at Rod wrth iddo gerdded heibio.

Gwelodd Rod yr Astra llwyd cyn iddo hyd yn oed gyrraedd y palmant tu hwnt i ardd ffrynt anniben ei gartref. Roedd wedi'i barcio rhyw ganllath o'r tŷ, i gyfeiriad Grand Avenue, ond ar wahân i hynny nid oedd yr heddlu'n gwneud unrhyw ymdrech i guddliwio'u presenoldeb. Roedden nhw wedi bod yn gwylio Dave ers misoedd bellach, yn cadw cofnod o'i weithgareddau'n ddi-os. Dim ond mater o amser fyddai hi cyn iddyn nhw roi cnoc ar y drws a gwthio'r domino cyntaf, a fyddai'n siŵr o fynd â'i frawd yn syth i'r carchar, heb basio 'Go'. Synnai Rod nad oedden nhw wedi galw draw eisoes, gan na wnâi Dave unrhyw ymdrech i guddio'i fasnach.

Darparu gwasanaeth oedd e. Ac os na fyddai e'n ei ddarparu, byddai rhywun arall yn gwneud. Wrth gwrs, pysgodyn bach aur mewn cefnfor maith oedd Dave, a gobaith yr heddlu oedd y byddai'n datgelu pwy oedd yn y gadwyn oedd yn ei gyflenwi wedi iddynt gasglu digon o dystiolaeth yn ei erbyn. Roedd diddordeb mawr gan Rod mewn gweld sut y byddai'n ymateb pan ddeuai'r diwrnod, gan nad oedd Dave yn berson hawdd i'w ddarllen, heb sôn am ei ddeall.

Wrth agosáu at y car, teimlai Rod y ddau bâr o lygaid yn palu'n ddwfn i mewn iddo, yn ei feirniadu, ei regi a'i gyhuddo. Adwaenai un o'r wynebau, sef DS Jones, Cymro Cymraeg reit hoffus fyddai'n gwneud ymdrech i godi sgwrs â Rod. Ni wyddai ai ceisio'i seboni er mwyn ennill gwybodaeth roedd e, neu a deimlai wir dosturi tuag ato. Beth bynnag oedd yn ei ysgogi, nid oedd Rod yn gallu ymddiried ynddo, ond gwyddai fod yn rhaid bod yn gwrtais a pharchus tuag at y gyfraith, neu gallent wneud bywyd yn anghyfforddus iawn iddo ar y stad.

Roedd Rod bron â phasio'r Astra pan agorodd y drws agosaf ato ac allan neidiodd heddwas ifanc, heb fod yn llawer hŷn na fe, gan gamu o'i flaen a'i atal rhag pasio. Syllodd Rod i'w lygaid du, dideimlad, a sylwodd ar ei drwyn cam a'r blewiach browngoch tenau yn ymwthio'n anhrefnus o'r croen gwelw uwchben ei geg agored.

'What you doing?' ebychodd Rod cyn i'r heddwas gael cyfle i yngan gair, gan edrych heibio'r cwnstabl ar DS Jones oedd bellach wedi ymuno â nhw ar y pafin.

'Constable Ellis!' Cododd Euros ei lais, ond roedd yr heddwas ifanc erbyn hyn yn gorfodi Rod i osod ei ddwylo ar fonet y car ac agor ei goesau fel Lara Lee.

'Hands flat on the bodywork. Eyes front. Spread 'em.'

Gwelodd Rod ddelwedd erchyll yn fflachio o flaen ei lygaid – Cwnstabl Ellis yn bloeddio'r union eiriau at ei gariad druan, wrth ei gorfodi hithau i wneud yr un fath wedi noson ar y lash.

'DS Jones, beth…?'

'Sori am hyn, Rod. Ei ddiwrnod cyntaf ar y job. Ychydig bach yn rhy frwdfrydig, a dweud y gwir…'

Wedi teimlo'i gorff cyfan heb ddod o hyd i unrhyw beth bygythiol, trodd DC Ellis ei sylw at warfag Rod a'i dynnu oddi ar ei gefn yn arw.

'Be careful with that!' gwaeddodd Rod. 'Dwedwch wrtho fe, DS Jones, plis.'

'Ellis, I've told you what's in the bag and…'

'He's acting suspicious, Sarge. And resisting arrest…'

'And you're acting like a cock!' bloeddiodd Rod, gan fethu rheoli ei emosiynau.

'Resisting arrest,' ailadroddodd Ellis yn araf, gan roi cic fach slei i bigwrn Rod gyda blaen dur ei esgid drom.

'What the fu…?' Syllodd Rod arno dros ei ysgwydd, ei lygaid ar dân a deigryn yn bygwth dianc. Roedd am droi yn yr unfan a'i guro tan i waed DC Ellis lifo o'i drwyn, dros ei draed, i ddraen cyfagos cyn ymuno â'r Elái a ffoi am ryddid y Bae, y morglawdd a'r Hafren tu hwnt. Ond gwyddai nad oedd modd gwneud hynny heb dalu'n ddrud am y pleser.

'He's doing no such thing, DC Ellis.' Anadlodd Euros yn ddwfn a chodi i'w lawn daldra, oedd o leiaf bedair modfedd yn uwch na'r cwnstabl ifanc, cyn parhau. 'And he certainly isn't resisting arrest, as you're not arresting him. Now give him back his rucksack, get back in the car and calm down. I know you're enthusiastic, what with this being your first day on the job, but this is no way to behave…'

Ond anwybyddu ei uwch swyddog wnaeth DC Ellis, a throi ei sylw unwaith eto at Rod.

'Where are you going? What's with the suit?'

'Job interview.'

'Job interview?'

'Yes. J–o–b i–n–t–e–r–v–i–e–w.'

'I heard you the first time…'

'So why ask again?'

'Don't get cheeky with me, son…'

'Son! I'm almost as old as you…'

'Where?'

'Where what?'

'Where's the job interview?'

'Penarth Road.'

'What company?'

'Akuma.'

'Never heard of it. What do they sell?'

'I don't know…'

'What? Haven't you done your research? He's bullshitting us, Sarge.'

'No, I'm not. It's a television company. I swear.'

'What's the job?' Ymunodd DS Jones yn y cwestiynu, ei ddiddordeb wedi'i danio wrth glywed enw cwmni ei frawd.

'Runner.'

'Runner!' Poerodd DC Ellis yn ei glust, cyn pwyso'n agos ato a sibrwd yn ei glust fel nad oedd modd i DS Jones ei glywed: 'Scum like you aren't fit to clean shit off a toilet. You haven't got a chance, you little cunt…'

Cododd Rod ei ben am 'nôl mewn ymateb greddfol i wawdio'r ditectif, gan chwalu ei drwyn gyda chanol cefn ei benglog. Yn hollol ddamweiniol, wrth gwrs. Ffrwydrodd ffroenau'r heddwas yn dân gwyllt sgarlad, a chamodd Ellis am yn ôl yn rhegi'n ddireolaeth gan afael yn ei drwyn, oedd fel cryman yn ymwthio o'i wyneb bellach. Diolchodd Rod mai siaced dywyll yr oedd yn ei gwisgo, siaced fyddai'n cuddio'r gwaed tan iddo orffen y cyfweliad. Os gwnâi gyrraedd y cyfweliad, hynny yw. Gollyngodd DC Ellis y gwarfag ar lawr, ond gwyddai Rod fod y camera wedi'i ddiogelu gan dywel trwchus.

'Assaulting a police officer!' ebychodd gan geisio gafael yng ngholer Rod, ond daeth DS Jones i'r adwy a thynnu'i bartner tuag at ddrws y car, gan estyn hances o'i boced a'i ddarbwyllo mai damwain oedd yr hyn ddigwyddodd, a dim byd arall. Eisteddodd DC Ellis gan barhau i brotestio a rhegi ar Rod. Roedd Rod yn dal i bwyso ar y bonet, a syllodd arno trwy ffenest y car heb wên yn agos at ei wyneb. Scum.

Tynnodd Euros Rod yn ôl o fonet y car, a gyda'i gefn at aelod mwya newydd y Drug Squad gwenodd arno a rhoi winc. Plygodd i godi'r gwarfag a'i estyn i Rod.

'Da iawn ti. Gwych, a dweud y gwir. Fe wna i'n siŵr nad oes dim byd yn dod o hyn, paid poeni. A phob lwc yn y cyfweliad.'

'Diolch,' dywedodd Rod, cyn troi a gadael mor gyflym ag y gallai.

Akuma Cyf., Heol Penarth

Canodd y ffôn ar ddesg Emlyn, ond dewis ei hanwybyddu a wnaeth, a hynny am y trydydd tro mewn ugain munud.

Peidiodd y canu ac anadlodd yn ddwfn, er y gwyddai na fyddai ei erlynydd byth yn rhoi'r gorau i'w gwrso. Roedd Steff ar ei ôl – ci ffyrnig ar drywydd cadno cloff – a doedd dim dianc o'i grafangau. Ond nid oedd Emlyn yn barod i'w wynebu. Eto.

Ymhen eiliad neu ddwy daeth cnoc ar y drws, a heb aros am ateb camodd Kate i mewn i'w gysegrfan breifat, ei bochau'n goch a'i llygaid yn syllu'n gyhuddgar ar Emlyn.

'Emlyn, *rhaid* i ti siarad â Steff. Sa i'n gallu ei ffobio fe off am byth.'

'Beth ddwedest ti wrtho fe?'

'Bod ti ar dy ffordd i mewn. Rhedeg yn hwyr. The usual. Ma fe'n gwbod am y cyfweliadau, ac felly'n gwbod y byddi di yn y swyddfa heddiw.'

'Sut ma fe'n gwb…?'

'Ma fe'n gwbod popeth, Emlyn. Neu o leia, 'na fel ma hi'n ymddangos i fi.'

'Na, ti'n iawn. Wedi meddwl, naethon ni hysbysebu'r swydd yn y wasg.'

'Cweit. Anyway, bydd e'n ffonio 'nôl mewn chwarter awr. Pam rwyt ti'n ceisio'i osgoi e?'

'Sa i'n ei osgoi e, Kate.'

'Could have fooled me,' oedd ateb swta'r dderbynwraig, cyn troi ar ei sodlau tal, cau'r drws a dychwelyd at ei desg, gan adael Emlyn yno yn ei swyddfa unig i ystyried ei sefyllfa.

Eisteddodd am beth amser yn pendroni ynglŷn â'r cawlach a'r crochan dwfn yr oedd yn boddi ynddo. Doedd dim modd osgoi'r anochel, gwyddai hynny, ac yn hollol groes i'w reddfau cachgïaidd, cododd y ffôn a gwthio'r rhifau oedd mor gyfarwydd iddo erbyn hyn.

'Hi Mali. Emlyn Eilfyw-Jones. Ga i air 'da Steff, plis?'

Wrth i'r muzak gwag ymosod ar ei glustiau, teimlodd ddiferyn o chwys yn llithro i lawr cefn ei wddwg. Nid nerfus oedd Emlyn; yn hytrach, ofnus oedd e.

'Emlyn?'

'Steff, sut wyt ti?'

'Iawn. O'n i'n dechrau meddwl dy fod ti'n fy anwybyddu… fy osgoi i…'

'O na, na, na,' chwarddodd Emlyn yn wanllyd. 'Dim byd fel 'na, jyst prysur iawn…'

'Gyda'r ffilm, gobeithio. Fi'n edrych 'mlaen i weld y rough cut cyn hir. A dweud y gwir, dyna pam ro'n i eisiau cael gafael arnat ti. I drefnu amser sy'n gyfleus. Fi'n brysur iawn hefyd, fel gelli di ddychmygu. So, wyt ti'n rhydd…?'

'Wythnos nesaf rywbryd?' Dianc wnaeth y geiriau o geg Emlyn, heb unrhyw fewnbwn gan ei ymennydd.

'Grêt. Dydd Llun yn iawn i ti? Tua tri y prynhawn.'

'Cŵl.'

'Gwych. Wela i di bryd hynny.'

A dyna ddiwedd arni. Byddai'n wynebu ei ffawd ac yn derbyn ei gosb rhyw wythnos yn gynt na'r disgwyl. Fel dyn. O fath.

Wrth ddychwelyd y ffôn i'w chrud, meddyliodd Emlyn am Cariad a pha mor lwcus y bu'r noson cynt i beidio â'i cholli hithau. Cododd hynny ei galon, ond gwyddai y byddai angen mwy na lwc i'w helpu i oroesi ymweliad Steff yr wythnos ganlynol.

Canodd y ffôn unwaith eto. Gwasgodd Emlyn fotwm yr uchelseinydd.

'Beth nawr, Kate?'

'Ma'r ymgeiswyr i gyd wedi cyrraedd…'

'Ymgeiswyr?'

'Ie, ymgeiswyr. Ar gyfer y cyfweliadau. Jesus, Emlyn, beth sy'n bod arnot ti heddi?' Sibrydodd Kate y cwestiwn ond doedd dim modd i Emlyn ei hateb, gan nad oedd e'n gwybod chwaith beth oedd yn digwydd iddo.

Gan fod y cyfweliadau'n cael eu cynnal yn y stafell gyfarfod yr ochr arall i'r adeilad, cododd Emlyn a gafael yn ei ddogfenfag. Ystyriodd fynd am ffag cyn dechrau, ond penderfynodd beidio. Gyda'i law ar ddolen y drws, dirgrynodd y ffôn symudol yn ei boced, ac wedi iddo'i hestyn gwelodd wyneb ei frawd yn fflachio ar y sgrin fach.

'Euros. Fi ar bach o frys. Galla i ffonio ti 'nôl?'

'O's cyfweliadau yn Akuma bore 'ma?'

'Oes. Hence fy mrys.'

'Ffafr fach sydd angen arna i, Ems…'

'Sdim ams…'

'Ca' dy ben am eiliad a gwranda. Look, ma 'na foi ifanc o'r enw Rodney…'

'Rodney?'

'Ie. Fi'n gwybod. Ond Rod ma pawb yn ei alw fe. Ta beth, ma fe'n dod am gyfweliad yn Akuma heddiw a meddwl o'n i os elli di… ti'n gwybod…'

'Na. Beth?'

'Jesus, Ems. C'mon. Elli di falle roi'r swydd iddo fe?'

'DS Jones, rhag cywilydd i chi!' ebychodd Emlyn yn llawn ffug ffieidd-dod.

'Ffafr fach. Beth ti'n meddwl?'

'Sori, Eus, ond alla i ddim…'

'Paid dweud so ti'n…'

'Na, na, dim byd fel 'na. Yn anffodus ma rhywun wedi achub y blaen arnat ti, 'na gyd.'

'Oh.' Roedd y siom yn llais ei frawd yn ddigon i wneud i Emlyn fod eisiau newid ei feddwl, ond nid oedd hynny'n bosib, ddim ar yr achlysur hwn.

'Sori, Eus, ond fi 'di addo'r swydd i fab aelod o fwrdd rheoli'r Sianel…' Tawelodd cyn dweud gair arall. 'Gobeithio nad yw'r llinell ffôn yma'n tapped.'

'Paid poeni, siecies i cyn ffonio. Ni'n iawn i siarad.'

'Da iawn. Ond fel dwedes i, ti'n rhy hwyr.'

'A sdim modd i ti newid dy feddwl? Hyd yn oed i dy frawd?'

'Na, sori. Wir nawr. Os na fydd e'n cachu ar y ddesg yn y cyfweliad, rhaid i fi roi'r swydd i'r boi arall 'ma. Aled neu Alun yw 'i enw fi'n credu. Sori. Ti'n gwybod shwt ma hi…'

'Ydw. 'Na pam ofynnes i.'

'Ha! Look, fe 'na i roi CV y Rodney 'ma ar dop y pentwr ac os bydd unrhyw gyfle'n codi yn yr wythnose nesa, fe fydda i'n ffonio gynta. Iawn?'

'Iawn. Diolch, Ems. Wela i di.'

Ond cyn gynted ag y gorffennodd yr alwad, dechreuodd y ffôn ganu eto. Craffodd Emlyn ar y rhif dieithr, ac er nad oedd yn gyfarwydd, gwyddai'n iawn mai Beca oedd ar ben draw'r llinell. Roedd hi wedi gadael negeseuon lu ar ei ffôn dros y dyddiau diwethaf, a phob un ohonynt wedi dod o ffonau gwahanol. Roedd hi'n ymddatod yn feddyliol, roedd hynny'n amlwg o gynnwys y negeseuon – rhai'n gariadus ac yn begian ar Emlyn i newid ei feddwl, eraill yn llawn casineb brathog, a Beca yn beichio crio mewn rhai eraill a'i alw'n bob enw dan haul.

Roedd Emlyn yn ymwybodol o hanes ei salwch meddwl a'i hunan-niweidio, ond nid oedd wedi sylweddoli pa mor ddifrifol oedd ei phroblemau tan nawr.

Gwasgodd y botwm coch a dychwelodd y tawelwch i'r swyddfa. Ond cyn iddo gael cyfle i adael ac anelu am y cyfweliadau, cyrhaeddodd neges destun â delwedd wedi'i hatodi.

Dychwelodd y ffôn i'w boced a dechreuodd gerdded ar draws y swyddfa cynllun agored a honno'n llawn bwrlwm fel arfer. Ond oherwydd ei ysfa i weld beth anfonodd hi ato, estynnodd y ffôn wedi'r cwbwl ac agor y neges. Stopiodd yn stond wrth weld y ddelwedd a gwibiodd ias oer i fyny asgwrn ei gefn cyn ffrwydro yn ei benglog a'i hoelio yn yr unfan.

Syllodd ar y llun gan lyncu poer sych am yr eilwaith y bore hwnnw. Delwedd o lafn rasel yn diferu â gwaed yr oedd Beca wedi'i hanfon ato. Delwedd oedd yn dweud y cyfan heb ddangos unrhyw ganlyniad. Er hynny, nid oedd Emlyn yn amau ei dilysrwydd.

'Chi'n iawn, Emlyn?' gofynnodd Betsan, a eisteddai wrth ei desg, droedfedd neu ddwy o angorfa ei bos.

'Beth? Ydw. Pam?'

'Dim rheswm,' atebodd yr ymchwilwraig benfelen gan godi'i haeliau ar Gethin, ymchwilydd arall a eisteddai wrth ddesg gyfagos, cyn troi'n ôl at ei chyfrifiadur.

Caeodd Emlyn ei ffôn gyda chlep, cyn anelu am yr allanfa.

'Kate,' cyfarthodd wrth gerdded heibio i'r dderbynfa gan estyn ei ffags o'i boced. 'Byddwn ni'n dechrau cyfweld mewn pum munud…'

Eisteddodd Rod ar y soffa goch yn nerbynfa Akuma yn aros i'r artaith ddechrau. Wrth ddisgwyl, meddyliodd eto am ei gyfarfod â DC Ellis yn gynt y bore hwnnw. Roedd e'n ffodus iawn i ddianc heb gael ei gosbi, ond er ei fod yn gwerthfawrogi hynny, gwyddai y byddai'n rhaid iddo fod yn wyliadwrus o gwmpas y stad bellach, gan na fyddai'r ditectif ifanc yn anghofio'r hyn ddigwyddodd.

Gwenodd wrth glywed sŵn ei benglog yn chwalu trwyn yr heddwas yn atseinio rhwng ei glustiau. Buodd e'n lwcus iawn, a'i obaith nawr oedd y byddai'r lwc yna'n ymestyn ychydig ymhellach a'i helpu i gael y swydd hon, y swydd roedd e'n ysu amdani.

Edrychodd ar y tri ymgeisydd arall. Y gystadleuaeth, hynny yw. Un bachgen. Dwy ferch. Roedd pawb yn edrych yn nerfus yn eu dillad dydd Sul, ac yn edrych yn waeth rywffordd oherwydd natur hamddenol dillad gweithlu Akuma.

Roedd y merched yn mân siarad yn dawel, ond eisteddai'r bachgen gan syllu'n syth ar y llawr o'i flaen. Ai pendantrwydd oedd yn ei lygaid, neu bryder pur?

Roedd yna adeg pan fyddai Rod yn ceisio dyfalu a gwerthuso'i gydymgeiswyr, ond daeth i'r casgliad nad oedd hynny fawr o help. Felly, gwnaeth rywbeth llawer mwy defnyddiol, ac ailadroddodd rai atebion i gwestiynau cyffredinol yn ei ben.

Wrth wneud, crwydrodd ei lygaid o gwmpas y swyddfa eang, agored. Roedd y lle'n llawn pobol ifanc, a neb dros ei ddeugain ar gyfyl y lle. Dychmygai Rod weithio yma. Roedd y bwrlwm a'r cyffro'n arnofio yn yr aer, uwchben y cuddyglau a'r cyfrifiaduron, a phawb fel petaent yn mwynhau'r hyn roedden nhw'n ei wneud.

Gwyliodd ei hun yn cerdded i mewn trwy'r drws ar ei ddiwrnod cyntaf; yn gwenu a sgwrsio gyda'r dderbynwraig benfrown brydferth, cyn cael ei dywys at ei ddesg, drws nesaf at y flonden dal â'r coesau hir y bu'n cadw llygad arni ers cyrraedd. Byddai'n frwdfrydig wrth ei waith, wrth gwrs, er nad yn rhy frwdfrydig chwaith. Wedi'r cyfan, does dim byd gwaeth nag ymddangos yn orawyddus yn llygaid eich cydweithwyr newydd. Byddai'n ymuno â'r flonden am ffag, jyst i gael bod yn agos ati. Gwyddai o brofiad mai wrth ddianc am smôc ac ymlacio yn yr awyr agored y deuai i adnabod cydweithwyr go iawn. Er nad oedd yn hoff iawn o sigaréts, byddai'n fodlon aberthu ei sgyfaint yn y byrdymor er mwyn cael y cyfle i dreulio munudau gwerthfawr yn ei chwmni. Peint neu ddau wedi gorffen gwaith, a takeaway ar y ffordd adref i wylio DVD efallai. Bywyd braf. Breuddwyd braf.

Clywodd leisiau cyfarwydd gerllaw a throdd ei ben tuag at y dderbynddesg lle roedd y ddau Huw – Stephens ac Evans – wrthi'n hudo'r dderbynwraig â'u hiwmor naturiol, cyfeillgar. Rhaid eu bod nhw yma i ffilmio ar gyfer eu cyfres newydd, *P(l)op*, meddyliodd Rod, ar ôl i'w cyfres gerddorol ddiwethaf gael ei chanslo gan y Sianel heb esboniad a heb reswm digonol. Gwelodd Emlyn ac Akuma eu cyfle ac arwyddo'r ddau ar gyfer y gyfres newydd, fyddai'n cynnwys mwy o gerddoriaeth, mwy o gomedi a llai o wallt melyn a bronnau, diolch byth. Credai Emlyn mai'r ddau Huw oedd yr act ddwbwl orau i Gymru ei gweld ers teyrnasiad euraidd Ryan a Ronnie. Dweud mawr, ond digon gwir.

Dychmygai Rod y byddai'n dod yn ffrindiau â nhw; mynychu gigs, rhannu CDs, meddwi ac efallai cwrdd ag ambell berson enwog yn eu cwmni – Gruff neu Bunff neu Cate Le Bon. Mmmmmmm, ie, Cate Le Bon, plis. Ac yna daeth i'r casgliad y byddai'n debyg o weithio ar y gyfres newydd petai'n cael y swydd heddiw, a'i gwnaeth yn fwy penderfynol nag erioed.

'Rodney Joyce.' Clywodd ei enw a chododd ar ei draed yn araf wrth i'w feddyliau aildrefnu yn ei ben, gan afael yn ei warfag a'i gymryd gyda fe i'r cyfweliad.

Canolfan Hamdden Gorllewin Caerdydd: Prynhawn Dydd Mawrth

'Sut aeth yr interview, then?' gofynnodd Brynley, gan gadw un llygad ar Cesar bach oedd wrthi'n taflu peli plastig at ferch ddwyflwydd oed oedd yn gwisgo plisgwisg Playboy pinc tebyg i'w mam, a eisteddai gerllaw yng nghwmni cwpwl o ffrindiau yn bwydo baban bach o botel.

Eisteddai Rod gyda'i ffrind ar gadeiriau anghyfforddus mewn neuadd olau heb ffenestri yng nghanolfan hamdden Trelái. Roedd y bychan wrth ei fodd yng nghanol y matiau amryliw, y pwll llawn peli a'r castell sboncio yn y cornel pellaf. Byddai Cesar bach yn mynychu'r ysgol feithrin leol yn y bore, gyda Bryn yn gofalu amdano yn y prynhawn, bob cyfle posib.

Ar ddiwrnod braf, ni wyddai Rod pam roedd y lle mor llawn, o gofio bod yna barciau lu, rhad ac am ddim, gerllaw, ond nid oedd am gwestiynu penderfyniad ei ffrind. Wedi'r cyfan, beth yn y byd roedd e'n ei wybod am fod yn rhiant?

Roedd Cesar yn gwenu o glust i glust wrth rolio yng nghanol y peli, ac roedd hynny, i raddau, yn adlewyrchu sut roedd Rod yn teimlo yn dilyn cyfweliad y bore.

'Ok,' dechreuodd Rod, gan guddio ei wir deimladau. Nid oedd eisiau dweud gormod, rhag ofn y byddai'r anochel yn digwydd. 'Aeth hi'n reit dda, actually. 'Nes i ateb pob cwestiwn, heb ddweud na gwneud unrhyw beth stupid.'

'Ti'n confident, then?'

'O na, ddim o gwbwl. Disgwyl y gwaethaf. Dyna'r polisi gorau, I reckon.'

'Very wise. So ti moyn rhoi hex ar dy hun.'

'Yn gwmws.'

Rhedodd Cesar draw atynt gyda dagrau yn llifo i lawr ei fochau. Claddodd ei wyneb yng nghrys ei dad a rhwbiodd Bryn ei ben a'i gefn tan iddo stopio a dychwelyd at yr anhrefn gyfagos, gyda'r wên yn ôl yn ei lle.

'Ti 'di clywed am nos Sadwrn?'

'Aye. Sounds ace. Ond fi'n gweithio.'

'Gutted.'

'Too right. Ti'n mynd?'

'Fi eisiau mynd. Fi eisiau ffilmio…'

'So what's stoppin you?'

'Cashflow problems.'

'Gutted.'

'Yup. Dim ond hanner tâp sydd ar ôl 'da fi. A fi'n hollol skint. Ti'n gallu benth…?'

'No can do, sori. Fi'n skint hefyd. Tan wythnos nesaf anyway…'

'No worries. Jyst gobeithio ca i'r job 'ma then.'

'Sori, Rod. I would if I could but I can't, ti'n gwybod hynny.'

'Aye. Mae 'da fi gynllun arall anyway…'

Ond cyn ymhelaethu, dychwelodd Cesar gan ddatgan bod angen pŵ arno, felly i ffwrdd â'r triawd, gyda'r bychan yn siglo fel mwnci hapus yn nwylo'i dad a'i wncwl.

Tra oedd y tad a'r mab yn y tŷ bach, canodd ffôn Rod ac adwaenodd y rhif ar unwaith. Akuma. Rhyfedd iawn. Fel arfer byddai o leiaf wythnos yn mynd heibio cyn iddynt gysylltu. Oni bai…

'Helô,' atebodd Rod, â'i galon ar ras a'i obeithion yn uwch nag erioed o'r blaen.

'Hi Rod.' Clywodd lais cyfarwydd un o'r cyfwelwyr ar ben draw'r lein. Lois, neu Leah. Rhywbeth fel 'na. 'Newyddion drwg sydd gen i, yn anffodus…'

Gwrandawodd Rod mewn tawelwch wrth iddi esbonio mai ei ddiffyg profiad oedd yr unig reswm pam na chafodd y swydd. Ond er ei fod yn ysu am ofyn sut mae'n bosib ennill profiad os nad oes rhywun yn fodlon rhoi profiad i chi yn y lle cyntaf, ni wnaeth hynny. Yn hytrach, diolchodd iddi am adael iddo wybod mor brydlon, cyn cau'r ffôn a phwyso'n llipa yn erbyn wal gyfagos.

Doedd dim dewis ganddo bellach. Dim ond un ffordd oedd ar ôl i gael gafael ar ragor o dapiau nawr…

BBC, Llandaf

'Fuckin Barrowman's pulled another sickie!' Poerodd Steven a blasodd Cariad y casineb yn y salifa a laniodd ar ei gwefus. Ond roedd gan Cariad bethau pwysicach i boeni amdanynt. Roedd ei phen wedi bod ar chwâl trwy'r dydd wrth iddi bendroni ynghylch doethineb ei phenderfyniad i faddau i Emlyn am ei weithgareddau allgwricwlaidd. Dim mater o fethu magu plentyn ar ei phen ei hun oedd e chwaith, ond mater o beidio â bod eisiau magu plentyn heb gefnogaeth tad llawn-amser. Yr unig beth oedd ar ôl i'w wneud oedd gobeithio na fyddai Emlyn yn ei gadael i lawr...

'I told his agent to cut the crap, but he's adamant that John's telling the truth, but he would say that, wouldn't he...?'

Eisteddodd Cariad tu ôl i'w desg wrth i ddiwrnod arall anghyfforddus ddirwyn i ben yn araf bach. Roedd y swyddfa bron yn wag bellach, a dim ond llond llaw o unigolion diwyd a chydwybodol yn dal i fod yno.

'He's claiming flu, but we all know he's in London recording another horrendous Christmas album. Apparently he's dueting with SuBo on this one. As if the world needs to hear that...'

Ymlaen aeth Steven, ond nid oedd Cariad yn gwrando arno bellach. Ysai am ddianc adref er mwyn cyrlio ar y soffa o flaen y tân. Ymlacio am sbel cyn neidio i'r bath gyda llond mẁg o Redbush melys a nofel ddiweddaraf Caryl Lewis, *Naw Mis*, oedd yn addas iawn, wedi meddwl. Ymgolli yn y geiriau am awr dda, cyn codi o'r dŵr a disgyn i'r gwely yn domen fodlon, gyda bowlen wag wrth ei hochr rhag ofn y byddai'r cyfog yn codi yng nghanol nos.

'He's not answering his phone, which is not surprising under the circumstances...'

Wrth gwrs, roedd absenoldeb John yn boen tin iddi hi a'r cynhyrchiad yn gyffredinol. Dim ond mewn dwy olygfa roedd ei gymeriad, Captain Jack, i fod ymddangos yn y bennod hon, a'r ddwy i fod i gael eu ffilmio'r diwrnod canlynol, ond oherwydd ei salwch byddai'n rhaid i Cariad aildrefnu'r amserlen ffilmio ar fyr rybudd. Byddai hynny'n arwain at lwyth o gwyno a chrintachu gan y criw, ond doedd dim y gallai wneud am hynny. Ta beth, roedd cwyno'n rhan annatod o gynhyrchiad teledu. Yn wir, cwyno yw'r glud sy'n cadw pawb yn anelu i'r un cyfeiriad ac i gyflawni'r un gôl.

'Bottom line, Cariad darling, is that we need to reschedule tomorrow's shoot. I know it's late and I know you must be tired, considering your...' – pwyntiodd ei fys i gyfeiriad ei bola, a'i chwifio o flaen ei thrwyn wrth chwilio am y gair cywir – '...condition. But it can't be helped. Fuckin Barrowman...'

A gyda hynny, canodd ffôn symudol Steven, a throdd ei gefn arni a gadael y stafell yn dal i ddwrdio John.

Cododd y blinder yn donnau dros ysgwyddau Cariad, a bu bron â'i boddi. Caeodd ei llygaid ac anadlu'n ddwfn – i mewn trwy ei thrwyn ac allan trwy ei cheg. Ffeindiodd rhyw gryfder annisgwyl yn rhywle. Agorodd ei llygaid eto gan sylwi bod y swyddfa'n wag. Ble'r aeth pawb? Oedd hi wedi cwympo i gysgu? Roedd y poer oedd yn dianc o gornel ei cheg yn awgrymu ei bod hi wedi...

Rhwbiodd ei bola ac estyn contact sheet y diwrnod canlynol o'r drôr, cyn dechrau galw'r rhifau. Er holl ddrama Steven ynglŷn â'r sefyllfa, nid oedd peth o'r fath yn anghyffredin. Yn wir, roedd yn digwydd yn wythnosol am ryw reswm neu'i gilydd. Canlyniad absenoldeb John fyddai gohirio ffilmio'r bore tan y byddai'n dychwelyd i'r gwaith, ac felly dod â shoot y prynhawn ymlaen i'r bore, a symud shoot y bore wedyn i'r prynhawn ac yn y blaen. Dim drama. Dim panig.

Dechreuodd ar y dasg, ond ar ôl rhyw dair galwad dechreuodd deimlo'n reit rhyfedd. Poen bol i ddechrau, er nad oedd hynny'n wefr anghyffredin y dyddiau hyn. Wedyn gwlybaniaeth yn ei throwsus, fel tasai wedi pisio'i hun. Eto, nid oedd hynny'n beth anghyffredin chwaith. Hyd yn oed mor gynnar â hyn yn ei beichiogrwydd, roedd hi'n aml yn colli rheolaeth ar ei phladren. Ond dim fel hyn chwaith. Roedd hyn yn *hollol* wahanol.

Cododd fel babi blwydd yn cymryd ei gamau cyntaf, ac anelu am y drws, y coridor a'r tŷ bach agosaf. Ceisiodd ruthro, ond nid oedd hynny'n bosib. Roedd ei choesau fel bambŵ, a'i phen yn troelli fel pêl-fasged ar flaen bys Michael Jordan.

Gwthiodd y drws a mynd at y cuddygl cyntaf. Heb gau'r drws, agorodd ei gwregys a'i balog a thynnu ei throwsus a'i nics i lawr at ei phengliniau. Gorfododd yr hyn a welodd iddi eistedd â'i llygaid led y pen ar agor. Roedd y gwaed yn llifo allan ohoni. Sgrechiodd ar dop ei llais wrth syllu, gan geisio atal y llif â'i dwylo.

Gwyddai'n iawn beth oedd yn digwydd. Hunllef fwyaf pob merch feichiog. Sgrechiodd eto. Gwaeddodd am help. Ond nid oedd unrhywun ar gyfyl y lle, gwyddai hynny eisoes. Roedd yn rhaid iddi gyrraedd ffôn. Unrhyw ffôn. Ond roedd wedi gadael ei ffôn hi ar ei desg.

Rhegodd. Criodd. Cododd ar ei thraed. Stryffaglodd i dynnu ei throwsus, ond cyn iddi allu gwneud, agorodd drws y tŷ bach ac yno safai glanhawraig ifanc, mop mewn un llaw a ffôn symudol yn y llall.

'Call me back in half an hour, alright luv? Something's just come up in work…'

Syllodd ar y llanast o'i blaen, cyn rhoi'r ffôn yn ei phoced a chamu at Cariad i'w helpu i aileistedd ar sedd y cuddygl.

'What's goin on? You ok, luv?'

'Not really. Call an ambulance. Quick!'

'I can't. No credit. Pay as you go, innit.'

'Use one of the phones in my office, then. Three doors down on your left. And please hurry.'

I ffwrdd â'r lanhawraig am y swyddfa, y ffôn a'r gwasanaethau brys, gan adael Cariad yn ei phydew gwaedlyd, yn beichio crio ac eisoes yn galaru am y baban na fyddai byth yn ei gyfarfod.

Parciodd Emlyn ei Porsche Carrera blwydd oed mewn panics llwyr ar lawr cyntaf maes parcio Ysbyty'r Mynydd Bychan, cyn rhedeg am y brif dderbynfa gan anwybyddu poen y tendonitis yn ei ben-glin, sef y rheswm iddo orfod rhoi'r gorau i loncian rhyw chwe mlynedd ynghynt.

Wedi cyfweliadau'r bore, dychwelodd at ei ffilm yn ystod y prynhawn, yn y gobaith o weld rhywbeth fyddai'n ei blesio. Rhyw ronyn o obaith, o oleuni, yng nghanol y düwch. Ac er bod Deian, un o olygyddion Akuma, o'r farn ei fod wedi gweld 'llawer gwaeth' yn cael ei ddarlledu, 'ddim ar y Sianel yn unig', nid oedd hynny'n codi'i galon o gwbl, dim ond yn cadarnhau bod ei ymdrech yn gachlyd, fel miloedd o ddarllediadau eraill sy'n llygru tonfeddi teledu'r wlad, y cyfandir a phedwar ban byd.

Ond, gan wybod y byddai'n rhaid iddo ddangos rhywbeth i Steffan yr wythnos ganlynol, aeth Emlyn ati, yng nghwmni Deian, i ddechrau golygu go iawn.

Anwybyddodd lu o alwadau ffôn o rifau amrywiol ac anhysbys yn ystod y prynhawn, gan wybod ym mêr ei esgyrn mai Beca oedd wrth wraidd pob un ohonynt. Roedd delwedd y rasel waedlyd yn fyw yn ei gof, a phoenai Emlyn am yr hyn y byddai Beca yn ei wneud nesaf. Roedd hi'n fenyw beryglus. Yn fenyw wallgof. Ond doedd Emlyn ddim yn poeni am yr hyn y byddai hi'n ei wneud iddi hi ei hun, ond yn hytrach am yr hyn y byddai o bosib yn ei wneud iddo fe, neu i Cariad hyd yn oed, heb sôn am beth y byddai'n ei ddweud wrth ei gŵr. Gyda chalon drom a llond ceg o dawelyddion, nid oedd yn disgwyl i'r diwrnod waethygu ymhellach.

Ond dyna ddigwyddodd pan fflachiodd wyneb Cariad ar sgrin fach ei iPhone. Atebodd, gan geisio cyfleu rhyw fymryn o hapusrwydd yn ei lais yn hytrach na'r diflastod a'r iselder llethol a deimlai, a chafodd sioc ei fywyd pan glywodd lais gwrywaidd yn dweud wrtho am frysio i'r ysbyty a mynd yn syth i'r ward gynecoleg brys, lle byddai Cariad yn aros amdano.

Gadawodd Emlyn Akuma ar unwaith, neidio i'r Porsche a rhuthro i'r Waun mor gyflym ag y caniatâi traffig y ddinas iddo wneud.

A dyma fe nawr, yn sefyll yn y dderbynfa, yn syllu ar fap y wardiau yn chwilio am gynecoleg, gyda'r byd eisoes wedi chwalu yn ei ben, er nad oedd syniad gyda fe mewn gwirionedd beth oedd wedi digwydd i'w wraig.

Gwyddai o'i gyrchfan fod rhywbeth wedi digwydd i'r babi ym mola Cariad, ond nid oedd eisiau meddwl mwy am y peth. Doedd dim pwynt mynd o flaen gofid, er ei bod yn anodd peidio gwneud ar adeg fel hon.

Cyrhaeddodd o'r diwedd, ar ôl colli'i ffordd ddwywaith yn y ddrysfa feddygol faith, cyn cael ei arwain at ei wraig a orweddai ar ei hochr yn wylo'n dawel ar wely, a hanner isaf ei chorff wedi'i orchuddio gan flanced denau. Dirgrynai ei chorff wrth i'r dagrau lifo. Aeth Emlyn i eistedd wrth ei hochr, a chyn dweud dim dechreuodd fwytho'i chefn, fel y byddai ei fam yn gwneud iddo fe ers talwm.

Ddywedodd e 'run gair i ddechrau. Ond roedd yn rhaid iddo wybod beth oedd wedi digwydd iddi...

'Beth sydd wed...?'

'Dw i 'di colli'r babi, Ems...' atebodd ar unwaith, cyn i'r dagrau ei threchu a boddi'i geiriau.

Gadawodd Emlyn i'w beichiadau dawelu.

'Ti'n siŵr o hynny? Oes rhywun wedi dwe...?'

'Wrth gwrs 'mod i'n siŵr!' poerodd. A dyna ddiwedd arni. Er nad oedd neb wedi dweud gair wrth Cariad hyd yn hyn.

Roedd nyrs glên wedi golchi'r gwaed o'i choesau a'i chedorau ac wedi cymryd ei dillad isaf a'i throwsus. Roedd y gwaedu wedi peidio bellach, ond roedd calon a breuddwydion Cariad yn deilchion.

Plygodd Emlyn a'i chofleidio. Cusanodd hi ar ei phen a'i boch, gan flasu'i dagrau. Parhaodd Cariad i grio, a theimlai Emlyn y golled yn llifo o'i chorff gan lygru ei enaid e.

Beth fyddai'n digwydd iddyn nhw nawr? meddyliodd. A fyddai hyn yn gwneud i Cariad ailystyried penderfyniad y noson cynt? Roedd ei beichiogrwydd fel petai wedi rhoi chwistrelliad o egni i'w perthynas. Wedi dod â rhyw gadernid newydd iddi, lle na fu ond ansicrwydd gynt. Ond nawr…

Oedd Emlyn wedi dymuno i hyn ddigwydd? I ddechrau efallai, ond ddim bellach. Roedd e newydd ddod i arfer â'r syniad o fod yn dad. Yn wir, roedd yn llawn cyffro am eu dyfodol, a hynny am y tro cyntaf erioed.

'Mr and Mrs Jones,' dywedodd llais gwrywaidd melfedaidd o waelod y gwely. Cododd Emlyn ar ei draed, ond ni symudodd Cariad. 'I'm Dr Davies, consultant gynaecologist.' Gwenodd y doctor yn gyfeillgar ar Emlyn, gan fynegi tosturi a dwyster heb ynganu gair. 'I don't know what your wife has told you, Mr Jones, but she was rushed in with severe vaginal bleeding. The bleeding has stopped now, and we've inspected the area. Everything seems fine, but we need to do a scan to see what's happened to the baby…'

'So it could still be alive?'

'It could, yes. But we won't know anything until we do the scan. I'm going to call a porter, and we'll head down to the Women's Unit where the machines are. They're expecting us, so we'll know one way or another shortly. In the meantime, can I get you anything to drink? Coffee, water...'

'Water. Please. Thank you.'

Ac i ffwrdd aeth y doctor i ddirprwyo'r dasg o estyn dŵr i un o'r nyrsys.

Mae 'na obaith, meddyliodd Emlyn, er bod yn rhaid disgwyl y gwaethaf mewn sefyllfa o'r fath. Gwthiodd y porthor y gwely i lawr am Uned y Merched gyda Cariad yn gorwedd arno yn dal i wylo, ac Emlyn a Dr Davies yn cerdded tu ôl mewn tawelwch, fel galarwyr yn dilyn yr arch mewn angladd.

Wrth gyrraedd yr uned, daeth bydwraig ganol-oed i gwrdd â nhw, cyn arwain yr orymdaith i stafell sganio dywyll. Lleolwyd y gwely ger y peiriant, ac yna diflannodd y porthor heb yngan yr un gair.

Eisteddodd y fydwraig wrth y peiriant a gofynnodd i Cariad droi i orwedd ar ei chefn. Caeodd y doctor y drws, cyn sefyll wrth ochr Emlyn.

'Can you lift your top for me, please luv?' gofynnodd y fydwraig, ac wedi i Cariad wneud, gafaelodd mewn tiwb llawn hylif a'i ysgwyd yn rymus. 'This might be a little cold. Just relax, breathe normally and...' Tawelodd heb orffen y frawddeg, a chwistrellodd y gel ar fola Cariad. Estynnodd Cariad ei llaw a gafael yn un Emlyn. Roedd y crio wedi tawelu bellach, a syllai pawb ar y sgrin.

Wedi gorffen gwasgaru, gwasgodd y fydwraig fotwm ar y peiriant, a goleuodd y sgrin gan ddatgelu delwedd aneglur, arallfydol yn llygaid Emlyn. Symudodd y fydwraig y teclyn llaw dros fola Cariad, a daeth ffurf y ffetws i'r amlwg. Dechreuodd Cariad wylo eto wrth weld y baban heb ddatblygu, a gafaelodd mor dynn yn llaw Emlyn fel y clywodd ei ddwrn yn clecian.

Syllodd Emlyn ar y sgrin, yna ar ei wraig. Torrai ei galon. Ond am ryw reswm roedd y fydwraig yn gwenu. Bu bron i Emlyn wylltio, ond pan drodd at y doctor, roedd yntau hefyd yn wên o glust i glust.

'Can you see the heart?' gofynnodd y fydwraig, gan bwyntio at smotyn bach yng nghanol y sgrin, oedd fel petai'n fflachio. 'It's beating, which means only one thing...'

'The baby's fine,' ychwanegodd y doctor. 'I've got to get back to the ward, but Diane will take care of you now...'

'But what happened?' gofynnodd Cariad, â'i hwyneb yn gyfuniad rhyfedd o ddagrau hallt a'r wên fwyaf disglair erioed.

'Diane, can you answer that? I've really got to get back.'

'Of course I can, Dr Davies.'

'Good luck,' dywedodd y doctor, cyn gadael y stafell.

'Right,' dechreuodd Diane. 'What happened today is a pretty common occurrence in pregnant women between ten and eighteen weeks. Can you see its head by there?' pwyntiodd eto at y sgrin. 'And there's an arm.' Syllodd Emlyn ar y wyrth o'i flaen, yna ar ei wraig, a eisteddai'n gegagored ar y gwely. 'It's what's commonly known as a phantom miscarriage or a false miscarriage. The heavy bleeding is usually caused by cervical ectropion or cervical erosion...' Syllodd Cariad ac Emlyn arni'n syn. 'Or, in layman's terms, a soft and fragile area develops on the outside of the cervix which can bleed at any time. And that's probably what happened to you today. But it could have been caused by something as common as thrush, which is much worse in pregnant women and can lead to heavy bleeding as well. Bottom line is that the baby's fine and you're fine. Dr Davies's notes say that they've given you a thorough check-up so you're free to go home. Take it easy for a week or so. Stay in bed. Don't lift anything heavy. Relax. Enjoy it…'

'I can go home now?'

'Yes. Although, now that you're here, we may as well take some measurements, save you from coming back for your twelve-week scan next week. We'll do a blood test too. We'll fast-track your blood results as well – we do them on-site these days – and let you know the results in a few days. Maybe even tomorrow, if you're lucky. Depending on how busy they are in the lab.'

Wrth i'r fydwraig fynd ati i fesur y babi, parhaodd Emlyn i syllu ar y sgrin, neu'n hytrach ar y babi ar y sgrin. Ei fabi. Eu babi. Roedd gweld y galon yn curo, y pen mawr a'r stwmps bach, heb sôn am y rhyddhad ar wyneb ei wraig, yn ddigon i achosi i ddeigryn bach ddianc o'i lygad. Nid cysyniad abstract oedd y babi bellach, ond rhywbeth go iawn, cig a gwaed. Ac er bod y ffetws yn edrych yn debycach i fwystfil ar hyn o bryd, roedd wedi gweld y galon yn curo ac yn gwybod y byddai'r babi'n iawn. Llenwodd hynny Emlyn â llawenydd, ac ar ôl i'r fydwraig orffen gyda Cariad, cerddodd y cwpwl yn araf at y car, cyn anelu am adref, y ddau'n gwenu ac yn gafael yn dynn yn nwylo'i gilydd. Ac wrth i Emlyn benglinio wrth ochr y gwely y noson honno yn anwesu gwallt ei wraig ac yn llawn cyffro am yr hyn a welodd yn ei bol, aeth Cariad i gysgu'n gwybod bellach ei bod wedi gwneud y penderfyniad cywir y noson cynt.

Croes Cwrlwys, Caerdydd: Nos Fercher

Seiclodd Rod yn hamddenol braf o gwmpas maes parcio Comet a'r siopau cyfagos yng Nghroes Cwrlwys am o leia'r ugeinfed tro y diwrnod hwnnw. Roedd ei ddillad yn damp ar ôl cawod drom rhyw hanner awr ynghynt, ac roedd y cymylau tywyll yn addo sociad pellach maes o law. Gydag un llygad ar fynedfa'i darged a'r llall yn ei gadw allan o lwybrau'r ceir prin oedd yn ymweld â'r lle heno, arafodd wrth agosáu at ddrysau'r siop, cyn troi a chefnu arnynt eto, a diflannu rownd y cornel rhag ofn bod rhywun yn ei wylio yn rhywle. Annhebygol oedd hynny, ond gwyddai o brofiad mor bwysig oedd bod yn ofalus mewn sefyllfaoedd o'r fath. Roedd camerâu cylch cyfyng ym mhobman, ac nid oedd Rod eisiau tynnu unrhyw sylw ato fe'i hun heno.

Roedd y traffig yn drwm ar y gylchfan gymhleth gyfagos, er nad oedd y cerbydau'n talu gormod o sylw i'r siopau a guddiai tu ôl i'r coed, yn y tywyllwch trefol.

Roedd wedi 'benthyg' y beic gan gymydog na wyddai ddim am y fargen, oherwydd roedd rhywun wedi 'benthyg' ei feic e rhyw ddeufis yn ôl ac nid oedd wedi'i weld ers hynny. Beic mynydd rhad oedd e, o Halfords yn wreiddiol, ond pwy a ŵyr faint o bobol oedd wedi bod yn 'berchennog' arno ers iddo adael y siop. Roedd Rod yn bwriadu ei ddychwelyd cyn gynted ag y byddai wedi gorffen ag e heno. Dyna'r bwriad ta beth.

Y noson cynt, ymwelodd â Comet gan dreulio awr olaf y diwrnod gwaith, rhwng 7pm ac 8pm, yn crwydro'n dawel. Gwyliodd y gweithwyr trwy gornel ei lygad. Doedd e ddim yn poeni amdanyn nhw o gwbwl mewn gwirionedd. Staff isafswm cyflog oedd y mwyafrif, gyda'u meddyliau eisoes yn troi at y seidr a'r sbliffs oedd yn aros amdanynt wedi i ddiwrnod arall ddirwyn i ben. Gadawsai'r rheolwyr y llawr am ugain munud i wyth, er mwyn mynd ati i gyfrif cyfansymiau'r dydd a galluogi pawb i adael yn reit gloi ar ôl cloi. Edrychodd ar y swyddog diogelwch unig, ond roedd yntau wedi diflasu mwy ar ei waith difflach, digyffro na'r mwncïod ar y tils. Ac ar ben hynny roedd e'n dew, yn hen ac yn edrych mor heini â bin llawn sbwriel. Roedd Rod wedi ffeindio'r trysor – y tapiau – ac roedd bron yn barod i'w casglu.

Roedd ei gynllun yn un syml iawn. Am chwarter i wyth, byddai'n cerdded i mewn i Comet, anelu'n syth am y tapiau, llenwi ei bocedi a gadael eto ar unwaith, gan obeithio y byddai pawb yn rhy brysur wrth eu gwaith i gymryd unrhyw sylw ohono. Gwyddai y byddai'r larwm yn canu wrth iddo gamu o'r siop, ond roedd yn disgwyl hynny, a gyda'r beic yn aros amdano ym mhen pella'r maes parcio, roedd ei lwybr dianc yn amlwg ac yn hollol agored.

Y gyfrinach oedd peidio â bod yn farus. Oedd, roedd angen tapiau arno, ond byddai pedwar yn gwneud y tro heno. Chwech ar y mwyaf. Byddai mwy na hynny'n gallu bod yn lletchwith ac efallai'n arafu cylchdroadau ei goesau wrth iddo wibio 'nôl am ddryswch a diogelwch strydoedd a llwybrau cefn Trelái.

Ar ei feic, aeth heibio i Burger King a'r rhes o geir oedd yn aros yn amyneddgar yn y drive through. Glafoeriodd ei geg wrth arogli'r Whoppers a'r fries, ac atgoffodd hynny ei fola nad oedd wedi bwyta ers oriau maith. Cefnodd ar y bwyty a dychwelyd eto i faes parcio Comet. Anelodd am ben pella'r maes parcio, gan guddio'r beic yn y tyfiant ger y llwybr bach oedd yn arwain o'r stad fanwerthu. Ei fwriad oedd aros ar y palmant a mynd yn erbyn llif y traffig ar y ffordd, croesi ger cefn B&Q a hedfan lawr Cowbridge Road West am ddiogelwch ei filltir sgwâr.

Edrychodd ar ei oriawr – Casio rhad o farchnad Bessemer Road oedd eisoes wedi para dros bum mlynedd. Bargen am bum punt. 19:43. Aeth i'r gwarfag a gafael mewn sgarff blaen. Clymodd y sgarff yn llac o gwmpas ei wddf, cyn codi hwd ei grys chwys dros ei ben. Rhoddodd y gwarfag, oedd, fel arfer, yn cynnwys ei gamera, yn ôl ar ei gefn a cherdded yn benderfynol am Comet gyda'r adrenalin yn rhuthro trwy'i gorff a'i lygaid yn symud o ochr i ochr, fel gwalch bach yn edrych am beryglon.

Casa Eilfyw-Jones, Llantrisant Road, Llandaf

Gwyddai Emlyn fod rhywbeth o'i le, hyd yn oed cyn iddo ffeindio Cariad yn crio o flaen y teledu.

Wedi diwrnod arall yn y stafell olygu, yn gwylio a thorri, gwylltio a digalonni, roedd yn edrych 'mlaen at weld ei wraig. Roedd wedi cadw mewn cysylltiad â hi trwy negeseuon testun trwy'r dydd, ac roedd Cariad wedi ymddangos yn iawn yn y rheiny.

Ond nawr, gwelodd hi'n wylo yn y lolfa, a suddodd ei galon yn ddyfnach byth. Beth oedd wedi digwydd nawr?

Rhoddodd bwt i'r teledu cyn eistedd wrth ei hochr. Anwesodd ei gwallt a rhwbiodd ei bola'n dyner.

'Beth sy'n bod, Car? Beth sy 'di digwydd?'

Ac ar ôl ceisio ond methu deirgwaith, llwyddodd Cariad i ddechrau gwneud rhyw fath o synnwyr ac adroddodd hanes yr hyn a ddigwyddodd yn hwyr y prynhawn.

'Ffoniodd y fydwraig… Diane… yr un welson ni neithiwr… dw i'n meddwl, ond dw i ddim yn siŵr chwaith… tua chwarter i bump…' Roedd ei hanadl yn ffitlyd a phob brawddeg fer yn ymdrech fawr, ond ni ofynnodd Emlyn iddi gyflymu o gwbwl, gan y byddai hynny ond yn arwain at fwy o ddryswch a dagrau. 'Canlyniadau'r profion gwaed oedd ganddi... wnaethon nhw eu ffast-tracio, chwara teg... ond newyddion gwael, Ems, newyddion gwael iawn...' Cyn cyrraedd y pwynt, chwalodd Cariad yn ddarnau eto, a gorfod i Emlyn ei dal yn dynn am amser hir cyn iddi ailddechrau.

'Ma'r babi'n high risk o Down's... a rhyw bymthag cyflwr arall, ond dw i ddim yn cofio'u henwau nhw...'

'Sa i'n deall,' medd Emlyn, wrth i'r gair bach 'Down's' ei lenwi ag ofn anferthol. 'Beth? Sut...?'

'Dw i ddim yn gwybod, Ems... Ond ma'r profion gwaed yn awgrymu bod hi'n debygol, one over ninety nine dw i'n meddwl ddwedodd hi, y bydd y babi'n Down's...'

'Oh.'

'Ia.'

'So?'

'So, dw i 'di bwcio i mewn am brawf amnio fora Llun...'

'Prawf beth?'

'Amnio. Amniocentesis. Nodwydd trwy'r bol, i mewn i'r groth. Tynnu chydig o hylif, a profi hwnnw am Down's, ymysg pethau eraill.'

'Fuck.'

'Yn union...'

'Oes 'na unrhyw berygl? I'r babi, ti'n gwybod. So stico nodwydd yn y groth yn swnio fel peth da i fi.'

'Ma 'na beryg o gamesgori, ond...'

'Ond beth?'

'Ond *rhaid* i fi gael gwybod. Un ffordd neu'r llall.'

'Ac wedyn?'

'Dw i'm yn gwybod, Ems. Dw i'm yn gwybod...' A dechreuodd feichio crio unwaith eto, yn waeth o lawer na'r wylo cynt, a doedd Emlyn ddim yn gallu ei gweld yn tawelu, felly tynnodd ei got a lledorweddodd wrth ochr ei wraig gan ei dal hi mor dynn ag oedd modd.

Comet, Croes Cwrlwys

Cododd Rod dri thâp ar unwaith a'u gwthio i mewn i boced chwith ei grys chwys, cyn gwneud yn debyg gyda thri thâp arall a'r boced dde. Ond pan drodd gyda'r bwriad o ddilyn yr union lwybr yn ôl at y drws, gwelodd ar unwaith fod 'na broblem. Wel, dau i fod yn fanwl gywir.

Roedd y tapiau wedi'u lleoli yng nghanol yr eil. Safai Rod wrth eu hochr. I'r dde, yn camu tuag ato, ei lygaid yn syllu ar ei bocedi boliog, roedd gweithiwr ifanc â gwallt fel aelod o boy band. Ac o'r chwith, roedd dyn ychydig yn hŷn yn agosáu, heb flewyn o wallt yn agos at ei ben. Duncan Goodhew go iawn, ei benglog yn sgleinio o dan olau llachar y siop.

Tu hwnt i'r sefyllfa hon, gallai Rod weld y cwsmeriaid eraill yn anelu am y tiliau, oherwydd bod y llais ar yr uchelseinydd wedi gofyn i bawb fynd i dalu, gan fod y siop ar fin cau. A thu hwnt i'r tils, safai'r bownser canol-oed tew, yn cadw un llygad ar y rhai oedd yn gadael a'r llall ar yr un cwsmer fyddai'n cael aros ar ôl heno.

Er difrifoldeb y sefyllfa, roedd cynllun Rod wedi gweithio er budd iddo. I raddau. Fel arfer, pan fyddai lleidr yn cael ei gornelu fel hyn, byddai'r drysau'n cael eu cloi ar unwaith. Ond gan fod y siop ar fin cau, a'r cwsmeriaid eraill i gyd wrth y tiliau ac yn awyddus i adael, nid oedd modd gwneud hynny, a dyna oedd unig gyfle Rod i ddianc.

Cloriannodd ei opsiynau. Slaphead neu Justin Bieber? Doedd dim dewis. Bieber amdani. Rhedodd Rod yn syth amdano ac, fel roedd yn amau, doedd dim syniad gyda fe beth i'w neud yn y fath sefyllfa. Yn amlwg, nid oedd erioed wedi chwarae gêm o rygbi neu bulldogs yn ei fyw. Roedd yn rhy brysur yn rhoi gel yn ei wallt, yn ddi-os.

Trodd ei gefn yn reddfol wrth weld Rod yn rhedeg amdano, gan wneud ei dasg yn haws o lawer. Ond dyna'r rhan hawdd. Gwaeddodd Slaphead ar y gwarchodwr a gwelodd Rod e'n paratoi i'w ddal. Trodd yr holl wynebau a safai wrth y tiliau i wylio Rod yn rhedeg y ras rwystr. Gobeithiodd nad oedd heddwas yn ei ddillad ei hun yn eu plith, neu filwr oedd yn or-hoff o fod yn arwr. Gwyddai fod Slaphead ar ei drywydd hefyd – gallai glywed ei anadl yn agosáu tu ôl iddo.

Safai'r bownser yn rhy agos at yr allanfa, felly roedd y drysau awtomatig ar agor led y pen, ac yn aros felly hefyd. Pe byddai ganddo unrhyw synnwyr, byddai wedi camu ymlaen rhyw lathen neu ddwy er mwyn cadw'r drysau ar gau a gwneud pethau'n anoddach o lawer i Rod ddianc. Ond wedi meddwl, pe byddai ganddo unrhyw synnwyr, ni fyddai'n gweithio fel epa tew mewn siop drydanol chwaith.

Roedd dau opsiwn gan Rod nawr. Mynd yn syth amdano a gobeithio y byddai ei fomentwm yn ei gario at waredigaeth, neu ochrgamu ar yr eiliad olaf, gan obeithio na fyddai'r bolgi'n gallu symud yn ddigon cyflym i gael gafael arno. Aeth Rod am yr ail opsiwn, gan alw ar ysbryd Shên i'w arwain at y llinell gais tu hwnt i'r trothwy. Fe fyddai Mr Williams wedi bod yn falch ohono hefyd, gan i Rod adael y bownser yn ymgodymu â'r awyr iach wrth i'r lleidr ddianc o'i grafangau e a chrafangau'r siop.

Wrth wibio ar draws yr asffalt, gwelodd Rod y car heddlu ar unwaith, yn eistedd ym maes parcio Burger

King. A phan gyrhaeddodd ei feic a neidio arno wedi iddo'i estyn o'r gwrych, clywodd y seiren tu ôl iddo a gwyddai fod ganddo rwystr arall i'w ochrgamu nawr.

I lawr y llwybr ac ar hyd y pafin am gefn B&Q. Textbook stuff, ar wahân i'r moch. Erbyn iddo gyrraedd pen ucha Cowbridge Road West roedd car yr heddlu ar ei din, y seiren yn sgrechian a'r golau glas yn fflachio o'i gwmpas, fel rhwyd rithiol yn cau'n dynn amdano.

Roedd coesau Rod yn troi fel tyrbinau, a diolchodd fod y traffig mor drwm heno. Golygai hyn fod yr heddlu'n ei chael hi'n anodd cadw'n agos ato, gan fod Rod yn neidio o'r ffordd i'r palmant ac yn gwau ei ffordd trwy'r cerbydau, gan gadw'r bacwn yn dyfalu i ble y byddai'n troi er mwyn ceisio dianc a diflannu. Roedd gwe strydoedd y stad yn ei demtio, ond gwyddai o brofiad y byddai o leiaf gwpwl o geir eraill yr heddlu yno'n rhywle yn aros amdano, felly ymlaen â fe i lawr y brif ffordd sy'n gwahanu Trelái rhag Caerau, gan wibio heibio i orsaf yr heddlu, ac ymlaen am Drelái Isaf a Threganna a'r Tyllgoed tu hwnt. Doedd dim pwynt troi oddi ar y briffordd, gan fod y traffig yn help mawr iddo.

Edrychodd dros ei ysgwydd dde a gweld y car amryliw o leiaf ganllath tu ôl iddo. Dyma'i gyfle. Gan basio Man Po, gyferbyn â'r Chippy on the Bridge, sgrialodd rownd y cornel a throi i'r chwith i lawr Mill Road. Aeth heibio i gartref Bryn ac, ymhen dim, trodd i'r dde i lawr y llwybr bach sy'n arwain at Barc Coed Plymouth.

Arafodd oherwydd yr atalfeydd, ac edrych unwaith eto dros ei ysgwydd. Gwelodd ddau gar yr heddlu'n dod i stop, a phedwar swyddog wedi'u gwisgo mewn glas yn ei ddilyn ar droed.

Dilynodd y llwybr trwy'r parc i lawr at afon Elái, a

chroesi'r bont i'r ochr draw. Y Tyllgoed. Gyda'r cenfaint ymhell tu ôl iddo'n awr, taflodd y beic, ei grys chwys a'i sgarff i'r dryswch, heb anghofio trosglwyddo'r tapiau i'w warfag. O'r gwarfag, gwisgodd siaced newydd, a thynnodd het wlân Adidas am ei ben. Yna, cerddodd o dan bont isel y rheilffordd a chyrraedd y Tyllgoed, cyn ceisio ailafael yn ei batrwm anadlu.

Y ffordd gyflymaf yn ôl i Drelái, heblaw am trwy'r parc wrth gwrs, oedd heibio i brif orsaf heddlu gorllewin Caerdydd, ond nid oedd yn ffansïo hynny, am ryw reswm. Y peth gorau y gallai wneud nawr fyddai diflannu o'r ardal am ychydig. Cwpwl o oriau, 'na i gyd. Ac felly i ffwrdd â Rod i ganol y pentref, y ganolfan sgïo sych a Chwrt Insole ger Llandaf. Gallai eistedd yn yr ardd yno am ychydig, cyn cerdded adref ganol nos.

Cofiodd dreulio dyddiau hapus yng ngerddi Cwrt Insole pan oedd e a Bryn yn blant ysgol. Dringo coed. Smocio ffags. Yfed seidr. Byseddu ambell ferch o Howells. Pob un yn fudr ac yn gêm. Atgofion melys. Melys iawn.

Wedi pasio'r ganolfan sgïo, gadawodd Fairwater Road a cherdded trwy'r rhodfa goediog. Roedd e mor agos nawr ac yn teimlo'n reit hyderus o gyrraedd ei loches. Gwenodd wrth ailgofio'r ddrama fawr a gododd yn sgil lladrad mor fach. Ac yna, wrth ailymuno â'r ffordd, gwelodd gar yr heddlu.

Roedd y car wedi stopio ar ben Fairwater Grove West, ac ar fin troi i'r dde i ffwrdd oddi wrth Rod i gyfeiriad Heol y Tyllgoed a Dinas Llandaf tu hwnt, ond ar yr eiliad olaf trodd y car i'r chwith a dod yn syth amdano.

Heb feddwl ddwywaith, rhedodd Rod i lawr llwybr cyfagos oedd yn arwain at orsaf drenau'r Tyllgoed. Rhedodd i lawr at y platfform gwag a neidiodd lawr i'r traciau, cyn eu dilyn i gyfeiriad Danescourt a Radyr tu hwnt. Gyda'i wynt yn ei ddwrn gallai glywed lleisiau a chamau'r heddlu yn ei ddilyn at yr orsaf, cyn stopio a rhegi a rhoi'r gorau i'r helfa. Ymlaciodd Rod a chamu oddi ar y trac mewn digon o bryd wrth i drên fynd heibio.

A dyna pryd gwelodd e'r hofrennydd. Gwyddai fod hofrenyddion lu i'w gweld yn yr awyr uwchben Caerdydd, ac er nad oedd yn credu am eiliad y byddai'r heddlu'n galw am un i gwrso rhywun oedd newydd ddwyn chwe thâp, nid oedd yn mynd i gymryd siawns ar ôl gwneud cymaint o ymdrech i ddianc.

Diflannodd i'r dryswch ar ochr y trac, wrth i'r hofrennydd hedfan yn isel dros ei ben. Dringodd i fyny'r dibyn bach, gan frwydro trwy'r prysgwydd gwyllt a chysgodi ar ei gwrcwd tu ôl i ffens isel – ffin gardd fawr plasty trefol.

A dyna pryd y dechreuodd y cŵn gyfarth…

Gyda Cariad wedi mynd i'r gwely dan grio, eisteddai Emlyn yn yr ardd yn smocio'n dawel ac yn meddwl am y rhwystr diweddaraf oedd yn eu hwynebu. Doedd rhywun, yn rhywle, ddim yn hoff ohono, roedd yn sicr o hynny bellach. Karma efallai? Neu rywbeth llawer gwaeth?

Ceisiodd ddychmygu magu plentyn anabl, ond roedd hynny'n amhosib. Ar wahân i Stifyn, eu hanwybyddu y byddai'n ei wneud bob tro – ar y stryd, yn y siopau, ble bynnag. Esgus nad oeddent yn bodoli. Wel, doedden nhw ddim yn bodoli yn ei fyd bach e. Ddim tan heddiw, ta beth.

Gyda'i ben ar chwâl, taflodd y stwmp tua'r simne deracota ar y patio. Methodd ei darged a chododd yn araf er mwyn mynd i wylio ychydig o deledu cyn noswylio.

Canodd ei ffôn i'w hysbysu bod yna neges destun arall wedi cyrraedd. Ond ei hanwybyddu a wnaeth, oherwydd gwyddai'n iawn pwy oedd wedi'i hanfon. Doedd e ddim angen hynny. Dim nawr. Dim eto. Byth.

Cerddodd tua'r drws cefn. Roedd ei ben-glin yn ei frifo heddiw am ryw reswm. Ar ôl ffrwydriad o egni'r diwrnod cynt ar ei ffordd i'r ysbyty, mae'n siŵr. Ond cyn agor y drws, dechreuodd Meg gyfarth. Doedd Meg byth yn cyfarth. Ac ymhen dim dechreuodd Trefor hefyd – a'r ddau hen gi'n syllu i'r un cyfeiriad yn union. Aeth Emlyn draw i weld beth oedd yno, ac er ei bod hi'n dywyll iawn o dan y coed tu cefn i'r ardd, gallai weld yn syth beth oedd wedi codi'u gwrychyn.

Ymysg y deiliach a'r dryswch roedd dyn yn eistedd. Roedd hi'n rhy dywyll i weld unrhyw fanylion – lliw croen, gwallt, dillad ac yn y blaen – ond roedd ei bresenoldeb yn ddigon i Emlyn estyn ei ffôn a galw'r heddlu. Wel, galw Euros i fod yn fanwl gywir.

Doedd dim ateb. Typical Euros. Ond ymlaen aeth Emlyn, gan smalio'i fod wedi cael gafael ar yr awdurdodau.

'Police. Yes. I'd like to report a peeping Tom...'

Adnabu Rod berchennog y cŵn ar unwaith. Roedd wedi bod yn ei gwestiynu'r diwrnod cynt yn Akuma. Ellis oedd ei enw. Neu Emlyn. Ie, 'na fe.

'The address? Yes, it's...'

Doedd dim llonydd i gael fan hyn. Am anlwc. Yr un ardd allan o ddeg gyfagos lle roedd 'na rywun ynddi.

Agorodd Rod ei warfag a thynnu'r tapiau allan. Yn ffodus, roedden nhw wedi'u gorchuddio â seloffên felly rhoddodd nhw'n ofalus mewn cudd-dwll bach yng ngwreiddiau'r goeden. Byddai'n rhaid dod 'nôl i'w hôl nhw rywbryd eto. Fory efallai.

'Please hurry. I think he's been watching my wife for some time…'

Gwyliodd Emlyn y siâp tywyll yn gadael, gan wrando arno'n brwydro trwy'r prysgwydd a llithro i lawr at y trac trên tu ôl iddo. Peidiodd y cyfarth bron ar unwaith, ac wedi iddo arwain y cŵn yn ôl i'r tŷ, clodd Emlyn y drws, cyn penderfynu bod angen un sigarét arall arno.

Western Avenue

Cadwodd Rod at y briffordd, oedd yn dal i fod yn reit brysur heno er ei bod yn tynnu at ganol nos, gan frasgamu tuag adref trwy'r glaw mân oedd yn gwlychu ei got, ei ddillad a'i groen gwelw.

Roedd coler ei siaced wedi'i thynnu o gwmpas ei wddf, ei ben wedi'i blygu a'i het mor wlyb â thafod morfil. Codai ei lygaid pan âi cerbyd heibio, ac er i ambell i gar heddlu ei basio, ni chymerodd 'run ohonyn nhw unrhyw sylw ohono fe.

Teimlai'n ddiogel bellach, am nawr ta beth. Ond er ei hyder, ni ddychwelodd i Drelái trwy'r Tyllgoed na Pharc Coed Plymouth; yn hytrach, aeth o'r rheilffordd i Gwrt Insole, lle'r arhosodd am awr, ac yna ymlaen i Ddinas Llandaf, ac o'r pentref hanesyddol hwnnw i lawr Heol Trelái at Western Avenue. Heb os, dyma'r llwybr hir am adref, ond doedd dim byd o'i le ar fod yn wyliadwrus, yn ofalus, yn enwedig o gofio'r cyffro cynt.

Wrth droi ei gefn ar ardal Parc Fictoria a chroesi'r bont dros gledrau'r trên yn gyntaf ac wedyn yr ail bont dros yr afon Elái, edrychai Rod ymlaen at gawod gynnes a gwely clyd. Wrth i'r breuddwydion ddechrau ffurfio, canodd ei ffôn yn ei warfag i ddatgan bod neges destun wedi cyrraedd, ac er y dywedai ei reddf wrtho am ei hanwybyddu, cysgododd mewn arhosfan bws gyfagos i'w darllen. A pheth lwcus oedd hynny hefyd, gan mai neges oddi wrth ei frawd oedd hi; neges gryno, neges wnaeth chwalu ei freuddwydion yn rhacs.

Dnt cm hm. Pigs lkn 4 u. Kp ur hd dn. D.

Sut yn y byd? Rhegodd Rod wedi darllen geiriau Dave. Yna ystyriodd ymhellach wrth i fws gwag yrru heibio gyda 'Returning To Depot' yn ymffrost ar ei flaen, gan godi dŵr o bwll cyfagos a gwlychu Rod ymhellach.

Rhaid bod rhywun wedi'i adnabod yn Comet. Ond ta waeth am hynny, roedd angen lloches arno am heno, a hynny ar frys. Oedd hi'n rhy hwyr i alw Brynley? Wedyn cofiodd fod ei ffrind ar ddyletswydd heno, felly gadawodd Rod ei filltir sgwâr unwaith eto ac anelu am Heol Penarth, a denim gwlyb ei drowsus yn dechrau gadael marciau coch amrwd tu mewn i'w glun, jyst i'r dde o'i geilliau.

Modurdy Fordthorne, Heol Penarth

'Jesus H Cribbins, beth the fuck happened i ti?' oedd geiriau agoriadol Bryn pan gyrhaeddodd Rod ei gyrchfan. Doedd dim modd ei ateb heb swnio'n hollol goeglyd ond dyna wnaeth Rod ta beth.

'Wel, o'n i ar fy ffordd draw pan benderfynais i fynd am gawod mewn car wash…'

'Alright, alright, point taken, I was only…'

'Being a reet.'

'Beth? Fuck off!'

'Pam? O't ti yn!'

'Twat.'

'Wankface.'

'Turd breath.'

'Dicksplat!'

'Dicksplat? *Dick*splat?! Where did that come from? I haven't heard that since…'

'Un naw naw wyth.'

'Yeah, rhywbeth like that…'

'Classic.'

'Too right. I'm gonna use it as much as I can from now on…'

'No way. It's mine!'

'Fuck off.'

'Fuck you.'

'Dicksplat.' A gyda hynny chwarddodd y ddau ffrind fel ffyliaid, a dyna pryd sylwodd Rod ar y ffigwr byrdew yn sefyll yn dawel wrth ffenest flaen y garej yn syllu allan i'r gwyll tu hwnt i'r cwrt blaen trwy sbienddrych.

Adnabu Rod e ar unwaith.

'Alright, Karim,' galwodd, a throdd yr Iraciad hoffus i'w wynebu, gan syllu ar ddillad Rod a gofyn, gyda gwên chwareus yn tonni'n ysgafn o dan ei fwstash trwchus,

'Hello, Rod, what fuck happen to you, my friend?'

'Dicksplat!' ebychodd Rod a Bryn ar unwaith, ac yn ôl aeth Karim at ei ysbïo, gyda'r wên wedi lledu a'i ddannedd melynfrown yn amlwg i'r byd.

'Pam ei fod e'n edrych trwy'r binocs?' gofynnodd Rod wrth iddo dynnu ei ddillad gwlyb a gwisgo crys-T a jîns sych o locer Bryn yn stafell gweithwyr y garej.

'Jyst cadw llygad ar Akuma. He always carries 'em with 'im. Well, he does when he pops over here. Likes to keep his eyes on the prize when visiting me and getting a little fresh air…'

Gwarchodwr nos y cwmni teledu gyferbyn oedd Karim, ac roedd Bryn a fe wedi bod yn ffrindiau ers blwyddyn neu ddwy bellach, ers i Karim weld Bryn un noson yn mwynhau'r 'awyr iach' tu allan i Fordthorne trwy ei sbienddrych ffyddlon. Ac ers y noson honno, byddai'r ddau'n cadw mewn cysylltiad trwy'r radio CB, ac yn cwrdd gwpwl o weithiau yn ystod y nos i rannu mwgyn ac i roi'r byd yn ei le.

Cymêr go iawn oedd Karim. Dyn boliog a byr yn ei bumdegau. Honnai ei fod o dras Iracaidd brenhinol, a'i fod e a'i deulu wedi'u gorfodi i ffoi o'r wlad ar ddechrau teyrnasiad gwaedlyd Saddam oddeutu 1980. Bellach, roedd yn byw ymhell bell o balas a heulwen ei blentyndod yn Nhreganna, yng nghanol y tai teras torfol a'r glaw nad oedd stop arno heno.

Dim ond llond llaw o weithiau roedd Rod wedi cwrdd â Karim, felly doedd e ddim yn gwybod ai dyna'r gwir, ond doedd dim ots ganddo, gan fod Karim yn ffwc o foi neis – o hyd yn gwenu ac yn dangos diddordeb mewn eraill. Roedd ei bregethu crefyddol parhaus yn gallu bod braidd yn blagus, ond byddai Rod yn maddau iddo wrth i'w sgwrs droi at rai o'i hoff bynciau eraill – gwleidyddiaeth eithafol; cynllwynion chwerthinllyd; ei gyfnod yn gweithio fel gwarchodwr personol i'r Asian Dub Foundation; ac yn bennaf oll, ei berthynas ffrwydrol â'i wraig amyneddgar, Sadia. Er na wyddai Rod oedd y straeon yn wir neu beidio, roedd Karim yn eu hadrodd mewn ffordd mor ddiffuant fel ei fod yn haws derbyn pob gair a lifai o'i geg yn ddigwestiwn, yn hytrach na dadlau a chymryd y piss.

'All clear, Karim?' gofynnodd Bryn wrth iddo fe a Rod ddychwelyd i'r stafell arddangos, yn llawn ceir sgleiniog, desgiau gwag, ffynhonnau dŵr a phlanhigion plastig.

'Yes. But that man is back again.'

'Let me see,' mynnodd Bryn wrth gamu at Karim a chymryd y binocs o'i afael. 'He is as well,' cadarnhaodd. 'What the fuck is he up to?'

'What's going on?' gofynnodd Rod, yn llawn diddordeb.

'Check it.' Rhoddodd Bryn y sbienddrych iddo, a'i gyfarwyddo at gar tywyll oedd wedi parcio'n agos, a'r person unig ynddo'n syllu i gyfeiriad Akuma.

'Who is he?'

'Fuck knows. But he's been sat there around this time for the past two nights,' esboniodd Bryn.

'Is really weird, yes. He just sits and stares…'

'Is it a stake-out?'

'No. It's a tee-vee company. You thinking of Taurus in town. There no cows being cooked over there, my friend. I tell you. And I should know…' atebodd Karim, gan gadw i syllu trwy'r sbienddrych, heb ddeall cwestiwn Rod o gwbwl.

Edrychodd Rod ar Bryn, a gwenodd hwnnw yn ôl arno. Byddai Karim yn camddeall pethau'n rheolaidd, ac yn aml roedd comedi bur yn deillio o hynny.

'He might be looking to rob the place. Sizing the joint, you know.'

'Maybe. But he might just be a mentalist. I hope we never find out.'

'Why don't you call the rozzers?'

'What would be the point in that?'

'Bryn is right. The filth are fucking useless… uhm… how you say… mofos, yes?'

'Too right they are.'

'I go now. Just in case. Thanks for spliff, Bryn. Keep

eyes on him now. See what he do when I walk back to Akuma…'

Gwyliodd Rod a Bryn yr Iraciad yn gadael y garej, yn cerdded yn araf ar draws y cwrt blaen, croesi'r ffordd ddeuol dawel a diflannu trwy ddrws ffrynt pencadlys Akuma Cyf., cyn i'r person anhysbys danio injan ei gar a diflannu yn ôl i gysgodion y ddinas, gan adael y dirgelwch yn ffrwtian am noson arall.

'Alla i gael dy allweddi di? Fi'n marw i fynd i'r gwely.'

'Beth sy'n wrong with your own house? Why d'you wanna go to mine? Don't tell me your dad's shat on the landing again.'

Ac wedi i Rod esbonio pam nad oedd yn gallu dychwelyd i'w dŷ ei hunan am ychydig, esboniodd Bryn ei fod wedi anghofio'i allweddi wrth ruthro i ddal y bws i'r gwaith yn gynharach.

'Shit.'

'Indeed.'

'Ah well. Oes gen ti flanced neu sach gysgu?'

'You're in luck. There's even a camp bed you can use. Fuck knows why it's here, but it's in the storeroom, next to the locker. You can cysgu in there if you like. It's a bit bright in here. The sach gysgu is in my locker. I left it ar agor I think…'

Diolchodd Rod i'w bartner, ac i ffwrdd â fe am noson ffitlyd o gwsg. Cyn cau drws y storfa drachefn, clywodd lais Karim yn galw Bryn dros y CB.

'Has he gone?'

'Yeah, he's just gone for a kip in the storeroom.'

'What? Why did you let him in? What did he want?'

'Hang on, Karim, who you talking about?'

'The man in car!'

'Oh. Ok. Yeah, sorry. He's long gone. I thought you were talking about Rod…'

Modurdy Fordthorne: Bore Dydd Iau

Ysgydwodd Bryn goes Rod yn ysgafn tan i'w ffrind agor ei lygaid. Crynodd Rod gan fod y flanced wedi cwympo i'r llawr yng nghanol y nos a'i adael yn ddiamddiffyn yn erbyn oerfel y storfa.

'C'mon dude, get up.'

'Faint o'r gloch yw hi?'

'Almost eight. The workers'll start arriving soon and they can't see some tramp kippin in here, or I'll get a right bollocking. Here's a few quid. Get some brekkie at the van and I'll be with you in twenty minutes. We'll head for home then, get some proper kip like.'

Cododd Rod yn araf, gwisgo'i sgidiau a gafael yn ei warfag cyn gadael trwy ddrws yr ochr ac, yn ôl cyfarwyddyd Bryn, aeth i gael brecwast llawn braster yn y fan fyrgers gyfagos.

Erbyn hyn roedd glaw'r nos wedi cilio a'r haul yn sbecian trwy'r cymylau llwyd, oedd yn addo trochi'r ddinas eto maes o law. Roedd y palmant a'r ffordd yn sgleinio o dan draed a'r dyn oedd yn gweini'r brecwast yn llawer rhy siriol o ystyried yr awr.

Wedi derbyn ei Big Breakfast Bap, defnyddiodd Rod y napcyn tenau a oedd wedi'i lapio o gwmpas y bara i sychu'r glaw ar y gadair blastig, ac aeth ati i fwyta wrth wylio'r ddinas yn deffro'n araf ar ddechrau diwrnod arall. Gwyliodd geir di-rif yn mynd heibio, ar eu ffordd i pwy a ŵyr ble, a cherddwyr yn pasio o gyfeiriad gorsaf drenau Grangetown. I ble roedd pawb yn mynd? Gwyddai Rod mai'r gweithle oedd pen y daith i bob un ohonynt. Ac wrth feddwl am y cyfle diweddaraf iddo'i golli gydag Akuma, gwelodd Porsche du yn cyrraedd maes parcio'r cwmni cynhyrchu a Prif Fastard y lle'n camu ohono. Gwyliodd Emlyn yn camu at ddrysau'r adeilad ac yn cyfnewid ambell air â Karim, cyn diflannu i grombil ei lwyddiant gan adael dim byd ond atgasedd yn arnofio yn yr aer ar ei ôl.

Erbyn iddo orffen bwyta'i frecwast, roedd Rod yn teimlo'n llawer gwell. Gallai gysgu am gwpwl o oriau eto, wrth gwrs, ond gwastraff amser fyddai hynny. Roedd gweld Emlyn yn cyrraedd Akuma wedi'i atgoffa o'r tapiau ac felly penderfynodd mai Llandaf fyddai ei gyrchfan y bore hwnnw, yn hytrach na stafell wely Bryn.

Gadawodd Rod ei ffrind wrth arhosfan bws Sloper Road, a cherdded ar hyd llwybr y noson cynt – heibio i'r stadiwm Legoaidd newydd a'r tai coch simsan yr olwg a godwyd bron dros nos ar gae Parc Ninian gynt; ar hyd Lansdowne Road, Cowbridge Road a Fairwater Grove West cyn cyrraedd gorsaf drenau'r Tyllgoed a hithau'n tynnu at hanner awr wedi naw.

Roedd y strydoedd yn llawn bwrlwm bellach – plant yn rhedeg yn hwyr i'r ysgol, rhieni, gweithwyr, pensiynwyr yn casglu eu papurau dyddiol, ceir, bysiau, beics. Ond roedd yr orsaf drenau'n hollol wag, a gallai Rod weld trên yn diflannu rownd y cornel, yn cludo'r llygod mawr tuag at y llinell derfyn.

Neidiodd o'r platfform i lawr i'r cledrau ac anelu am y goeden dal tu ôl i gartref Emlyn. Roedd hi'n llawer pellach nag y cofiai, a difarodd beidio â gwirio amser y trên nesaf ar amserlen yr orsaf. Pan ddaeth un i'r golwg ar y gorwel yn canu ei gorn bu'n rhaid i Rod lochesu yn y prysgwydd pwtsh ar ochr y trac.

Gyda'i ddillad sych bellach yn socian, daeth o'r diwedd

at y llwybr bach a arweiniai at guddfan y tapiau. Dringodd y llithren fwdlyd yn ansicr ei droed, gan ddefnyddio'r deiliach i'w dynnu. Ond pan gyrhaeddodd gefn y ffens i gasglu ei eiddo, suddodd ei galon. Doedd y tapiau ddim yno. Chwiliodd yn wyllt o gwmpas gwreiddiau'r goeden am rai munudau, ond gwyddai yn iawn lle y gadawodd nhw.

Fflachiodd delwedd eglur o flaen llygaid Rod. Emlyn yn camu o'r Porsche. Dogfenfag yn un llaw a bag plastig Sainsbury's yn y llall. Ac er na allai *weld* beth oedd yn y bag plastig, *gwyddai* yn iawn beth oedd ei gynnwys. Chwe thâp. Ei dapiau e.

Eisteddodd Rod ar ei din o dan y goeden wrth i'r cymylau chwydu eu llwyth dros bob man. Wrth i'r dŵr ddiferu drosto, ystyriodd ei sefyllfa a'r hyn roedd yn rhaid iddo'i wneud yn awr. Cawsai ei orfodi i ddwyn unwaith yn barod, ac yn awr, diolch i Emlyn Eilfyw-Jones, byddai'n rhaid iddo ailadrodd y gamp. Ac wedi gwneud y penderfyniad, cododd ar ei draed a'u llusgo'n araf tuag at dŷ Bryn a'r gawod gynnes a'r gwely croesawgar a fyddai'n disgwyl amdano yno.

Tŷ Bryn, Mill Road, Trelái Isaf: Nos Iau

Dihunodd Rod mewn clymau tyn ar y soffa yn stafell wely ei ffrind ac edrych trwy'r niwl ar y cloc digidol a'r rhifau oren oedd yn datgan ei bod hi'n 19:47. Sut yn y byd ddigwyddodd hynny? meddyliodd, wrth godi o'i wâl anghyfforddus a hel ei bac. Gadawodd yr atig a mynd i'r gegin, lle roedd Anti Jan wrthi'n coginio'r cyrri mwyaf persawrus iddo'i arogli erioed.

Cafodd sgwrs hamddenol ond braidd yn hirwyntog gydag Anti Jan wrth iddi rannu llawer gormod o fanylion ei dydd gyda Rod. O'r diwedd, cynigiodd olchi a sychu ei ddillad gwlyb ar ei ran, yn ogystal â mynnu ei fod yn bwyta llond powlen o reis a chyrri cyn mynd i weld Bryn unwaith eto wrth ei waith yn gofalu am gerbydau Fordthorne.

Llenwodd ei fol a ffarwelio â hi ac Wncwl Steve, cyn troedio strydoedd gwlyb y ddinas yn benderfynol o gyrraedd y garej cyn y glaw. Yn wyrthiol, arllwysodd y cymylau mo'u llwyth ar ei ben y tro hwn, ac fe gyrhaeddodd weithle Bryn yn sych, ar wahân i'r chwys a gronnai o dan ei geseiliau, rhwng llafnau ei sgwyddau ac o gwmpas ei geilliau a'i gachdwll.

Wedi cyfarch ei ffrind yn y dull arferol – cyffwrdd dyrnau – esboniodd Rod pam iddo ddychwelyd. Adroddodd hanes y bore a'r ffaith fod y tapiau wedi diflannu, gan na chawsai gyfle i ddweud gair wrth Bryn ynghynt oherwydd bod ei ffrind yn rhochian yn y gwely pan gyrhaeddodd ei gartref.

'So ti ar steakhouse, is that right?'

Gwenodd Rod wrth glywed cyfeiriad Bryn at gamddealltwriaeth Karim y noson flaenorol.

'Ydw. A proper Texan T-bone steakhouse.'

'How you gonna get in there? You know, to retrieve the tapes? We can't even gofyn i Karim cos he wouldn't be too impressed bod ti wedi dwyn o Comet. You know what he's like; he'd claim that you'd get your fingers chopped off back in Iraq, before quoting the Koran...'

'Sa i'n gwybod, ond sdim dewis 'da fi. Far as I'm concerned, fy nhapiau i yw'r tapiau 'na, so it isn't even stealing is it, just... well... fel wedes ti... retrieving.'

'I'm not sure that would stand up in court, ond fi'n gwybod what you mean... Sa i'n credu hyn, look.' Dilynodd Rod fys Bryn oedd yn pwyntio at y car du a'r ffigwr tywyll oedd wedi parcio yn yr un fan â'r noson cynt.

'No way!'

Cododd Bryn y CB at ei geg.

'Special K, Special K, do you read me, over?'

Cleciodd y statig cyn y daeth yr ateb.

'Roger, roger, Mountain Man. Loud and clear.'

'Have you seen who's back, Karim?'

'Yes, my friend. I clock him now. Fuckin weirdo.'

'Keep eyes, K-man.'

'You too, uhm, M-man…'

Mwy o statig, ac wedyn tawelwch.

'Mountain Man?' Chwarddodd Rod ar lysenw ei ffrind.

'I know, I know, bit gay. But he's called me that ever since I told him the meaning of my name…'

'Ond "small hill" yw ystyr bryn, dim mountain. Mynydd yw mountain.'

'That may be true, but Hill Man doesn't sound quite so good somehow.'

'Good as in gay, ti'n meddwl.'

'Fuck off.'

'Dicksplat…' Ond cyn i'r sgwrs gael cyfle i droi'n ornest arall o regi, cafodd Bryn syniad a rhannodd e gyda Rod ar unwaith.

'I reckon I could help you get into Akuma nos fory, no worries.'

'Sut?'

'Easy, actually. Fi'n mynd i weld Karim o leiaf once a night, and when I do we generally sit in his car out front for a smoke. When we do this, he doesn't even lock the doors to the building, cos we're only sat ten yards away…'

'A?'

'A beth? That's it. That's your way in…'

'Esbonia.'

'Fuck me, Rod, c'mon. We'll be in the car for about 20 minutes. More if I wrap one up as well. I'll distract him, maybe drop a roach on the floor or something so he'll have to bend down and get it, and that's when you slip in. Find the tapes, and then give me a buzz on the mobile when you're ready to come back out. I'll reject your call, tell Karim it's some bird I don't want to talk to, then do the same thing again...'

'Beth?'

'I dunnow, drop some shit on the floor. Snog him. Beth bynnag. And you can slip back out again. Sorted.'

'Easy peasy.'

'Lemon squeezy. And anyway, you haven't got another plan in the pipeline, or have you?'

'Na.'

'So there. That's taken care of then. Now, how much tape you got left in your camera?'

'Sa i'n gwybod. Rhyw un deg pump munud. Pam?'

'Cos you might want to film this. The dude in the car's up to something.'

Gafaelodd Rod yn ei warfag ar unwaith ac estyn y camera ar frys. Gwasgodd y botwm penodol cyn edrych trwy'r ffenest fach a ffocysu ar seren y sioe. Roedd y ffigwr tywyll yn dal i eistedd yn y car, ond roedd bellach yn gwisgo balaclafa am ei ben.

'Have you got him?'

'Aye. Mae'n gwisgo balaclafa.'

'Could be a ninja.'

Agorodd y ffigwr ddrws y car, cyn camu o'i grombil a sefyll am eiliad fel petai'n ystyried yr hyn roedd am ei wneud nesaf. Roedd camera Rod yn gadarn yn ei ddwylo ac yn anelu'n syth at y dyn anhysbys yn ei guddwisg ddu – siot ganolig, yn dangos ei ysgwyddau llydan a'r math o gar roedd yn ei yrru.

'So that's what he's after!'

'Beth?'

'More like pwy. Check it.' A throdd Rod ei gamera tuag at Akuma mewn pryd i ffocysu ar Emlyn yn gadael yr adeilad ac yn camu allan i'r glaw mân a'r gwyll, gyda'i ddogfenfag mewn un llaw ond dim sôn am y bag Sainsbury's yn unman.

Daeth clec o statig dros y tonfeddi unwaith eto.

'Hey, Brynley, can you see him?'

'Too right I can. I think he's been waiting for the dude who's just left your building…'

'What dude?'

'What d'you mean? The bloke who's just walked out the front door of the building you're supposed to be guarding…'

Rhegodd Karim o dan ei wynt. Pwy a ŵyr beth oedd e 'di bod yn ei wneud, ond rhywffordd roedd wedi methu gweld ei fos yn gadael ar ddiwedd y dydd.

Tynnodd Rod yn ôl oddi wrth Emlyn mewn pryd i ffilmio'r ffigwr tywyll yn croesi'r ffordd yn gyfrwys a stelcian ei brae fel bwgan, fel bwystfil.

'Holy fuck!' ebychodd Bryn wrth i'r ymosodiad ddechrau.

Allan i'r nos aeth gwarchodwr Fordthorne.

Cadw i ffilmio wnaeth ei ffrind.

Ystafell Olygu 2, Akuma Cyf., Heol Penarth

Roedd llygaid Emlyn yn gwaedu wrth iddynt wylio'r olygfa ddiweddaraf yn y marathon o sesiwn olygu. Roedd e a Deian wedi bod wrthi am dros ddeuddeg awr bellach, a'r ddau ohonynt yn welwach nawr na phan ddechreuon nhw. Hanner diwrnod a mwy yn gaeth yn y daeardy tywyll hwn. Hoewal ddiffenest oedd bellach, yn anochel braidd, yn arogli fel twlc. Tynasai Emlyn ei sgidiau yng nghanol y prynhawn, gan adael persawr y bodiau i dreiddio'n araf i'r awyr farwaidd. Rhyw ddwyawr yn hwyrach, gwnaeth Deian yr un peth. Wrth gwrs, nid oedd yr un o'r ddau'n ymwybodol pa mor afiach oedd eu hamgylchedd, gan iddyn nhw fod yn ei ganol trwy'r adeg, ond pan biciodd Kate i mewn â neges i Emlyn rywbryd yn ystod y prynhawn gorfod iddi dynnu coler ei blows yn dynn dros ei thrwyn, cyn gadael ar frys a gwyro am ychydig o awyr iach ar y ffordd yn ôl i'r dderbynfa.

Yn ystod y dydd, roedd Emlyn wedi derbyn hanner dwsin o negeseuon testun wrth Beca, yn amrywio o flacmêl emosiynol i gasineb pur ac un ffoto arall oedd yn achosi pryder – llun o sinc gwyn â gwaed yn gorchuddio'i waelod. Fe lowciodd werth diwrnod cyfan o dabledi gwrthiselder, er nad oedd e wir yn teimlo'n isel – roedd pethau'n llawer mwy cymhleth na hynny bellach. Roedd wedi yfed deuddeg cwpanaid o goffi cryf a smocio deunaw Marlboro Light fel bod y llysnafedd yn ei wddf yn ei gwneud hi'n anodd iddo siarad heb beswch. Doedd e ddim chwaith wedi bwyta unrhyw beth ar wahân i hanner bocs o Quality Street a adawyd yn y stafell olygu'r bore hwnnw.

Er bod rhain i gyd yn cyfrannu at hwyliau drwg Emlyn ar ddiwedd y dydd, doedden nhw ddim yn ei ddiflasu gymaint â'r ffilm roedd e a Deian yn ceisio'i golygu.

Rhyw deirawr yn ôl, credai Emlyn fod y ffilm yn well nag y meddyliodd, ond bellach roedd amryw o olygfeydd amaturaidd wedi claddu'r syniad hwnnw.

Ond doedd popeth am y ffilm ddim yn gachlyd. Roedd

portread yr actor athrylithgar Iwan Charles o'r cymeriad canolog, Elvis Jones, yn werth ei weld. Daeth ag awgrym o orffwylltra dilys i'r cymeriad, nad oedd yn bresennol yn y sgript wreiddiol. Roedd rhai o'r prif gymeriadau eraill yn effeithiol hefyd, ond y broblem oedd bod y cymeriadau eilradd yn amaturaidd tu hwnt, ac yn rhoi naws pantomeimaidd i'r cynhyrchiad.

Peth arall a ddaeth yn amlwg yn ystod y golygu oedd fod golygfeydd cynnar y ffilm yn well o lawer na'r rhai diweddarach. Doedd dim syniad gan Emlyn pam roedd hynny'n wir, ond gwyddai mai cyfrifoldeb y cyfarwyddwr yw sicrhau cysondeb trwy gydol y ffilm. Ei fai e felly, a bai neb arall.

Oherwydd hynny, penderfynodd Emlyn ganolbwyntio ar gynhyrchu cyflwyniad o safon i ddangos i Steff ddydd Llun. Roedd y golygfeydd cynnar yn drawiadol, gyda chymeriad Elvis yn cipio'r dychymyg ac yn hawlio sylw, diolch i berffeithrwydd llygaid digyffro Iwan Charles a'i ddannedd pydredig, a weddai'n berffaith i natur y cymeriad a'r ffilm. Roedd merched yr adran goluro yn haeddu clod am hynny.

Ac er na fyddai'r cynhyrchiad yn ennill unrhyw wobrau – dim hyd yn oed BAFTA Cymru – byddai'n gwneud y tro. Diflasodd hynny Emlyn drachefn. Ni fu'n ddyn a oedd yn fodlon ar bethau'n 'gwneud y tro'. Tan heno.

''Na ddigon am heddiw, Dei…' dywedodd Emlyn yn flinedig, ond atebodd Deian mo'i fos, gan ei fod wedi hen golli'r awydd i fyw, heb sôn am yr awydd i siarad.

Cododd Deian ac ymestyn ei gorff. Canodd ffôn Emlyn ar y ddesg olygu.

'Nos da, Dei,' galwodd Emlyn wrth i Deian agor y drws a gadael yn dawel. 'Cariad, ti'n iawn babes?'

Gwrandawodd Emlyn ar eiriau ei wraig, cyn drysu a gorfod estyn beiro a phapur er mwyn nodi ei gofynion.

'Primula... y caws fel mwydyn mewn tiwb, ie... ok... dim Dairylea na Laughing Cow... roger... betys 'di piclo... Tesco Finest... gotcha... anchovies... tun neu ffres?... ok... a hufen iâ... Häagen-Dazs... choc chip... unrhyw beth arall?'

Gyda'r rhestr yn ddiogel yn ei boced, diffoddodd Emlyn yr holl beiriannau a dilyn Deian trwy'r drws.

Nid oedd Karim wrth y dderbynddesg pan gerddodd Emlyn heibio. Cachad, mae'n siŵr. Neu wanc. Felly allan ag Emlyn ac anelu am ei gar. Roedd hi'n noson ddiflas iawn a'r glaw mân parhaus yn gwneud i'r ddinas ymddangos yn niwlog. Roedd Emlyn yn edrych ymlaen at gyrraedd adref, rhoi cwtsh i'w wraig a sefyll o dan lif y gawod am hanner awr o leiaf, gan adael i'r dŵr dylino'i gyhyrau a'i bryderon, er y gwyddai mai ateb byrdymor i'w broblemau oedd hynny.

Ond, wrth iddo estyn ei law i agor drws y Porsche, clywodd sŵn dychrynllyd tu ôl iddo – anadlu trwm a thraed tebyg yn agosáu ar ruthr. Trodd jyst mewn pryd i weld drychiolaeth dywyll yn neidio'n syth amdano.

Teimlodd yr ergyd.

Torrodd ei drwyn.

Trodd y nos yn dywyllach fyth.

Modurdy Fordthorne, Heol Penarth

Siom oedd y peth cyntaf a deimlodd Rod wedi i'r ymosodiad ddod i ben. Roedd e drosodd mewn llai na deg eiliad, yn bennaf oherwydd i Emlyn gwympo i'r llawr fel sach o datws yn dilyn ergyd gyntaf ac unig ergyd ei erlidiwr.

Fodd bynnag, dechreuodd cynllun bach cyfrwys ffurfio yn ei ben, a gyda hynny mewn cof, cadwodd i ffilmio'r ffigwr tywyll a safai dros gorff Emlyn. Ceisiodd fynd mor dynn ag y gallai â'r camera, ond nid oedd modd gweld llawer o fanylion heno, diolch i'r glaw a'r golau isel. Heb sôn am y balaclafa. Tynnodd yn ôl yn sydyn, a ffocysu ar y car, oedd yn segur ar ei ochr e o'r ffordd. Canolodd ar y rhif cofrestredig, cyn symud yn ôl at y maes parcio eto, mewn pryd i weld y ninja yn rhedeg o 'na wrth i Bryn a Karim agosáu.

Plygodd y ddau wrth gorff Emlyn, yr ochr arall i'r car. Ni allai Rod weld beth oedd yn digwydd, felly dilynodd y cysgod yn ôl at ei gar, ac er mawr syndod a llawenydd i Rod, wedi iddo danio'r injan, tynnodd y balaclafa fel y gallai Rod ei weld yn ei lawn ogoniant.

Maes Parcio Akuma Cyf., Heol Penarth

'You alright, mate?'

'Meester Emlyn, Meester Emlyn, wake up, say something!'

'Don't slap him, Karim!'

'Why not? He need to wake up, yes.'

'No man, look at his nose. It's fucked...'

Slap!

'Fuck! Karim! Don't do that!'

'But Bryn, it work. Look,' ac roedd hynny'n ddigon gwir hefyd gan fod Emlyn 'nôl ar dir y byw, er nad oedd modd bod yn sicr faint o gymorth a fu ergyd lawagored Karim.

'Uh... wha... whoaa...'

'Giz a hand, Karim. Easy now, mate. Let's get you to your feet.'

Ac yn araf bach, helpodd Bryn a Karim Emlyn i godi ar ei draed. Y peth cyntaf wnaeth Emlyn, ar ôl iddo ailafael yn ei gydbwysedd, oedd cyffwrdd ei drwyn. Camgymeriad oedd hynny. Roedd ei ffroen ar chwâl a'r gwaed yn dal i lifo.

'Put your head back, mate. That's it. We need to stop the flow of blood.'

'Here, Meester Emlyn, I have hanky for you.'

'Thanks, Karim. What happened? All I remember is... actually, I don't remember a thing...'

'Some bloke attacked you. This fuckin ninja...'

'How did you get here so quickly? To help?'

'Karim called me on the CB radio...'

'But where...?'

'I'm Fordthorne's security guard.'

'Oh. That makes sense. Well, more sense than what I initially thought anyway...'

'I call police, ok, Meester Emlyn,' awgrymodd Karim, ond stopiodd Emlyn e rhag gwneud unrhyw beth o'r fath.

'No!' ebychodd, cyn ychwanegu ychydig yn llai gwyllt, 'No. Thanks anyway. I might call them tomorrow to report it, but right now I just need to go home...'

'You need to see to that nose, though. A&E and all that.'

'Not now. I'll take some pills. Drink some whiskey. Go in the morning. I couldn't face it tonight.'

'Fair enough. I knows what you mean too. I waited six hours down there once a few years back after breaking my ankle playin footy. Murders, that was, I tell you.'

'Exactly.' A ta beth, roedd gan Emlyn syniad go dda pwy allai fod wedi ymosod arno. Wedi'r cyfan, roedd cyfle perffaith yma i'r ymosodwr ddwyn ei fag, ei waled neu hyd yn oed ei gar, ond ni wnaeth hynny. Jyst ymosod a mynd. Diflannu i'r nos, gan adael Emlyn yn anymwybodol ar lawr.

Ai Steff oedd wedi gwneud? Beca hyd yn oed? Neu o leiaf rywun yn gweithredu ar ran un ohonynt.

Fyddai Euros yn gallu helpu? Pwy a ŵyr. Byddai Emlyn yn ystyried ei opsiynau maes o law. Ond am nawr, roedd yn rhaid iddo fynd adref.

'Where did he come from? Did you see?'

'He'd been sitting in a car watching Akuma for the past few nights...' esboniodd Bryn.

'What, like a stake-out?'

'No, not a steakhou...' dechreuodd Karim yn ddryslyd, ond ni adawodd Bryn iddo orffen.

'Yes. A stake-out. He'd been watching. Waiting. For you, I s'ppose that's obvious now.'

Roedd hynny'n gwneud synnwyr o ran damcaniaeth Emlyn hefyd.

'He's been here how many nights?'

'This was the third.'

'Did you get the car's registration number?'

'Uh... no...'

'What make was it?'

'Uh...'

'Colour?'

Ond doedd dim modd ateb ei gwestiynau, gan nad oedd Karim na Bryn yn cofio.

Fuckin stoners, meddyliodd Emlyn wrth gamu i mewn i'w gar a gadael y gwarchodwyr â'u llygaid gwaetgoch yn y maes parcio, yn wlyb at eu crwyn ond yn dal i fod yn reit gynnes rywffordd, diolch i'r rhuthr anghyfarwydd o adrenalin wnaeth ruo trwy eu gwythiennau yn gynharach.

Uned Merched Ysbyty Llandochau: Bore Dydd Llun

Eisteddai Emlyn a Cariad yn stafell aros yr Uned Ferched heb yngan 'run gair wrth ei gilydd.

Edrychodd Emlyn o gwmpas ar yr holl gyplau eraill oedd yno'r bore 'ma – rhai'n llawn cyffro a hapusrwydd, a rhai, fel fe a'i wraig, yn llawn pryder.

Rhoddodd ei fraich am ysgwyddau Cariad, ond nid ymatebodd hi mewn unrhyw ffordd, dim ond eistedd yno fel delw gardfwrdd o hi ei hunan, yn syllu i ebargofiant gan weddïo am waredigaeth.

Tynnodd Emlyn hi tuag ato, gyda'r bwriad o roi cwtsh iddi, ond sythodd Cariad yn hytrach nag ufuddhau.

Doedd hi ddim eisiau iddo gyffwrdd ynddi mewn unrhyw ffordd. Dim heddiw. Dim nawr. Roedd angen delio â'r sefyllfa hon yn gyntaf cyn gallu dychwelyd at unrhyw fath o normalrwydd yn eu perthynas, os mai dyna fyddai eu ffawd yn penderfynu.

Mwmiodd Emlyn ymateb rhegllyd, tawel i symudiad ei wraig, ond a dweud y gwir roedd e'n disgwyl ymateb o'r fath. Wedi'r opera sebon o benwythnos, roedd e bron yn disgwyl gweld Dr Dic Deryn yn gweithredu'r prawf amnio gyda Nyrs Pat Butcher yn ei gynorthwyo.

Roedd Cariad wedi bod braidd yn emosiynol ers penderfynu cael y prawf amniocentesis. O ganlyniad roedd penwythnos poenus Emlyn, gan gynnwys y ffilm a'r holl waith golygu oedd i'w wneud arni cyn ymweliad Steff y prynhawn yma, wedi cael ei waethygu fwy fyth oherwydd agwedd Cariad tuag ato fe a'r byd yn gyffredinol.

Pan nad oedd hi'n crio, byddai'n gweiddi arno fe neu

ar un o'r cŵn mewn ffordd hollol annheg ac afresymol. Roedd popeth yn broblem, o'r brecwast blasus a baratôdd Emlyn iddi ben bore dydd Gwener i lygad du ei gŵr a'r llanast oedd ar ei drwyn.

Roedd Emlyn wedi cael llond bol arni o fewn awr o godi o'r gwely fore Gwener, er na allai ddatgelu hynny wrthi. Yn wir, roedd cael ymweld ag adran A&E yr ysbyty fel dihangfa o grafangau Satan ei hun, er y poen enbyd a brofodd dan law doctor ifanc a gyfaddefodd mai dyma'r trwyn cyntaf iddo erioed orfod ei ailosod.

Gadawodd Ysbyty'r Mynydd Bychan yn edrych fel panda, ac yn symud mor araf ag un hefyd, diolch i'r poenladdwyr cryf a gawsai gan y doctor.

Ffoniodd ei frawd ar y ffordd i Akuma er mwyn rhannu hanes y noson cynt gyda fe. Disgrifiodd yr hyn y gallai'i gofio am y digwyddiad wrth Euros, cyn mynd ati i rannu ei ddamcaniaeth mai Steff neu Beca oedd yn gyfrifol am yr ymosodiad. Ac er y cytunai ei frawd fod hynny'n reit bosib, nid oedd modd profi dim na gweithredu heb dystiolaeth. Felly'r unig beth y gallai'i wneud i helpu oedd sicrhau bod yr heddlu lleol yn cadw llygad ar Akuma dros y penwythnos, rhag ofn y byddai mwy i'r cynllun na'r hyn a gredai Emlyn. Trefnodd Euros fod car yr heddlu yn gyrru heibio i Akuma o leiaf unwaith bob hanner awr rhwng amser cinio dydd Gwener a bore Llun ond, wrth gwrs, fu dim arwydd o'r car du na'r gyrrwr anhysbys trwy gydol y penwythnos.

Gyda Cariad yn parhau i ddynwared claf catatonig wrth ei ochr, crwydrodd llygaid Emlyn o gwmpas y stafell, a gwyliodd fam ifanc feichiog, gyda'i bola fel balŵn a phlentyn ifanc ym mhob llaw, yn cerdded i mewn i'r Uned Ferched. Stryffaglodd at y dderbynddesg i ddechrau, cyn cymryd sêt gyferbyn ag Emlyn a Cariad. Gwenodd Emlyn arni pan eisteddodd, a dyna pryd y sylwodd fod y ddau fachgen oedd yn gwmni iddi'n dioddef o syndrom Down's.

Gwyliodd Emlyn y tri ohonyn nhw trwy gornel ei lygad. Roedd y ddau fach yn llawn hwyl a'r fam yn ei chael hi'n anodd ymdopi â'r anhrefn a'i beichiogrwydd. Ceisiodd eu tawelu trwy adrodd stori geg iddynt am ddau dywysog dewr ar gefnau eu meirch yn brwydro yn erbyn draig ac yn cael picnic oedd yn cynnwys dim byd ond bwydydd piws ar y ffordd adref wrth y llyn. Eisteddodd y ddau'n gwrando'n astud, wedi'u hudo gan ddychymyg eu mam, a'r wên ar eu hwynebau'n lledaenu gyda phob brawddeg newydd.

Wrth eu clywed yn mynnu stori arall ganddi, daeth yn amlwg i Emlyn mai ffurf ysgafn o'r afiechyd oedd ar y cryts. Ac wedyn diflasodd gan nad oedd modd gwybod pa mor ddifrifol fyddai cyflwr ei blentyn e petai'r prawf amnio yn datgelu newyddion drwg.

Roedd Emlyn yn casáu colli rheolaeth, ac roedd ei fywyd i gyd fel petai'n mynd yn drech na fe'r dyddiau hyn.

Wrth i'r fam feichiog ddechrau adrodd stori arall i'w meibion – y tro hwn am arwyr y bêl hirgron yn sgorio ceisiau a chodi Cwpan y Byd yn Stadiwm y Mileniwm – meddyliodd Emlyn am ei fam ei hun. Nid oedd wedi meddwl amdani ers peth amser, ond nid oedd hynny'n golygu nad oedd yn dal i weld ei heisiau o hyd. Fflachiodd golygfa o'i blentyndod yn ei ben – parti pen-blwydd mewn neuadd eglwys. Euros mewn dicky-bow a fe mewn dungarees. Plant yn rhedeg a sgrechian, bwyta selsig bach ac yfed pop. Ei fam yn cyfarwyddo'r cadeiriau cerddorol, gan sicrhau mai Emlyn oedd yn fuddugol. Wedi'r cyfan, ei ben-blwydd e oedd hi.

Wedi clywed ei henw'n cael ei alw, cododd y fam ac arwain ei meibion o'r stafell aros. Greddf gyntaf Emlyn oedd cwyno gan fod e a Cariad wedi bod yn aros am o leiaf hanner awr yn hirach na hi, ond calliodd yn ddigon cyflym.

Meddyliodd eto am y ddau fachgen Down's, gan ystyried iddo weld mwy o bobol anabl dros y dyddiau diwethaf nag yn ystod y flwyddyn cynt. Ond wrth gwrs, nid oedd hynny'n hollol wir. Jyst *sylwi* arnyn nhw roedd e nawr, oherwydd eu sefyllfa. Ac wedyn, ar ôl yr holl gipolygon dros y penwythnos, trodd Radio 5 Live 'mlaen yn y car ar y ffordd i'r ysbyty, er mwyn chwalu'r tawelwch anghyfforddus rhyngddo fe a'i wraig, mewn pryd i glywed stori am y comedïwr Frankie Boyle oedd mewn ychydig o drafferth yn dilyn ei jôc ddiweddar am ddioddefwyr Down's. Trodd at sianel arall ar unwaith, ond nid oedd Cariad wedi clywed 'run gair.

Barn Cariad ynghylch y baban yn ei chroth a phrawf amnio'r bore 'ma oedd bod yn *rhaid* iddi wybod y naill ffordd neu'r llall er mwyn gallu paratoi ar gyfer y sefyllfa petai'r plentyn yn dioddef o Down's. Digon teg, wrth gwrs, ond nid oedd hi'n fodlon ystyried teimladau Emlyn mewn unrhyw ffordd. Nid oedd hi hyd yn oed eisiau eu clywed. Roedd hynny'n tristáu Emlyn fwy fyth ac yn gwneud iddo ysu am estyn y tabledi o'i boced a llowcio llond dwrn ohonynt.

Yn anochel, arweiniodd yr iselder at y stafell olygu a'i ffilm. Roedd wedi treulio oriau lu dros y tridiau diwethaf yng nghwmni Deian a'i draed drewllyd yn y stafell dywyll, ac er ei fod yn weddol hapus gyda'r ugain

125

munud y bwriadai eu dangos i Steff y prynhawn 'ma, roedd gweddill y ffilm yn ei lenwi ag arswyd.

Roedd yr ymosodiad yn chwarae ar ei feddwl hefyd, yn bennaf oherwydd bod Emlyn yn sicr mai Steff oedd tu ôl iddo. Ond oherwydd y diffyg tystiolaeth, byddai'n rhaid parhau gyda'r ffars broffesiynol, a chymryd ei gosb.

Gyda'i feddyliau ar ras, gwyliodd Emlyn glaf yn cerdded heibio'r ffenest gyda'i ddwy fraich wedi'u rhwymo'n dynn – o'r garddyrnau at y pen-elin a thu hwnt mae'n siŵr, er nad oedd modd gweld oherwydd ei grys-T. Aeth y ddelwedd hon ag Emlyn yn syth at Beca. Os rhywbeth, roedd nifer y negeseuon roedd wedi'u derbyn dros y penwythnos wedi cynyddu. Nid oedd hynny'n argoeli'n dda o ran cyflwr ei meddwl hithau. Roedd y negeseuon cariadus a gorffwyll wedi peidio bellach, a dim ond dau fath o ohebiaeth a anfonai ato nawr – anfri cwbl enllibus a delweddau erchyll.

Soniodd Emlyn wrth Euros am y sefyllfa, ond nid oedd e'n gallu gwneud unrhyw beth i'w helpu os nad oedd Emlyn am ei herlyn yn gyfreithiol. Ac, am resymau amlwg, nid oedd Emlyn yn awyddus i wneud hynny.

'Cariad Jones?' Cydiodd llais y fydwraig yn dynn yng ngholeri'r cwpwl, a'u tynnu tuag ati fel pysgotwr yn glanio dau eog ar unwaith.

Mewn tawelwch lletchwith, arweiniodd y fydwraig flonegog nhw i lawr un coridor hir a dau goridor byr, cyn gwahodd Cariad i orwedd ar wely mewn stafell glinigol yn drewi o ddiheintyddion, ger peiriant sganio cyfarwydd.

Esboniodd y fydwraig y weithdrefn wrthynt – a oedd braidd yn ddiangen yn yr achos hwn gan fod Cariad ac Emlyn ill dau wedi darllen y daflen wybodaeth ynghylch y prawf amnio rhyw ddeg o weithiau yr un yn ystod y dyddiau diwethaf. Gofynnodd i Cariad lofnodi ffurflen gyfreithiol cyn cyflwyno Dr Evans.

Gwenodd y doctor-wyneb-babi arnynt yn drist, cyn esbonio ymhellach a mynd ati i baratoi'r nodwydd a'r chwistrell. Wrth iddo wneud hynny, tynnodd Cariad ei thop dros ei bola er mwyn i'r fydwraig fynd ati gyda'r gel a'r sganiwr.

Gwyliodd Emlyn y sgrin fach unwaith eto, gan weld siâp ei epil yn aneglur arni. Ond yn hytrach na gorfoledd yr wythnos cynt, dim ond ofn ac ansicrwydd oedd yn bresennol heddiw. Gwelodd y curiad calon cryf ac wedyn y doctor yn camu at Cariad. Gafaelodd hithau'n dynn yn llaw Emlyn, a gwyliodd y dagrau'n llifo i lawr ei bochau. Pwysodd ati a chusanu ei thalcen. Ystyriodd ddweud rhywbeth, ond beth oedd y pwynt?

Caeodd Cariad ei llygaid ond parhau i lifo wnaeth y dagrau. Teimlodd y nodwydd yn torri trwy'r croen ac yn plymio'n ddwfn i mewn iddi. Gweddïodd na fyddai'r nodwydd yn achosi camesgoriad, er efallai mai dyna fyddai'r peth gorau o dan yr amgylchiadau. Claddodd y fath feddyliau'n ddwfn o dan ei gofidiau, ond doedd dim ffordd o'u hanghofio'n gyfan gwbwl chwaith.

Gwyliodd Emlyn y nodwydd yn torri trwy groen bola ei wraig. Credai cyn hyn mai gweithdrefn syml oedd y prawf amnio, ond roedd y doctor yn amlwg yn canolbwyntio'n llwyr gan awgrymu nad dyna oedd y gwir.

Crwydrodd ei lygaid oddi wrth law gadarn y meddyg at y sgrin mewn pryd i weld y nodwydd yn torri trwy wal yr abdomen a dod i stop prin fodfedd o ben y babi. Trodd at ddwylo'r doctor a'i wylio'n tynnu'r gwthiwr i fyny er mwyn llenwi'r syrinj â hylif amniotig.

Teimlodd Cariad y nodwydd yn ei gadael, ac agorodd ei llygaid i weld y doctor yn trosglwyddo'r hylif i gynhwysydd arall, cyn sgwennu ar label a'i lynu ar y gwydr.

Wedi dymuno pob lwc iddynt, i ffwrdd â'r doctor heb air pellach, a gadael i'r fydwraig sychu bola Cariad a rhoi plaster dros ôl y pigiad.

Yna, wedi iddi esbonio y byddai'r canlyniadau yn eu cyrraedd ymhen saith niwrnod fan pellaf, off â hi hefyd gan adael i Cariad orffwyso am bymtheg munud, cyn dychwelyd adref ac i'w gwely am dridiau.

'Ti moyn coffi?' gofynnodd Emlyn. Ac wedi i'w wraig ysgwyd ei phen mewn ymateb, aeth i chwilio am beiriant a dod o hyd i un yn y stafell aros.

Wedi i Emlyn yfed ei goffi, gadawodd y cwpwl yn araf, mewn tawelwch tebyg i'r daith yn gynharach y bore 'ma. Doedd dim byd i'w ddweud bellach, dim ond croesi bysedd a gobeithio'r gorau.

Helpodd Emlyn Cariad i'r car, fel petai'n anabl neu'n fusgrell neu'r ddau, ac wrth adael y maes parcio stopiodd y Porsche wrth groesfan sebra er mwyn gadael i'r fenyw feichiog a'i dau fab Down's groesi'r ffordd.

Edrychodd y bachgen oedd yn cerdded agosaf at y car i gyfeiriad Emlyn, cyn codi'i fawd a gwenu ei ddiolch. Yn reddfol, chwifiodd Emlyn yn ôl, cyn gwasgu ei droed ar y sbardun ac anelu am adref, cyn mynd wedyn i Akuma, at hunllef nesaf y diwrnod hwnnw.

Grand Avenue, Trelái: Prynhawn Dydd Llun

'Watch out,' medd Bryn, wrth weld car yr heddlu'n gyrru'n araf tuag atynt yr ochr draw i'r ffordd.

'Nee-naw!' ebychodd Cesar gan bwyntio i gyfeiriad y moch gyda gwên friwsionllyd yn lledu o dan ei drwyn, diolch i'r brigyn bara roedd e'n ei ddal fel hudlath yn ei law.

Plygodd Rod ei ben gan adael i big ei gap pêl-fas

orchuddio'i wyneb a'i guddio rhagddynt, rhag ofn eu bod nhw'n dal i edrych amdano.

Doedd e ddim wedi dychwelyd adref o gwbwl ers 'y digwyddiad'. Dim ei fod yn breuddwydio bod yr heddlu lleol wedi neilltuo'u hadnoddau prin er mwyn dal lleidr tapiau, yn enwedig o ystyried y pysgod mawr oedd yn nofio yn llyn troseddol Trelái. Ond gwyddai o brofiad fod yr heddlu'n gwylio'i frawd, felly gwell oedd cadw draw am nawr.

Ta beth, roedd aros yn nhŷ Bryn fel bod ar ei wyliau mewn gwesty glân, hollgynhwysol, er nad oedd fawr o siawns cael llosg haul yn sunny Kaaaadiff – ddim yn ystod yr hydref.

Roedd gwallt y tri ohonynt yn wlyb, er nad oedd hi'n bwrw glaw heddiw, a Rod yn dal i flasu'r clorin wrth i'w dafod lyfu ei wefusau. Pasiodd y prynhawn mewn corwynt o weithgaredd, wrth i Rod a Bryn gwrso Cesar o gwmpas pwll nofio newydd Bae Caerdydd – pwll yn llawn anhrefn ac antur, hyd yn oed i oedolion. Tair llithren bibellaidd oedd yn gorfodi gwên i ymddangos ar wyneb pawb oedd yn eu defnyddio; afon ddiog oedd yn beryg bywyd, yn enwedig gyda Cesar yn dringo fel cath ar eich cefn, ac yn defnyddio'i ewinedd i ddal yn dynn; jacuzzi â digon o le i gynnal cywestach Rhufeinig; canonau dŵr di-rif; ymbarél yn pistyllio tua'r nenfwd yn y dŵr bas; a mwy o swigod na hysbyseb Radox. Heb sôn am y mynychwyr o bob siâp a lliw, a phawb dros ddeunaw dan orchudd inc y tatŵydd. Neu o leiaf, fel yna y gwelai Rod nhw.

'Dad!' dechreuodd Cesar gwyno. 'Dad!' Estynnodd ei ddwylo i gyfeiriad Bryn gan bledio arno fe i'w gario. Gwyddai Rod sut y teimlai'r bychan, gan ei fod e'i hun yn barod am y gwely wedi'r ddwyawr wyllt yn y dŵr.

Ond roedd pethau pwysicach yn aros amdano heno.

Cododd Bryn ei fab yn ei freichiau wrth i'r triawd droi oddi ar Grand Avenue ac anelu am gartref Cesar a'i fam.

Yn araf iawn yr aeth y penwythnos i Rod a Bryn. Yn enwedig i Rod, wrth i'r cyfle i ffilmio'r parti yn yr hen wallgofdy ddiflannu heb iddo allu gwneud dim amdano.

Cyfunodd y diffyg arian a'r diffyg tapiau gyda phresenoldeb amlwg yr heddlu lawr yn Akuma ac absenoldeb Karim o'r gwaith dros y penwythnos i ddifetha cynlluniau Rod i ailafael yn ei dapiau mewn pryd i ffilmio'r digwyddiad. Ac yn lle dynwared cathleidr neu Tom Cruise yn *Mission: Impossible*, gwatwar Cheech a Chong wnaeth Rod a Bryn nos Wener a nos Sul, wrth orweddian yn yr atig yn gwylio ffilmiau, chwarae gêmau fideo a gwylio'r sêr wrth i'r nos gau amdanynt, heb sôn am siarad mwy o nonsens na dau wleidydd ar fadarch hud. Treuliodd Rod nos Sadwrn ar ei ben ei hun yn stafell ei ffrind, gan fod Bryn ar ddyletswydd yn Fordthorne.

Ond, ymhen ychydig oriau, bwriadai Rod a Bryn roi eu cynllun ar waith a fyddai, gobeithio, yn gweld Rod yn cyflawni ei ail ladrad llwyddiannus mewn llai nag wythnos. Gan fod Karim a Bryn yn gweithio heno, dyma gyfle euraid i Rod gael gafael ar ei dapiau. Prin oedd y gobaith o gael swydd a dweud y gwir, felly dyma'r unig ffordd y gallai Rod gael tapiau newydd. Un ai Akuma, neu Dixons yn y dref...

'Alright, boys?' Cododd y ddau ffrind eu llygaid clorin coch o'r palmant llwyd i weld Ash, cawr o ddyweddi Leanne, yn edrych i lawr arnynt o'i chwe throedfedd saith modfedd o daldra.

'Alright, Ash?' cydadroddodd y ffrindiau.

'Not bad like. Bit nervous about the weekend, but that's to be expected, innit.' Pwysodd ar ei frwsh sgubo a mwytho gwallt Cesar, oedd fel celain byw ym mreichiau ei dad bellach.

Roedd Ash rhyw naw mlynedd yn hŷn na Bryn a Rod, ac eisoes dros ei dri deg, ond nid oedd yn nawddoglyd tuag atynt mewn unrhyw ffordd. Roedd yn ysbrydoliaeth iddynt – yn enghraifft gadarnhaol o fachgen lleol a lwyddodd yn yr hen fyd 'ma. Ac nid oedd nifer o'r rheiny i'w gweld o gwmpas Trelái. Roedd wedi gweld a gwneud popeth yn ystod ei ieuenctid, a hyd yn oed wedi treulio chwe mis yn y carchar am gyfres o ladradau yn ardal Sain Ffagan ym 1999. Ond yn wahanol i lawer o'i gyfoedion, llwyddodd Ash i newid cwrs ei fywyd wedi iddo gael ei ryddid. Aeth i Goleg Glan Hafren i orffen ei TGAU, cyn pasio tair Lefel A a hyfforddi fel peiriannydd. Bellach roedd yn teithio'r byd yn gweithio yn y diwydiant olew, yn ennill arian da ac yn gweld mwy mewn mis nag y byddai'r rhan fwyaf o'i ffrindiau yn ei weld yn ystod eu bywydau.

Roedd yn ffrind i Dave ar un adeg rhyw ddegawd ynghynt, a gallai Rod gofio'r ddau ohonynt yn treulio pob eiliad sbâr yn gweithio ar hen Fiesta yn yr ardd ffrynt. Ac er i'r ddau ddilyn llwybrau gwahanol ar ôl dod i fforch yn y ffordd, roedd Ash yn breuddwydio am adael Trelái un dydd a phrynu hen BMW i'w addasu yn ei amser ei hun. Nid oedd modd prynu a bod yn berchen ar gar o'r fath yn Nhrelái – byddai'r plantos lleol yn crafu'r gragen yn ystod y noson gyntaf, ac yn dwyn y car cyfan ar yr ail...

'Too right it is. You'll be getting rimmed by strippers come Saturday night...'

'Probably sooner, knowing my mates.'

Chwarddodd y tri, er y gwyddai Rod fod priodas Leanne ac Ash yn peri cryn boen a phryder i'w ffrind gorau. Nid bod Bryn yn erbyn eu perthynas, dim byd o'r fath. Roedd e a Leanne yn ffrindiau bellach, ac Ash yn ffwc o foi da ac yn llystad gwych i Cesar, ond roedd ei waith fel peiriannydd yn y diwydiant olew yn ei lusgo i bedwar ban byd yn gyson, ac roedd Bryn yn poeni y byddai Leanne a Cesar yn symud i ryw wlad bell – Bahrain neu Dubai efallai – gan ei gwneud yn amhosibl iddo fe gael cwmni ei fab.

Ond, wrth gwrs, ni allai leisio'i bryder mewn unrhyw ffordd, gan nad oedd eisiau ymddangos yn hunanol na cholli'r ewyllys da a fodolai rhyngddynt. Gwelsai ddigon o rieni ifanc ar y stad yn cwympo mas a'r tadau'n colli cysylltiad â'u plant, ac roedd yn benderfynol o chwarae rhan allweddol ym mywyd ei fab, ble bynnag y byddai'n byw.

'Where you going again?' gofynnodd Rod.

'The Dam. Where else?'

'You'll definitely be getting rimmed sooner then.'

'Too right, but not a word in front of the missus, ok?'

'No worries…'

'Isn't she off to fucking Blackpool this weekend as well?'

'Aye.'

'Blackpool's worse than Amsterdam, that's what Dave reckons anyway.'

'How come?'

'Just scallier. More lager louts and slappers around the place, you know.'

'True. I can see that…'

'And everyone in the Dam's stoned out of their skulls, so there's less agro. Less idiots…'

'Fuck boys, you're getting me worried now.'

'Sorry, Ash. Just sayin, that's all.'

'What are you three whispering about?' Daeth Leanne o'r tŷ yn gwisgo'i thracwisg felôr arferol, ei charnau caru yn bolio dros lastig y trowsus fel topiau myffins gwelw.

Agorodd Cesar ei lygaid pan glywodd ei llais, a rhedeg ati.

'Hia babes,' dywedodd hithau, gan blygu i lawr a'i gofleidio. 'Have you had a lush time with your dad and Uncle Rod?'

''Wimmin!' ebychodd y bychan, cyn rholio'i lygaid a gorffwys ei ben ar ysgwydd feddal ei fam.

'Everything cool for this weekend now, Bryn?'

'Yup. No worries. We'll have a wicked time. I've got loads lined up like – St Fagans, Barry Island, more 'wimmin, soft play, McDonald's for brekkie, lunch and tea…'

'That's great, Bryn. I… we… really appreciate it,' dywedodd hi gan ddal llaw Ash ac edrych i fyw llygaid ei darpar ŵr.

Bu bron i Rod gyfogi yn y fan a'r lle ond, wedi meddwl, roedd hi'n ystum gariadus ac yn adlewyrchu'n dda ar agwedd Bryn at yr holl sefyllfa. Chwarae teg iddo, ni allai Rod ddychmygu ymddwyn mewn ffordd mor aeddfed petai e'n gorfod delio â'r fath amgylchiadau rywffordd.

'See you Thursday then, C-Man,' dywedodd Bryn gan fwytho pen ei fab, ond cyn iddo fe a Rod adael roedd gan Leanne, fel pob menyw, gwpwl o bethau eraill i'w dweud.

'Has he had any tea, Bryn?'

'Not really. He had a massive lunch though. Mum made him sausage and mash. He ate more than me and Rod combined…'

'But no tea.'

'No. He had a packet of crisps after swimming and some breadsticks on the bus.'

'Cool. And thanks, Bryn…'

'No worries. And no need to thank me either. I'd have him every day if I could.'

'I know…'

'See you Thursday then.'

'Yeah. Thursday,' cadarnhaodd Leanne, ac yna, gyda gwên fach ar ei hwyneb, ychwanegodd, 'Oh, and Bryn, make sure you hide your bong this time, yeah? We don't want a repeat of last time, do we…?'

Ac ar y nodyn hwnnw, trodd Bryn a Rod eu cefnau ar Leanne, Ash a Cesar a cherdded yn ôl am Grand Avenue a chartref rhieni Bryn.

Yno, aeth y ddau'n syth i'r atig i newid – Bryn i'w lifrai a Rod i drowsus du a thop tebyg – cyn ymuno â Jan a Steve i gael swper.

Dros bryd o dsili fflamboeth, reis perlysieuog a chaws cheddar aeddfed, aeth Anti Jan trwy ei phethe, gan ofyn cwestiwn ar ôl cwestiwn ynghylch Cesar, eu hamser yn y pwll nofio a'r penwythnos i ddod, cyn troi ei sylw at ddillad Rod.

'And what's with the black clothes, Rodney?' Dim ond Anti Jan fyddai'n ei alw'n Rodney, a hynny ar achlysuron prin.

'What do you mean? Don't you like them?'

'You're not turning into a goth are you, son?' ychwanegodd Steve gyda winc i gyfeiriad Bryn.

'Yeah, Rod,' ymunodd y mab yn yr holi, gan fwynhau gwylio'i ffrind yn gwingo a chwysu. 'Where's your make-up?'

'Make-up?!' ebychodd Anti Jan. 'Don't you start wearing make-up, Rod, or you'll never get a girlfriend.'

'Don't worry, Auntie Jan, I'm not going to start wearing make-up, and I'm not turning into a goth…'

'I'm glad to hear it.'

'So what's with the black then?'

Stryffaglodd Rod i feddwl am ateb, gan lenwi ei geg â bwyd er mwyn rhoi ychydig eiliadau ychwanegol iddo bendroni.

'It's no big deal really. They're the only clean clothes I had left, that's all.'

'Well, bring down your dirty ones and I'll have them clean and ready for you by the morning.'

'Thanks, Auntie Jan, I really appreciate it.'

'It's a pleasure, luv. And anyway, we can't have you walking around the place looking like a cat burglar, can we…?'

Edrychodd Rod ar Bryn. Winciodd Bryn yn ôl. A dyna ddiwedd ar y drafodaeth.

Akuma Cyf., Heol Penarth

Gyda drws ei swyddfa ar gau, eisteddodd Emlyn wrth ei ddesg â'i ben yn ei ddwylaw a'i fynegfysedd yn mwytho'i arleisiau yn aneffeithiol. Roedd y cur pen wedi cau amdano heb rybudd, a heb roi cyfle iddo lyncu llond dwrn o dabledi i'w gadw draw. Roedd ei drwyn hefyd yn dychlamu, a gallai deimlo curiad ei galon yn wyllt yn y gwaed oedd wedi cronni o dan ei lygad.

Roedd ei feddyliau ar chwâl wedi profiadau'r bore, a gwên gyfeillgar a di-glem y bachgen Down's ar y groesfan sebra wedi'i hysgathru ar ei ymennydd ac wedi gadael ei marc am byth.

Ar ben hynny, roedd Cariad yn destun pryder difrifol, yn enwedig ar ôl iddo'i gadael mewn pwll o ddagrau ar y gwely, yn wylo am ffawd ei baban, a dim ond yn llwyddo i ddianc rhag y düwch dros dro wrth ruthro i'r tŷ bach i wagio'i chylla.

Cofiodd Emlyn i Euros ddweud wrtho unwaith mai magu plant oedd yr her fwyaf y byddech yn ei hwynebu erioed, ond wedi profiadau'r wythnos ddiwethaf ni allai Emlyn ddychmygu am eiliad y byddai eu magu yn anoddach na'r beichiogrwydd ei hun.

Taranodd y boen yn ei ben ac estynnodd Emlyn am dawelydd o ddrôr uchaf ei ddesg, i ddilyn y ddau Nurofen a'r co-codamol cryf a aeth i lawr ei gorn gwddwg rhyw bum munud ynghynt. Roedd e'n ceisio peidio â'u defnyddio, yn enwedig ar ôl clywed newyddion Cariad yr wythnos flaenorol, ond roedd rhai adegau yn mynnu eu cymorth. A, heb os, roedd heddiw yn un o'r dyddiau hynny.

Ar y gair, fel petai hi'n gwybod pryd roedd Emlyn ar ei wannaf, cyrhaeddodd neges destun wedi'i hanfon o rif ffôn symudol anhysbys arall. Nid oedd Emlyn yn meddwl y gallai heddiw waethygu rhyw lawer, ond roedd gan ei gyn-gariad syniadau eraill.

Agorodd y neges. Nid oedd yn cynnwys yr un gair, dim ond delwedd arall. Wedi iddo'i hagor a syllu arni am eiliad neu ddwy daeth y neges yn eglur iddo.

Bola bach benywaidd. Bola cyfarwydd iawn i Emlyn. Mor gyfarwydd fel y gallai gofio'i lyfu'n nwydus lai na mis yn ôl, wrth i'w dafod deithio o geg ei gariad i lawr ei gwddf, cyn cael egwyl adfywiol wrth ei thethi caledfrown, a pharhau i lawr dros y bola a'r fodrwy arian yn y botwm, at aur ei chedorau a'r gwin a lifai o ffrwd ei benyweidd-dra.

Ond, yn chwalu'r perffeithrwydd gwelw heno roedd gwaed yn llifo o ddelwedd ffres wedi'i llingerfio i'w chnawd. Roedd y ddelwedd bron yn amhosib i'w dehongli. Edrychai fel dymi babi o un ongl, a symbol Fenws (♀) o ongl arall. Astudiodd Emlyn y llun yn ofalus, heb ddod i unrhyw gasgliad. Ar wahân i'r un arferol, sef bod Beca yn amlwg off ei phen.

Ond cyn iddo allu pendroni ymhellach, canodd y ffôn gan ei lusgo'n ôl i'r eiliad hon.

'Ie?'

'Ma Steff wedi cyrraedd,' datganodd Kate.

'Anfona fe draw, ma fe'n gwybod ble i...'

'Ma fe ar ei ffordd yn barod.'

Ac ar y gair, agorodd y drws i swyddfa Emlyn, heb gnoc fach gwrtais na dim. Cododd Emlyn ei ben yn araf wrth i'r tonnau dorri ac ewynnu ar arfordir llygredig ei obeithion, mewn pryd i weld Steff yn camu i'w gysegrfan, fel Chwilys Sbaen i deml Astecaidd.

'Paid codi!' ebychodd y comisiynydd, gan daflu'i siaced ar y soffa yng nghornel y swyddfa a datgelu dwy gronfa ddŵr o dan ei geseiliau. 'Fi ar bach o frys,' parhaodd, heb adael i Emlyn yngan yr un gair. 'Mae'n fuckin mayhem llwyr lan yn HQ. Ti 'di clywed y sibrydion, mae'n siŵr, a ma nhw i gyd yn wir. Bron. Anyway, ma'n rhaid i fi fod 'nôl 'na am gyfarfod am bedwar gyda'r uwch-reolwyr, y comisiynwyr ac aelodau'r awdurdod, heb sôn am y cyfreithwyr, cwpwl o AMs a bollocks felly. Bydd hi fel y grand council lan 'na nawr. A dim yn cael ei ddatrys, guaranteed. Felly mae hynny'n rhoi hanner awr, na, deugain munud i ni, tops...'

'Coffi?' gofynnodd Emlyn.

Syllodd Steff ar ei wyneb am y tro cyntaf ac ymddangosodd gwên fach gam gan oglais corneli ei geg. Diflannodd y wên yn gyflym, ond gwelsai Emlyn hi, roedd e'n sicr o hynny.

'Dim diolch. Fi'n fully charged fel ma hi.' Eisteddodd ar y gadair gyferbyn ag Emlyn, yr ochr arall i'r ddesg, a gosod llyfr nodiadau a beiro o'i flaen. 'Beth ddigwyddodd i ti? Wyt ti 'di dechrau chwarae rygbi neu rywbeth? Bocsio efallai? Neu Ninjutsu?'

Dychwelodd y wên, a gwyddai Emlyn ar unwaith fod ei reddf gyntaf ynghylch pwy ymosododd arno'n gywir.

'Gerddes i mewn i ddrws,' atebodd gan gadw i wylio wyneb Steff yn ofalus.

'Ffwc o ddrws.' Gwên lydan y tro hwn, a dwy ael yn dawnsio uwchben ei lygaid a'r rheiny'n pefrio. 'Reit, busnes.'

Gafaelodd Emlyn yn ei liniadur a'i osod ar ben draw'r ddesg, fel y gallai'r ddau ohonyn nhw wylio dechrau'r ffilm heb orfod symud yr un foch. Wrth fynd ati i agor y meddalwedd cywir a llwytho'r ffilm, dechreuodd Emlyn esbonio.

'Rhyw ugain munud sydd gen i i ti heddiw. Dechrau'r ffilm. Rhyw chwe golygfa. Pump falle. Sa i'n cofio. Ma'r golygu wedi bod yn ychydig bach o blur. Ma'r edit yn dal i fod yn eithaf rough ond, wrth gwrs, gallwn ni sortio hynny maes o law...'

Tawelwch.

Roedd Emlyn yn disgwyl rhyw fath o ymateb ganddo. Byddai rhochiad neu rech wedi gwneud y tro, felly edrychodd o'r gliniadur draw at Steff i weld beth oedd yn bod. Dim, fel mae'n digwydd, dim ond bod y bastard digywilydd yn brysur yn gwneud rhywbeth pwysig tu hwnt ar ei Blackberry.

'Barod?' gofynnodd Steff pan welodd Emlyn yn edrych arno, gan gadw un llygad ar y teclyn llaw.

'Ydw,' medd Emlyn, gan wasgu 'PLAY' ac eistedd 'nôl yn ei gadair a dychmygu'r boddhad pur fyddai'n dod o godi'r gliniadur a tharo wyneb hunanfoddhaus y comisiynydd anfoesgar drosodd a throsodd nes bod y gwaed yn llifo o'i benglog a'r bywyd yn draenio o'i gorff.

Llusgodd yr ugain munud nesaf mor araf â malwen yn cwrso mwydyn mewn bath llawn caramel. Gwyliodd Emlyn y golygfeydd oedd mor gyfarwydd iddo bellach, gan geisio anwybyddu'r holl nodiadau roedd Steff yn eu sgwennu yn ei lyfr.

Fel chwaraewr poker profiadol, ni ddangosodd y comisiynydd unrhyw emosiwn o gwbwl. Ni wyddai Emlyn oedd hynny'n arwydd da neu beidio. Wrth gwrs, roedd y ddau wedi bod mewn sefyllfaoedd tebyg yn aml dros y blynyddoedd, ond roedd mwy o bwysau ynghlwm â'r ffilm hon rywffordd o'i chymharu â chyfres i blant neu gwis fformwläig arall.

Roedd y Sianel wedi buddsoddi – wedi ymddiried – hanner miliwn o bunnoedd yn Emlyn ac Akuma i gynhyrchu'r ffilm hon. Ffilm oedd i fod i dorri tir newydd a rhoi enw Emlyn a'r Sianel ar y map ar raddfa ryngwladol. A gyda hynny mewn cof, a'r helynt diweddar oedd yn effeithio'n enbyd ar reolwyr y Sianel a'r toriadau yn y cymhorthdal blynyddol oedd i ddod o San Steffan yn ystod y blynyddoedd ariannol nesaf, doedd dim rhyfedd bod dafn unig o chwys yn llithro i lawr talcen y cyfarwyddwr wrth i'r olygfa olaf ddirwyn i ben.

Tywyllodd y sgrin a throdd Emlyn i wynebu'r fintai saethu. Roedd hi'n amhosib darllen wyneb Steffan Grey, ond roedd ei eiriau'n llawer eglurach.

'Rho bum munud i fi, Emlyn.' Gorchymyn oedd e, wedi'i ynganu heb i Steff godi ei lygaid o'i lyfr nodiadau.

Yn ansicr braidd, cododd Emlyn ar ei draed, gafael yn ei ffôn a'i ffags a gadael ei swyddfa yn teimlo fel plentyn ysgol oedd newydd gael ei anfon i sefyll tu allan i stafell y prifathro tra penderfynai'r pennaeth beth i'w wneud â'r disgybl drwg.

Gan adael y drws ar agor, aeth allan i gael ychydig o awyr iach. Wrth smygu o dan y gysgodfa bwrpasol, a llochesu rhag y glaw mân oedd yn trochi'r ddinas yn araf unwaith eto, ffoniodd Cariad i weld sut roedd hi. Ddim yn dda, ond o leiaf doedd hi ddim yn dal i grio. Roedd un o'r cŵn wedi cachu yn y gegin, y llall wedi malu un o'i hesgidiau cerdded, ond ar wahân i hynny roedd hi'n ok. Ish.

'Falle bydd rhaid i fi weithio'n hwyr heno, babes,' medd Emlyn. 'Mae Steff yma nawr yn gwylio'r footage...'

'Beth bynnag,' atebodd ei wraig yn ddifynegiant heb ofyn sut roedd pethau'n mynd, cyn ffarwelio a dychwelyd at ei phryderon.

Wedi tagu'r sigarét, dychwelodd Emlyn at ei rai e.

Yn ôl yn ei swyddfa roedd Steff yn barod amdano.

'Wel?' gofynnodd Emlyn wrth eistedd.

'Ie. Wel... Reit... Dyma beth sgwennes i lawr yn fy llyfr bach du,' dechreuodd Steff, gyda golwg ddwys yn arteithio'i wyneb. 'Diflas. Di-fflach. Diffyg awyrgylch. Sgript wael, wan. Diffyg tensiwn. Cyfarwyddo gwael. Shit...'

Roedd Emlyn yn disgwyl iddo fynd yn ei flaen – wedi'r cyfan, roedd wedi bod yn cymryd nodiadau ers rhyw hanner awr bellach, felly roedd yn rhaid bod ganddo fwy i'w ddweud. Ond wedi disgwyl am ddeg eiliad anghyfforddus iawn, a'r gair olaf yn arnofio yn yr aer rhyngddynt, daeth hi'n amlwg bod Steffan yn aros am ymateb.

'Oh,' oedd y gorau y gallai Emlyn ei gynnig.

Nodiodd Steff ei ben yn araf.

'Ie. Oh.'

Mwy o dawelwch.

'Fi'n hoffi'r prif actor though. Pwy yw e? Ma fe'n gyfarwydd iawn rhywffordd…'

'Iwan Charles,' atebodd Emlyn.

'O, ie. Wrth gwrs. Iwan Charles. Carlos i'w ffrindiau, os dw i'n cofio'n iawn. Ffwc o foi da, ond yn gwastraffu'i dalent yn y theatr gan mwyaf. Iwan Charles of *Emyn Roc a Rôl* fame. Last seen yn *Man Del. Man Del…*' Rholiodd ei lygaid ac ysgwyd ei ben wrth gofio'r gyfres honno. 'Fi'n synnu na wnaeth e ladd ei hun ar ôl honna!' Chwarddodd ar ei jôc ei hun, ond ymunodd Emlyn ddim yn y miri. 'Ond fi'n falch na wnaeth e, cofia; ma fe'n actor da, ma dy ffilm di'n profi hynny.'

'Diolch…' sibrydodd Emlyn.

'Paid diolch, Emlyn, achos ma'r gweddill yn warthus. Beth yffach ddigwyddodd?'

Ond ni allai Emlyn ateb. Doedd y geiriau ddim yn ffurfio yn ei ben, heb sôn am ddod yn agos i adael ei geg. Ond o'r diwedd, yn dilyn cyfnod tawel ac annioddefol arall, cododd gwestiwn i lenwi'r gwacter.

'Beth nawr 'te? Beth nesaf?'

Oedodd Steffan cyn ateb.

'Cario 'mlaen. Gorffen golygu'r ffilm. Cyflawni'r contract. Paid disgwyl ennill fuckin BAFTA! Ond…'

Gadawodd i'r 'ond' lenwi'r stafell cyn parhau.

'Ond…' ailadroddodd, 'bydd dy gwmni di'n dioddef ar draul dy ymdrechion, mae'n siŵr…'

'Beth yn y byd mae hynny'n 'i feddwl?'

'Wel… ma pethe wedi newid tu hwnt i bob disgwyl yn HQ yn ddiweddar, a'r gwir yw – ac mae hyn off the record, wrth gwrs – mae pawb lan 'na, o'r gimps ar y dderbynfa i'r CEO ei hun, yn brwydro am eu dyfodol ac yn brwydro i gadw eu swyddi. Gan gynnwys yours truly. Ac mae'r ffilm hon, dy ffilm di, yn mynd i adlewyrchu'n wael iawn arna i. Yn amlwg, nid yw hynny'n sefyllfa dda. I fi nac i ti. Ond yn enwedig i ti. Achos fi sydd â'r pŵer yn y berthynas fach hon. Dim ti. Fi.'

'A?'

'Ac yn dilyn datganiad diweddar y glymblaid newydd, ma pethe'n edrych yn waeth fyth arnon ni. Bottom line, Emlyn bach, yw bod y pwerau uwch yn edrych am fwch neu fychod dihangol...'

'Beth?'

'Bwch neu...'

'Glywes i ti'n iawn, ond ddealles i'r un gair.'

'Scapegoat, Emlyn. Neu scapegoats, wrth gwrs.'

'Wyt ti'n fy mygwth i?'

Chwarddodd Steffan yn uchel cyn ateb.

'Nac ydw, Emlyn bach, ddim mewn unrhyw ffordd. Wel... dim bygwth... ond rhybuddio. Ie, 'na ni, dy rybuddio di o beth sy'n digwydd lan yn HQ a sut y bydd hynny'n effeithio arnot ti ac Akuma yn y dyfodol. Mae'n amser ansicr iawn, Emlyn, a phawb yn ofni colli'u bywoliaeth. Y gwir yw mai dyma'r amser gwaethaf i gynhyrchu a chyflwyno rhywbeth mor wael â hyn...' Pwyntiodd i gyfeiriad y sgrin wag. 'Dim fi sydd wedi achosi'r cachu hwch 'ma, cofia. Ma 'na bwerau llawer uwch na fi ar waith yn y Sianel, ond mae cyfrifoldeb ar bob un ohonon ni i geisio sortio'r cawlach...'

Wrth wrando ar ei eiriau, sylweddolodd Emlyn am y tro cyntaf cyn lleied roedd rheolwyr y Sianel yn ei feddwl o'r cwmnïau annibynnol fyddai'n cynhyrchu'r holl raglenni ar eu cyfer – Akuma yn yr achos hwn. Roedd y mawrion yn brwydro am eu dyfodol ar hyn o bryd yn dilyn rhai o'r penderfyniadau mwyaf anhygoel erioed, ac os golygai hynny gachu o uchder ar ambell i gynhyrchydd annibynnol, pa ots? Cyn belled ag y caent hwy gadw'u swyddi a'u cyflogau ynfyd.

Edrychodd ar lun ei fam yn hongian ar y wal tu ôl i ben tew Steffan Grey, gan gofio'r holl waith aeth i mewn i sefydlu'r cwmni a'i droi'n llwyddiant ysgubol wrth greu cynyrchiadau arloesol a gwreiddiol yn yr wythdegau. Fe oedd ceidwad y fflam bellach, ac edrychai'n awr fel mai fe fyddai'r dyn tân hefyd...

''Drych, Emlyn, ma lot gwaeth wedi cael ei ddarlledu ar y Sianel dros y blynyddoedd, wrth gwrs, ond oherwydd y buddsoddiad a'r awyrgylch bresennol, so hi'n argoeli'n dda i ti. Bydd angen i ti orffen y ffilm, wrth gwrs, ond paid â meddwl am eiliad y cei di gyfle arall fel hwn...'

'Ond ma Akuma wedi cynhyrchu rhaglenni o safon ers dechrau'r cwmni. Dyw hynny ddim yn cyfri o gwbwl?'

Chwarddodd Steff yn uchel eto, cyn i'r digrifwch ddiflannu gan adael dim ond difrifoldeb ar ei wyneb.

'Hyd yn oed tasai hynny yn wir, Emlyn bach, ni fydde fe'n gwneud unrhyw wahaniaeth ar hyn o bryd. Ma'r dyfodol yn ansicr i'r diwydiant darlledu yng Nghymru. Dal yn dynn, achos rwy'n rhagweld dyfodol tymhestlog braidd. I bawb.'

Cododd Steff ac estyn ei got, cyn gadael y swyddfa heb air pellach, ond gyda'r wên fach slei yn dal i ddawnsio ar ei wyneb. Roedd hi'n wir fod y Sianel yn edrych am rywun i'w feio, ac roedd Steffan newydd ffeindio'i afr fach e.

Eisteddodd Emlyn yn fud ac yn ddiffrwyth yn syllu i'r gofod ar ei ôl, heb wybod yn iawn beth i'w wneud â fe'i hun a'r meddyliau treisgar oedd yn byrlymu yn ei ben.

Heol Penarth: Nos Lun

'Special K, Special K, d'you read me, over?' gofynnodd Bryn fel y gwnâi bob tro y dechreuai sgwrs ar y CB gyda Karim draw yn Akuma.

Cleciodd y statig cyn y daeth yr ateb.

'Roger, roger, Mountain Man. Loud and clear.'

'How's it looking tonight, big man? Any mayhem?'

'No mayhem. Just Quality Streets.'

'Quality Streets?'

'Yes. Quality Streets. You know, the sweets.'

'I know what Quality Streets are, Karim!'

'Why you ask then?'

'Just... um... wondering... where...'

'I find them in bin, outside edit suite two, next to water fountain.'

'Nice.'

'Very. I already eat maybe twenty. Feel sick now...'

Doedd dim rhyfedd ei fod e mor dew, meddyliodd Rod, wrth eistedd ar soffa ledr goch gerllaw.

'You're probably ready for a smoke then.'

'Does the Pope shit in the Vatican, my friend?'

'Um... yeah...' atebodd Bryn braidd yn syn. Clywodd Rod yn chwerthin ar gam-ddweud Karim, a gwenodd yntau hefyd. Roedd e'n treulio cymaint o amser yn ei gwmni bellach fel nad oedd yn gwerthfawrogi'r gomedi bur a ddeuai o'i geg yn ddyddiol. 'So there's no one in tonight? No one working late?'

'No. Just me.'

'What about the Porsche parked outside, that's the boss's car, right?'

'Yes, that's boss's car. Meester Emlyn. But he leave it here overnight when he go to London sometime. He go on train. Leave car. I look after...'

Cododd Bryn ei fawd ar Rod. Dechreuodd y pili-palas ddawnsio ym mol hwnnw o dan effeithiau arbennig yr adrenalin. Roedd hi newydd droi naw o'r gloch. Efallai y byddai adref ar amser call wedi'r cyfan…

'Safe. I'll be over now. And Karim, put the heater on in your motor, would you? It's fuckin freezin tonight. Over.'

'Roger that, Mountain Man.'

Mwy o statig, ac wedyn mudandod.

'Barod?' gofynnodd Bryn wrth godi ar ei draed a gwisgo'i got gynnes.

'Ydw,' atebodd Rod, gan dynnu'r balaclafa o'i boced a'i wisgo fel het ar ei ben, cyn codi'i warfag a'i osod ar ei gefn.

'You go out through the side door, ok.'

'Pam?'

'Just rhag ofn Karim's got his binocs with him. You know what he's like.'

'Good call…'

'And stay close so you can see when Karim bends down to pick up the MacGuffin.'

'Y beth?'

'MacGuffin.'

'Sa i'n deall. Beth yw MacGuffin?'

'And you call yourself a film buff. Film *muff*, more like!'

'Fuck off, Bryn, am beth ti'n sôn?'

Ac o'i boced tynnodd Bryn becyn bach o losin Haribo. Yr abwyd perffaith i rwydo'r morfil o Irac.

Wedi cloi'r garej, croesodd Bryn y ffordd ac ymuno â'i ffrind yn ei gar, lle roedd Karim eisoes wrthi'n ymbalfalu i wthio'r roach yn nhwll tin y bachgen tew. Roedd Karim yn feistr ar wneud côn – un pen mor dew â chlun Sparky, a'r llall fel bys bach babi. A dyna lle câi'r broblem ar bob achlysur – wrth geisio gosod y roach er mwyn gorffen y mwgyn.

'You should put the roach in before you roll it,' dywedodd Bryn gan lithro i mewn wrth ei ochr a chau'r drws yn glep ar ei ôl.

'My fingers, Bryn, they too fat. Is how you say… um… fat bastard fingers… You know that.'

'D'you want me to have a go?'

'Please.' Roedd crombil y car yn gynnes neis, ac wrth i Karim basio'r sbliff a'r cardfwrdd iddo gwelodd Bryn ei gyfle a gollyngodd y cwbwl lot i'r tywyllwch ar y llawr wrth draed ei ffrind.

'Fuck man, sorry! My hands haven't warmed up yet… Look, I'm shaking!'

'Is no problem, Bryn. I got it…' Ac wrth i Karim wthio'i sedd yn ôl tua chefn y car â'i ben tuag at ei draed, gwyliodd Bryn ei ffrind gorau'n sleifio'n isel o'r tu cefn i'r Porsche oedd wedi'i barcio rhyw ddeg llath i ffwrdd, gyda'r balaclafa'n gorchuddio'i wyneb bellach, a diflannu trwy ddrysau gwydr di-glo Akuma.

'You got 'em, Karim?'

'I got the joint, but can't find roach.'

'Don't worry about it, man. I'll make another…'

Pwysodd Rod ar y wal i'r chwith o'r brif fynedfa, gyferbyn â'r dderbynddesg. Er y cyffro a'r adrenalin oedd yn pwmpio trwy ei gorff – neu efallai oherwydd hynny – fflachiodd delwedd o'r ferch benfrown brydferth honno oedd yn gweithio ar y dderbynfa o flaen ei lygaid, ac wedyn yr un arall dal â gwallt melyn yn dilyn ar ei hôl.

Teimlai mor fyw ag y teimlasai erioed. Fel James Bond neu rywbeth. Ond dim y fersiwn newydd, diflas chwaith, gyda'i becyn chwech a'i trout pout oriog. Y Bond o'r oes a fu – Connery neu Lazenby – yn ffwcio'i ffordd o gwmpas y byd, gan oedi am funud neu ddwy i ladd rhyw gawr neu gorrach cyn troi'n ôl at y merched a'r martinis.

Tynnodd y balaclafa yn ôl yn dynn ar ei ben. Edrychodd o gwmpas y swyddfa led-dywyll, oedd mor wahanol heno o'i chymharu â phan ddaeth e yma'r wythnos flaenorol. Crwydrodd ei lygaid ac unwaith eto daeth wyneb y flonden i wenu o'i flaen. Ystyriodd adael neges anhysbys ar post-it ar sgrin ei chyfrifiadur, ond pasiodd y reddf wrth i realaeth y sefyllfa ei lenwi.

Nid Bond oedd ei enw.

Rodney oedd ei enw.

Ac roedd gwybod hynny'n ddigon i'w wthio yn ei flaen yn hytrach na breuddwydio. Nid oedd llawer o amser ganddo – ugain munud ar y mwyaf – felly sganiodd y swyddfa gan edrych am yr ardal dechnegol, neu arwydd yn ei arwain at y man hwnnw. Gwyddai fod yna stafelloedd golygu yma, a stiwdio ffilmio hefyd, oherwydd iddo ymweld â gwefan y cwmni ar fwy nag un achlysur yn edrych am waith. Ac wedi iddo fod ar brofiad gwaith gyda digon o gwmnïau tebyg, gwyddai fod y cwpwrdd tapiau fel arfer yn agos at y llefydd hyn.

Roedd tri drws yn arwain o'r swyddfa cynllun agored, ac yn ffodus iddo roedd y drysau hyn yn barod i'w helpu heno.

Ar y drws i'r dde o'r dderbynfa, lle cafodd ei gyfweld yn ddiweddar, roedd yna arwydd 'Ystafell Gyfarfod'.

Cerddodd trwy'r desgiau a'r papurach a'r cyfrifiaduron di-rif tuag at y drws caeedig ar ochr chwith cefn y swyddfa, ac fe allai weld ymhell cyn cyrraedd enw bos y cwmni, Emlyn Eilfyw-Jones, mewn llythrennau du ar gefndir arian ar hwnnw.

Ochrgamodd ar unwaith ac anelu am y trydydd drws, gyferbyn â swyddfa Emlyn, yng nghefn y swyddfa. Bingo! meddyliodd wrth weld 'Stiwdio/Golygu – Studio/Editing' wedi'i sgwennu ar y drysau dwbwl.

Wrth wthio un o'r drysau ar agor yn dawel a gofalus, rhag ofn bod gwybodaeth Karim yn anghywir, meddyliodd tybed pwy gafodd y swydd yr wythnos cynt. Un o'r merched, mae'n siŵr. Wedi'r cyfan, roedd y boi arall yn edrych fel petai ar fin cachu yn ei bants pan welodd Rod e ddiwethaf. Camodd i mewn i'r ardal dechnegol. Roedd y tywyllwch tu hwnt i'r drws yn awgrymu bod Karim yn dweud y gwir, a diolchodd Rod i Baden-Powell wrth estyn tortsh bach o'i warfag i oleuo'i fyd.

Anelodd y golau i'r düwch a gweld saith drws yn arwain oddi ar y coridor. Yn ffodus, roedd arwydd ar bob un ohonynt, a wnaeth ei dasg yn haws i'w chwblhau. Yn llawer haws, mewn gwirionedd. Roedd yna dair stafell olygu (Edit Suite 1–3), Stiwdio/Studio, tŷ bach yr un i ddynion a merched y cwmni, ac yn olaf – Haleliwia! – roedd yna ddrws gyda 'Storfa' wedi'i ysgrifennu arno.

Gwenodd Rod wrth gamu tuag ato, ond diflannodd y wên wrth i olau'r fflachlamp dynnu ei sylw at y clo: cyfuniad pedwar rhif oedd yn sefyll rhyngddo fe a'i haeddiant. Ond, wrth agosáu at y drws, daeth yn amlwg fod rhywun yn rhywle yn gwenu arno heno, oherwydd nid oedd y cwpwrdd wedi'i gloi o gwbwl. Yn wir, doedd e ddim hyd yn oed wedi'i gau yn iawn.

Agorodd Rod y cwpwrdd ac anelu golau ei dortsh tuag at ei gynnwys. Roedd y cwpwrdd yn llawn deunyddiau darlledu hanfodol – tapiau, DVDs, CDs, CD-Rs, batris a llawer o bethau eraill nad oedd syniad gyda Rod beth oedd eu swyddogaeth.

Roedd popeth wedi'i ddosbarthu'n daclus ar silffoedd, fesul math penodol o dâp, disg neu beth bynnag. Trodd Rod yn syth at y tapiau – Digibetas, Mini DVs, Digital 8s, DVDs – ond roedd hyn yn rhy hawdd, yn rhy hawdd o lawer. Syllodd ar y bag plastig Sainsbury's, y bag y gwelsai e Emlyn yn ei gario i'r gwaith cyn y penwythnos, yn gorwedd ar ben y rhes daclus ar y silff oddi tano, cyn edrych o'i gwmpas mewn panig llwyr gan ddisgwyl gweld un o'r Brodyr Bach yn neidio o'r cysgodion gyda chriw ffilmio'n dynn ar ei sodlau.

Siglodd ei ben mewn anghrediniaeth lwyr. Anghrediniaeth oherwydd pa mor hawdd oedd hyn, ac anghrediniaeth bod Emlyn wedi bod mor dynn â dwyn ei dapiau a'u hychwanegu at eiddo'i gwmni. Gwenodd eto. Roedd wedi darllen yn y wasg bod pethau'n anodd ar y diwydiant darlledu Cymraeg yn ddiweddar, ond allai e ddim dychmygu am eiliad bod pethau mor dynn â hynny ar Emlyn Eilfyw-Jones ac Akuma Cyf.

Heb oedi ymhellach, gafaelodd Rod yn y bag Sainsbury's a gwirio'i gynnwys yn gyflym cyn ei stwffio i mewn i'w warfag. Yna, cyn camu yn ôl i'r swyddfa cynllun agored, ffoniodd Bryn ar ei ffôn symudol, yn unol â'u cynllun.

'Who's that?' gofynnodd Karim wrth wylio Bryn yn gwirio'r rhif ar ei ffôn a gwrthod yr alwad ar unwaith.

'You're such a nosy fucker, Karim. It's private like.'

'Come on, my friend. You can tell me. Is it some lovely lady, maybe, possibly, yes? Or maybe not, seeing you don't want talk to her.'

Gwenodd Bryn â'i lygaid coch. Roedd y cynllun yn gweithio'n berffaith. Golygai'r alwad fod Rod wedi ffeindio a hawlio'r tapiau a'i fod yn barod i adael Akuma. Yr unig beth oedd ar ôl i'w wneud yn awr oedd tynnu sylw Karim, a gobeithio bod Rod yn eu gwylio nhw o'r swyddfa.

'You were right the first time, Karim. I'll call her back in a minute. When you're not around to listen in.'

'What's her name?'

'Joyce.'

'Joyce? I never hear that name before. Not on girl anyway. Funny name, Joyce.'

'I know. It's pretty old skool as it happens, but there's nothing retro about this one, I tells you. Shall we blaze another, brother-K?'

'I don't know, Bryn. What about job? What about responsibility?'

Tawelodd y car wrth i Bryn droi a syllu ar Karim, cyn i'r ddau ffrwydro chwerthin fel ynfytiaid mewn ysbyty meddwl diogelwch eithaf.

Ond wrth i Bryn fynd ati i lenwi ei bapur super-slim brenhinol â'r gwyrddni godidog, chwalwyd holl hwyl y foment wrth i gar gyrraedd y maes parcio a dod i stop tu draw i'r Porsche.

'What the fuck?' gofynnodd Bryn.

'What matter with you?' daeth ateb Karim.

'Karim. Are you fuckin blind or something? That's the same car that ninja dude was driving last week…'

'Can't be.'

'Fuckin is.'

'No, Bryn. It cannot be…'

'Why the fuck not?'

'Because, my friend, that is Miss Beca's car.'

'Miss Beca? Who the fuck is Miss Beca?'

'A very nice young lady that Meester Emlyn is… um… she come here often at this time. Very nice lady.'

'Why? What for?'

'What you think, my friend? How you say now… Meester Emlyn is doing her behind wife's back… sexy time, yes?'

Pe na byddai Bryn mewn cymaint o sioc byddai, heb os, wedi chwerthin wrth glywed datganiad Karim.

'But you said there was no one in the office tonight!'

'I must have been wrong. What can I say? Meester Emlyn maybe in his office… I don't know…'

'Shit,' sibrydodd Bryn o dan ei anal, wrth wylio Beca yn camu o'i char ac ar draws y maes parcio gyda dagrau yn rhaeadru i lawr ei bochau, cyn tanio'r mwgyn a gobeithio bod Rod yn gwylio'r maes parcio gyda llygad barcud.

Gwelodd Rod y car yn cyrraedd o'i guddfan tu ôl i'r dderbynddesg, a meddyliodd yr un peth yn gwmws â Bryn. Llusgodd yr eiliadau am oes cyn datgelu mai merch oedd yn gyrru'r car heno, a merch drawiadol iawn hefyd, ar wahân i'r dagrau a'r colur-bysedd-corryn wrth gwrs, oedd fel graffiti anfoesgar ar furiau ei phrydferthwch.

Wedi i'r cynnwrf cychwynnol a'r cwestiynau a foddodd ei feddyliau glirio, ciciodd y gwir Rod yn sgwâr yng ngheilliau ei gallineb. Roedd rhywun yma ar hyd yr amser! Edrychodd dros ei ysgwydd fel dyn gwyllt, ond doedd neb ar gyfyl y lle. Felly beth yn y byd roedd hi'n wneud yma? Ai aelod o'r staff oedd hi, wedi anghofio'i bag llaw neu rywbeth? Byddai'r gwir yn cael ei ddatgelu maes o law, beth bynnag, meddyliodd, wrth i'r drws agor ac i awel y nos ddawnsio ymysg dail yr Yucca wrth ei ochr.

Gallai arogli ei phersawr wrth iddi ei basio, a gwyliodd Rod hi'n anelu'n syth am ben draw'r swyddfa cynllun agored at stafell breifat Emlyn Eilfyw-Jones.

Heb rybudd, ymddangosodd hafaliad yn ei ymennydd, ac atgoffodd yr hafaliad fe o'r cynllun oedd eisoes wedi dechrau egino yn ei ben ers yr ymosodiad ar Emlyn yr wythnos cynt.

$$\frac{\text{EEJ} + \text{Merch Anhysbys Brydferth} + \text{Dagrau}}{\text{Cyfarfod hwyr yn Akuma}} = \text{Sgandal}$$

Wrth i'r ferch agor drws y swyddfa a rhuo i mewn heb air o wahoddiad, gafaelodd Rod yn y camera a oedd, fel arfer, yn aros amdano fel hen ffrind mud yn ei warfag. Gwiriodd faint o amser oedd ar ôl ar y tâp – 5 munud 17 eiliad – ac i ffwrdd â fe fel milwr, neu guddweithredwr, ar drywydd newydd annisgwyl, heb feddwl ddwywaith am ei ddiogelwch ei hun.

Jyst fel Bond, a dweud y gwir… Rodney Bond.

Stafell dywyll. Bol buwch. Dim sŵn. Dim ond gwefr ryfedd ragflasus. Smotyn o olau llachar ar ganol y llawr. Stiwdio deledu. Y golau'n crwydro nes canfod ei destun aneglur. Dol tafleisydd yn gafl-ledu stôl dal. Corff clwt a phen chwyddedig. Mam yn y gynulleidfa'n sgwennu nodiadau. Yn adolygu. A hynny cyn i'r perfformiad gychwyn. Y sgrifbin yn dawnsio yn ei dwylo esgyrnog, sy'n ymestyn o lewys llac ei phyjamas sach datws fel coesau crëyr glas, diolch i'r canser sy'n gwledda arni – gorff ac enaid. Llygaid du, dwfn; gwythiennau glas, Gorgonzolaidd; ceg grin, ddiffeithdirol a thafod tywodlyd yn crafu crombil ei cheg.

Torcalonnus. Wrth ei hochr, Cariad. Wyth teth ar ddangos, a llygod mawr brown-ddu yn hongian a bwydo ar bob un. Right on, sista. Ar yr ochr arall, Beca. Gwaed yn llifo o socedi ei llygaid. Un gair gwaedlyd yn ddwfn ar draws ei thalcen. 'DADI'. Drum roll... A dyna fe, y Diafol ei hun. Hen ffrind. Gelyn newydd. Cyfarwydd tu hwnt. Comisiynydd cenfigennus. Yn camu o'r cysgodion gyda dogfenfag yn ei law. 'AKUMA' mewn llythrennau bras ar y lledr. Gosod y bag ar gefn gwag y dyn gwellt, a'i agor. Llygadu'r gynulleidfa. Gwenu. Tân yn ei lygaid a'r cyrn yn dechrau tyfu, dechrau amlygu. Codiad cythreulig. Drum roll... Allan o'r bag ym meddiant y carnau fforchog, cytundebau a gwaith papur. 'AKUMA' yn amlwg ar bob un. Rhwygo gwyllt, brefu dwfn. Cyffro cythreulig yn arwain mewn cawod o gonffeti at uchafbwynt y perfformiad, y darllediad. Gyda'r darnau papur yn cwympo fel cawod eira dros y llwyfan. Mae'r Hen Was yn codi pen y ddol ddifywyd gerfydd ei choler gan ddatgelu gwên lydan ar wyneb dioddefwr syndrom Down's – wyneb cyfarwydd Emlyn Eilfyw-Jones. Tyfodd tanbeidrwydd fflamau llygaid y Diafol gyda phob hyrddiad cymal clun, tra crebachai gwên y cynhyrchydd dan anfantais wrth i'r gynulleidfa ddethol ddiflannu i'r tywyllwch ac i'r stiwdio ddychwelyd i'w chyflwr cychwynnol...

Clywodd Emlyn y drws yn agor cyn i Steffan ei isymwybod gael cyfle i wagio'i lwyth Satanaidd dros gefn siaced ei ddoli glwt ddiamddiffyn. Ffarweliodd â'r hunllef honno'n ddigon hapus, cyn agor ei lygaid a chroesawu un arall i'w swyddfa. Un llawer gwaeth mewn amryw ffyrdd.

Rhuthrodd ei feddyliau i ddal i fyny â'r eiliad hon. Beth ddigwyddodd? Faint o'r gloch oedd hi? Pam ei fod yn dal wrth ei ddesg? Curodd ei ben rhyw rythm calypso, a daeth y geiriau o geg Beca i ymosod arno fel byddin o aer gwenwynig – anweledig i'r llygad noeth, ond marwol i'r ddynolryw.

Gyda'i geiriau a'i dagrau yn cyfuno i greu dim byd ond cybolfa aneglur o gasineb, cododd Emlyn ar ei draed a brwydro'i reddf gyntaf, sef camu at ei gyn-gariad a'i thawelu â chefn ei law. Daeth i'r casgliad cywir, diolch byth: fyddai hynny ddim help i neb. Yn lle hynny, cerddodd o gwmpas y ddesg gan afael mewn amryw dabledi a orweddai arni, a'r gwydryn o ddŵr oedd gerllaw. Popiodd y calch o'r pecyn Nurofen, cyn goresgyn greddf arall a gosod y tawelyddion yn ei boced heb lyncu 'run ohonyn nhw.

Llyncodd y poenladdwyr gyda llond ceg o ddŵr, cyn ail-lenwi'r gwydr o'r ffynnon a'i gynnig i Beca. Yn rhyfeddol, cymerodd hi'r gwydryn a'i godi at ei cheg, a phan ddychwelodd y tawelwch i'r stafell gwahoddodd Emlyn hi i eistedd, gan ei helpu i'r gadair wrth y ddesg – yr un gadair lle eisteddodd ei gŵr rai oriau ynghynt.

Tawelodd ei geiriau, ond doedd dim taw ar ei beichio. Rhoddodd Emlyn ei law ar ei hysgwydd, anadlodd yn ddwfn a gofynnodd ddau gwestiwn nad oedd wir eisiau cael ateb iddynt.

'Beth sy'n bod, Beca? Pam wyt ti yma? Surely ti 'di cael y neges erbyn hyn…'

Dychwelodd at ei gadair yr ochr draw i'r ddesg. Caeodd y gliniadur. Rhynnodd wrth gofio'r cyfarfod â Steff, ac atseiniodd geiriau a bygythiadau'r comisiynydd yn ei ben cyn i ddelweddau gwaeth eu disodli.

'Ma… ma… ma…' Ond methodd Beca â dechrau'r frawddeg, heb sôn am ei gorffen.

Edrychodd Emlyn arni. Roedd pryderon yr wythnos cynt yn perthyn i'r gorffennol bellach, gan mai merch ifanc fregus a eisteddai o'i flaen, yn hytrach na'r bwystfil oedd wedi bod yn anfon y negeseuon bygythiol ato'n ddiweddar. Roedd y ferch galongaled a phenderfynol wedi'i chladdu o dan domen o emosiynau – pryder ac ansicrwydd, unigedd a thorcalon.

Roedd hi wedi gwisgo ar gyfer y gaeaf heno – cot puffa goch a choler wlanog; siwmper polo'n gorchuddio'i gwddf ac yn goglais ei gên; sgert bensil o frethyn tywyll; teits gwlanog trwchus; a bŵts lledr uchel. Roedd ei gwallt, fel arfer, yn berffaith, er bod y llosgfynydd oedd wedi ffrwydro ar ganol ei hwyneb yn chwalu'r ddelwedd yn llwyr.

Tynnodd ei chot wrth i'w dagrau ddechrau arafu a chrwydrodd llygaid Emlyn at ei garddyrnau, a'r rheiny wedi'u gorchuddio o dan lu o freichledau. Sut lanast oedd ar ei bol yn dilyn y neges ddiwethaf? meddyliodd. Byddai hynny'n aros yn ddirgelwch am byth.

'Ma… ma…' ymgeisiodd Beca eto, a llwyddodd y tro hwn. 'Ma Steff wedi 'ngadael i.'

Syllodd Emlyn arni heb yngan yr un gair. Rhuthrodd ei feddyliau i bob cyfeiriad, gan sgrechen ac ymladd am ei sylw. Ar unwaith, roedd agwedd ei gŵr a'r ymosodiad yn gwneud mwy o synnwyr nag erioed. Cododd ei law at ei drwyn heb feddwl, a theimlodd y boen yn rhwygo tua'i glustiau.

'Beth ddigwyddodd i ti? Dy lygad…'

'Gerddes i mewn i ddrws.'

'Ti o ddifrif?'

'Ydw.'

'Oh.'

'Ie.'

Tawelwch llwyr. Beichio pellach. Aeth Emlyn am ei sigaréts, cynnau un a chynnig y pecyn i Beca.

'Dim diolch.'

'Sori i fod yn blunt, ond beth wyt ti moyn i fi wneud am… am… dy sefyllfa? Weles i Steff heddiw, ac roedd ei agwedd tuag ata i yn afiach. Fi'n cymryd bo ti 'di dweud wrtho fe amdanon ni.'

'Doedd dim dewis 'da fi, Ems.'

'Dim dewis?! Mae 'na wastad ddewis, Beca…'

'Dim yn yr achos yma.'

'Esbonia.'

Ar ôl mwy o grio, o'r diwedd ailafaelodd Beca yn y gallu i gyfathrebu. 'Fi'n feichiog, Ems. A ti yw'r tad.'

'Ti'n siŵr? Beth am Steffan?'

'Beth amdano fe? Ti'n gwybod nad y'n ni 'di cysgu 'da'n gilydd ers misoedd.'

Daeth diwedd y byd i swyddfa Emlyn. Dydd y Farn ar ffurf cyflwynydd *Dechrau Canu*. Cynnodd sigarét arall, er mai newydd ddiffodd yr un ddiwethaf oedd e. Os oedd ei feddyliau ar ras ynghynt, roedden nhw ar steroids bellach ac yn torri pob record byd bosib.

Syllodd Emlyn ar Beca a syllodd hi yn ôl arno fe.

'Fuck,' oedd yr unig air ddaeth i'w feddwl. 'Fuck.'

'Ie,' cytunodd Beca. 'Sa i'n gwybod beth i'w wneud, Ems. Sneb 'da fi nawr. Dim ond ti…'

Ystyriodd Emlyn ymateb, ond beth oedd y pwynt? Doedd dim modd gwneud iddi ddeall, a doedd ei beichiogrwydd yn newid dim mewn gwirionedd. Anghyfleustra llwyr, wrth gwrs, ond ni fyddai'n cael datblygu i fod yn unrhyw beth mwy.

'So 'na beth oedd ystyr y text 'na ddoe. Y symbol ar dy fola.'

'Ie…'

'Ond pam mynd i'r holl drafferth? Yr holl boen?'

'Sa i'n hoffi cael fy anwybyddu, Ems, ti'n gwybod hynny…'

'Ond naethon ni orffen wythn…'

'Fi'n gwybod. Ond mae hyn yn newid pethau.'

'So fe'n newid dim, Beca.'

'Sut galli di ddweud y fath beth?'

Syllodd arni eto. Sugnodd y mwg. Ysgydwodd ei ben. Beth oedd e wedi'i wneud i haeddu hyn?

'Beth wyt ti moyn 'te, Beca?'

'Sa i'n gwybod…'

'Wyt ti'n bwriadu cadw…?'

'Sa i'n gwybod…' Daeth ei hateb mewn monotôn robotaidd, cyn iddi ailddechrau'n annisgwyl. 'Help sydd angen arna i, Ems. Jyst help…'

Ceisiodd Emlyn ystyried ei geiriau'n ofalus, ond gyda'i ben yn morio ar gefnfor o gymhlethdodau roedd hi'n amhosib dod i unrhyw fath o benderfyniad heno.

'Look, Beca, ma 'mhen i'n fucked, so cer gartref a gad i fi feddwl am bethe, iawn? 'Na i gysylltu â ti cyn y penwythnos ac fe sortwn ni rywbeth mas…'

'Ti'n addo?'

'Addo beth?'

'Ffonio.'

'Ydw.'

A gyda hynny, cododd ar ei thraed a gadael y swyddfa heb edrych yn ôl, jyst fel y gwnaeth ei gŵr yn gynharach.

Ar ei ffordd allan, cerddodd Beca o fewn tair troedfedd i Rod a'i gamera, a hwnnw'n glyd yn ei guddfan o dan y ddesg agosaf at ddrws agored swyddfa Emlyn. Fflachiodd y rhifau'n goch yng nghornel uchaf y ffenest fach wrth i'r eiliadau agosáu at ddiwedd y tâp – 7, 6, 5, 4, 3, 2, 1, 0.

Diffoddodd y pŵer. Gwenodd. Am lwc. Teimlai fel coblyn Gwyddelig oedd newydd sychu'i din â meillionen bedair deilen ar ôl cachu eurfar o'i din o dan yr enfys. Roedd y cynllun ansicr cynharach yn dechrau ffurfio go iawn nawr, yn dechrau cymryd siâp a gwneud rhyw synnwyr hefyd. Ac roedd digon o dystiolaeth ar y tâp bach hwn i'w helpu i gymryd y cam cyntaf ar ysgol lithrig y diwydiant teledu. Dyna'r gobaith ta beth. Er nad oedd y camera'n dal i droelli, gwyliodd Rod ei ddarpar fos yn casglu ei bethau ac yn dilyn ôl traed ei gyn-gariad allan o'r swyddfa. Anadlodd yn rhydd o'r diwedd, ond wedyn cofiodd fod yn dal yn rhaid iddo ddianc o Akuma heb i Karim ei weld…

Roedd y chwyn arferol-chwareus wedi gafael yn dynn yn Bryn erbyn hyn, ac roedd y pryder yn berwi yn ddwfn ynddo. Ble roedd Rod? Beth oedd e'n wneud? Ond, wrth gwrs, doedd arno ddim eisiau dangos ei ofn na'i ansicrwydd i Karim, felly cadwodd ati i ateb cwestiynau rhyfedd ei ffrind a gwrando wrth iddo ailadrodd un o'i hoff straeon, am y canfed tro yn ystod y mis diwethaf.

'… and that is why, my friend, you should never make love to camel without first asking for owner's permission!'

Chwarddodd Karim ar bafflein y stori, gan ddangos ei ddannedd cam melynllyd i'r byd, a gwnaeth Bryn yr un modd, er bod ei ddannedd e rhyw fymryn yn sythach.

'D'you want to eat the roach, dude?'

'Last blast?'

'Aye.'

Ac wrth i Karim lenwi ei sgyfaint ac ychwanegu'r roach du at flwch llwch llawn ei gar, gwyliodd y ddau Beca yn gadael Akuma.

'Well, she looks better coming out than she did going in,' oedd crynodeb Bryn o'i hymadawiad.

'A little cock go long way, yes?'

'Too right it does. And you should know…'

Gwenodd Karim yng ngolau isel y car wrth i'r ddau wylio Beca yn sgrialu o'r maes parcio yn ei Mini Cooper.

'I'm sure that was the same car as that ninja…'

'Can't be.' Cafodd yr un ateb am yr eilwaith yn ystod yr hanner awr ddiwethaf. A phan sylweddolodd Bryn fod y sgwrs wedi cwblhau cylchdro cyfan, gwyddai ei bod yn amser gadael a dychwelyd i'w soffa dros y ffordd. Er ei fod yn poeni am ffawd ei ffrind, roedd e'n rhy chwil i wneud unrhyw beth am hynny bellach. Gallai Rod ddianc ar ei ben ei hun – un ai hynny neu gael ei ddal, wrth gwrs. Ond wrth edrych ar fola Karim, oedd mor agos at yr olwyn lywio â thad at ferch mewn perthynas losgachol, roedd e'n hyderus y gallai Rod osgoi ei grafangau'n ddigon hawdd.

A phan adawodd Emlyn Akuma cyn i Bryn gamu o'r car, cododd ei obeithion hyd yn oed yn uwch, felly cerddodd yn ôl ar draws pedair lôn Heol Penarth yn hapus ei fyd gan edrych ymlaen at goffi cryf a darn o dost a Marmite.

Wrth agosáu at fynedfa Fordthorne gyda'i ben yn y sêr a'i sgyfaint yn gwichian, gwelodd Bryn symudiad sydyn yn y cysgodion. Cyflymodd ei galon nes carlamu, a chyflymodd ei gam wrth iddo gyrraedd y drws. Gyda'i allweddi yn ei ddwylo sigledig, gwyddai mai paranoia yn unig oedd yn ei erlid – wedi'r cyfan, dyna oedd diben ysmygu ganja'n ddyddiol.

Trodd yr allwedd a gwthio'r drws, ond cyn iddo gamu i ddiogelwch y garej neidiodd ei holl hunllefau i'w gyfeiriad gan afael yn ei ysgwydd a'i droi i'w hwynebu. Bu bron i

Bryn ddechrau crio, ond yna gwelodd y bag Sainsbury's a'r llygaid cyfarwydd tu ôl i wlân y balaclafa.

'Jesus fuckin Christ on a fuckin bastard bike like, Rod!' ebychodd rhwng anadliadau dwfn a ffitlyd.

'Sori, Bryn, ond edrych!'

'Never mind that. How did you get out of there? I thought it had all gone Pete Tong for a second...'

'A fi, ond...'

'Aros funud, Rod. Dim fan hyn. Let's go inside, have a sit down. And for fuckssake, take your balaclava off. What if Karim's spying on us through his binocs?'

I mewn â'r ffrindiau ac ymlaen â'r tecell, cyn i Bryn rolio un fawr a gwrando ar yr hanes – o'r lwc a'r cyffro i ddatgeliad Beca a dianc trwy ffenest y tŷ bach. Erbyn i Rod orffen adrodd y stori, roedd yr adrenalin wedi tawelu a'r gwaed yn llifo'n arafach trwy ei wythiennau unwaith eto. Cymerodd y mwg wedi i Bryn gymryd dos lawn, a mynd ati i'w fwynhau tan fod dim ar ôl ond cardfwrdd pygddu.

'I can't believe he just put them with the rest of the tapes. That's obscene. The tight bastard.'

'Wel, nath hynny bethau'n lot haws i fi. He even provided me with a carrier bag!'

'How thoughtful of him.'

'Indeed...' A chwarddodd y ddau ar lwyddiant eu cynllun.

Sloper Road – Lecwydd – Parc Fictoria

Wedi malu cachu am ryw hanner awr, aeth Rod adref gydag allwedd Bryn yn ei boced, y bag Sainsbury's yn ei law a rhyw synnwyr o foddhad yn llenwi'i galon.

Roedd y cymylau wedi lledu bellach a'r sêr yn disgleirio yn y pyllau dŵr o dan draed. Brasgamodd i lawr Sloper

Road, ac roedd e gyferbyn â'r stadiwm bêl-droed newydd cyn iddo sylweddoli nad oedd y gwarfag ar ei gefn. Ffoniodd Bryn ar unwaith er mwyn gwneud yn siŵr bod ei warfag a'i gamera yn Fordthorne, ac addawodd ei ffrind y byddai'n gofalu amdanynt tan y bore.

Ymlaen aeth Rod trwy gyrion Lecwydd a Threganna, cyn cyrraedd Parc Fictoria a'r amser yn tynnu am un ar ddeg. Diflannodd ei egni i rywle, ac arafodd ei gamau wrth iddo agosáu at Drelái Isaf a'r gwely clyd oedd yn aros amdano yn stafell wely Bryn. Roedd e'n haeddu hoe fach ar ôl yr wythnos ddiwethaf, a theimlai fel y gallai gysgu am fis pe câi'r cyfle.

Casa Eilfyw-Jones, Llandaf

Yn debyg i Rod, roedd Emlyn wedi blino'n lân. Ond er hynny, doedd e ddim yn gallu cysgu. Doedd hynny ddim yn syndod o ystyried y dydd Llun roedd e newydd ei gael. Roedd prawf amnio Cariad y bore hwnnw'n teimlo fel degawd yn ôl erbyn hyn, a bygythiadau Steff yn dod yn ail pell i newyddion Beca heno.

Gorweddodd wrth ochr Cariad yn lled-dywyllwch eu stafell wely, ond reit ar yr eiliad honno teimlai ymhell, bell oddi wrthi – ym mhen draw'r bydysawd os nad ymhellach. Atseiniai geiriau Beca rhwng ei glustiau. Sut ddigwyddodd hyn? Ai hunllef oedd ei fywyd bellach, ac a fyddai'n dihuno maes o law a dychwelyd i'r byd go iawn?

Roedd pwerau uwch yn cyfuno i'w gladdu ar lefel bersonol a phroffesiynol, a Karma yn chwerthin o wybod am yr holl sgerbydau a lechai yng nghwpwrdd gorlawn ei orffennol.

Wrth wrando ar anadlu ei wraig, meddyliodd yn ddwys am ei berthynas â Beca. Gwyddai iddo wisgo condom bob tro wrth gladdu ei goc yn yr ast fach frwnt. Gwyddai hynny achos bod eu perthynas mor glinigol, mor fwriadol. Doedd dim rhamant yn perthyn iddi. Jyst rhyw. Dim meddwi a gwledda ar nos Wener. Jyst rhyw. Unrhyw le. Unrhyw bryd. Cyn belled â bod neb arall yn agos.

Ond, o'i brofiad gyda Cariad a'i beichiogrwydd hithau, gwyddai na fyddai'r holl ddulliau atal cenhedlu yn y byd yn sicrhau na fyddai un o'i benbyliaid yn bwrw cefn y rhwyd.

Crwydrodd ei feddyliau o'r gorffennol pell i'r gorffennol agos – at ei sgwrs â Beca heno. Deuai un gair yn ôl ato, a dim 'beichiog' oedd y gair hwn. 'Help' oedd y gair. Gofynnodd hi am help, dim byd arall. Jyst help. *Help sydd angen arna i, Ems.*

A gyda'r geiriau hynny'n fyw yn ei gof, daeth cynllun o'r cysgodion a fyddai'n datrys y broblem, unwaith ac am byth.

Trelái Isaf

Gwyrodd Rod ei ben tua'r pafin pan welodd gar yr heddlu'n agosáu. Doedd nunlle i guddio yng nghanol y bont dros yr afon Elái. Cliriodd ei ben ar unwaith, ac edrych ar y bag yn ei law. Roedd e'n barod i redeg, ond pasiodd y car heb arafu. Ymlaciodd Rod unwaith eto, a chododd ei galon wrth iddo droi'r cornel a gweld ei gyrchfan o fewn cyrraedd rhyw ganllath i lawr Mill Road.

Ond gyda'r blinder yn ei dagu a'i feddyliau eisoes yn dechrau breuddwydio, ni chlywodd Rod y car llwyd yn cripian yn araf i fyny'r stryd. Tan ei bod hi'n rhy hwyr.

Clywodd ddrws car yn agor a chau'n glep gerllaw, a thraed trwm yn rhuthro i'w gyfeiriad. Trodd mewn pryd i weld ffigwr aneglur yn hedfan tuag ato, a'i daclo i'r llawr mewn corwynt o fygythiadau.

Gyda'i wyneb yn crafu'r palmant, ei geg yn llawn gwaed a phen-glin trwm ym môn ei gefn, teimlodd y gefynnau'n cau am ei arddyrnau tu ôl i'w gefn. Cafodd ei dynnu ar ei draed gan ddwylo cryfion, cyn cael ei droi yn yr unfan i wynebu DC Ellis, oedd yn gwenu arno fel bastard sydd newydd ddarganfod mai Duw yw ei dad biolegol.

'Hello there, Rodney. Nice evening for a bit of a walk. Been anywhere nice, Comet perhaps?'

'Fuck off, Ellis, I've done nothing wrong.'

Gwenodd yr heddwas eto, a'r tro hwn sylwodd Rod ar y marciau melynllyd o dan ei lygad – atgof o ddigwyddiad yr wythnos cynt, a'r rheswm fod y ditectif mor bles o gael gafael arno.

'Oh yes you have, you little cunt. I've got some very nice footage from last Wednesday night. CCTV, you heard of that? You on a bike in Comet's car park. You in Comet filling your pockets with tapes. You making a pretty nifty escape from Comet…'

'Wasn't me. I've got an alibi.'

Chwarddodd DC Ellis y tro hwn.

'You can't have an alibi, you fuckin plonker, if I've got your face on CCTV!'

'But you can't…'

'Why not? Cos you were wearing a hood. Ha! You criminal mastermind, you! A hood. Fuckin genius. They've got a shedload of cameras up Comet, Rodney, and you, my son, are going down.'

'Fuck off, Ellis.'

'No, Rodney. It's you that's fucked this time.' A heb rybudd, plannodd DC Ellis ei dalcen ar drwyn Rod, a'i wylio'n cwympo yn ôl fel coeden dal mewn coedwig lom.

'Fuckssake, Ellis, do you have to do that every time we

arrest someone?' Daeth llais ei gyd-fochyn o'r tywyllwch yn rhywle.

'Fuck off, Pooley. One of the perks of the job. Now, give me a hand to get this cunt in the car. I can't wait to start the interview…'

'Check this out,' dywedodd y llais, er na allai Rod weld dim trwy'r dagrau. Er hynny, gallai glywed sŵn digamsyniol bag plastig yn cael ei agor a'i archwilio.

'Well, well, well. What have we here, Plonker Rodney?' Cododd DC Ellis y tapiau i Rod gael eu gweld. Gwenodd. 'You're fucked now, Rodney. Well and truly fucked.'

A gyda hynny, ffarweliodd lwc Rod a diflannu dros y gorwel. Ond ddim yn gyfan gwbwl chwaith. Llusgwyd Rod i gefn y car, a gyda DC Ellis yn chwerthin yr holl ffordd i'r orsaf heddlu yn y Tyllgoed, diolchodd Rod ei fod wedi gadael ei warfag gyda Bryn.

Casa Eilfyw-Jones, Llandaf: Bore Dydd Mawrth

Wedi oriau tywyll o droi a throsi, cododd Emlyn yn hwyr, er iddo godi cyn i Cariad ddihuno hefyd. Byddai yn dod 'nôl i'w gweld hi amser cinio, ond cyn hynny roedd ganddo rywbeth pwysig tu hwnt i'w wneud.

Gwisgodd a gadael y tŷ heb fwyta brecwast, ond llenwodd fowlenni'r cŵn. Taniodd sigarét gan anelu yn ei gar am Ddinas Llandaf yn gyntaf, lle galwodd i mewn i'r Principality a thynnu £3,000 o'i gyfrif cynilion personol. Wedyn, o Landaf i Bontcanna gan obeithio nad oedd Steff wedi taflu Beca allan o'u cartref priodasol. Gwelodd Mini Cooper ei gyn-gariad wedi'i barcio ar y stryd tu allan i'r tŷ, ac wedi gwirio i wneud yn siŵr nad oedd car Steff i'w weld yn unman, parciodd y Porsche cyn croesi'r ffordd a chanu'r gloch.

Wedi iddo aros am funud neu ddwy daeth Beca i lawr yn ei gŵn nos. Gallai Emlyn glywed cŵn yn cyfarth yn wyllt o'u carchar tu hwnt i'r gegin gefn, fel tasen nhw'n gallu synhwyro ei bresenoldeb a phwrpas ei ymweliad.

'Emlyn… ym… dere mewn…'

Wedi cau'r drws, ceisiodd Beca ei gofleidio ond brwsiodd Emlyn hi o'r neilltu.

'Na, Beca, nid dyna pam dw i yma.'

'Oh.' Chwalodd ei holl obeithion gydag un frawddeg ddi-nod, a gwelodd Emlyn hi'n gwelwi o flaen ei lygaid. Roedd ei hwyneb trist yn gwrthgyferbynnu'n llwyr â lliwiau llachar ei phyjamas.

'Ma hwn i ti…'

Cymerodd hi'r amlen a'i hagor. Agorodd ei llygaid mewn ymateb i'w chynnwys.

'Sa i'n deall.'

'Gofynnest ti am help neithiwr…'

'Do.'

'A dyma fe. Ti'n deall, 'yn dwyt ti?'

Syllodd Beca eto ar yr amlen. Er nad dyna'r math o help roedd hi ei eisiau, nid oedd modd i Emlyn wneud ei fwriad yn fwy amlwg.

'Fi'n deall.'

'Good. Fi'n sori, Beca, wir nawr, ond… wel… ti'n gwybod.'

Nodiodd ei phen mewn cadarnhad, a dechreuodd y dagrau lifo i lawr ei bochau.

'Gad i fi wybod pan ti 'di… ti'n gwybod…'

'Pam?'

'Beth?'

'Pam wyt ti moyn gwybod hynny?'

'Jyst cadarnhad, Beca, 'na gyd. Sa i'n gofyn lot…'

Agorodd Beca y drws wrth i'r casineb a'r cariad wrthdaro yn ddwfn ynddi a ffrwydro o'i cheg.

'FUCK OFF, EMLYN! JYST FUCK OFF O 'MA'R BASTARD!'

Caeodd y drws yn glep tu ôl iddo, gan wneud i'r gwydr lliwgar gwreiddiol gloncian yn wyllt. Anadlodd Emlyn yn ddwfn. Gallai glywed Beca yr ochr arall i'r drws yn beichio crio ar y llawr teils Fictoraidd. Cynnodd ffag, ac wrth gerdded yn ôl am ei gar gobeithiai na fyddai'n gweld y gont wirion byth eto.

Akuma Cyf., Heol Penarth: Prynhawn Dydd Gwener

Doedd y penwythnos yn addo dim byd ond mwy o bryder i Emlyn. Meddyliodd am gyflwr meddyliol ei wraig, ei ffilm a phroblemau ei gyn-gariad. Edrychai ymlaen, serch hynny, at gwrdd ag Euros heno lawr yn y Butchers yn Llandaf am gwpwl o beints a sgwrs. Wrth gwrs, byddai'r 'cwpwl o beints' yn troi'n chwech, a'r peints yn troi'n chwisgi dwbwl cyn diwedd y nos, a dyna'n union beth oedd ei angen ar Emlyn. Nid oedd wedi cysgu'n iawn ers pedair noson, ond byddai'r alcohol yn siŵr o fod o help wrth foddi ei bryderon fel y gallai gysgu tan y bore.

Wedi'r cyfarfod â Steff ddechrau'r wythnos roedd wedi mynd ati gyda Deian i olygu gweddill y ffilm. Nid oedd yn bwriadu gwneud fawr o ymdrech, jyst gorffen y dasg a chyflawni'r cytundeb.

Ond, wrth gwrs, roedd y cyfarfod hwnnw wedi'i gladdu gan ymweliad Beca nos Lun. Wedi iddo dalu am erthyliad – dyna'r unig opsiwn yn yr achos hwn – gobeithiai y gallai ymddiried yn Beca i gyflawni'r dasg, er nad oedd yn orhyderus o ystyried ei hymateb.

Ac wrth i'r amheuon wledda ar ei gydwybod daeth yr ateb

ar ffurf neges destun. Daeth y neges destun o ffôn anhysbys fel arfer ond roedd ei chynnwys yn amhosib i'w ddeall heb ychydig o help.

Felly, heb oedi a heb ystyried y gwahaniaeth mewn amser, anfonodd Emlyn y neges at ei hen ffrind Beks oedd bellach yn byw yn Hong Kong. Neu Tokyo. Nid oedd byth yn gallu cofio'n iawn. A'r rheswm iddo'i hanfon ati oedd am mai llythrennau Siapaneaidd neu Tsieineaidd roedd Beca wedi'u hysgathru ar ei bola'r tro hwn.

切腹

Gobbledegook gwaedlyd i Emlyn, ond dylai Beks allu ei helpu.

Chwarae teg iddi, daeth yr ateb mewn llai na phum munud, ynghyd â llond dwrn o regfeydd a diawlo achos ei bod hi'n ganol nos lle'r oedd Beks yn byw.

Datgelodd Beks mai ystyr y symbolau oedd 'Seppuku', neu 'Hara-ciri', ond nid esboniodd beth yn union roedd hynny'n ei olygu chwaith. Felly draw at Wikipedia ar yr iPhone yr aeth Emlyn, ac o fewn eiliadau roedd ganddo'r ateb. Ac yn fwy na hynny, roedd gwên ar ei wyneb hefyd.

Seppuku ('stomach-cutting'), also known as Harakiri, is a form of Japanese ritual suicide by disembowelment. Seppuku was originally reserved only for samurai. Part of the samurai honour code, seppuku was used voluntarily by samurai to die with honour rather than fall into the hands of their enemies, as a form of capital punishment for samurai who have committed serious offences, or performed for other reasons that have brought shame to them. The ceremonial disembowelment, which is usually part of a more elaborate ritual and performed in front of spectators, consists of plunging a short blade, traditionally a tantō, into the abdomen and moving the blade from left to right in a slicing motion.

Dim ond un casgliad yr oedd yn bosib i Emlyn ddod iddo ar sail y fath wybodaeth: roedd yr erthyliad wedi'i gyflawni. Diolch byth. Roedd croeso mawr i'r newyddion da yma ar ddiwedd yr wythnos hon, a throdd ei feddyliau yn syth at ei wraig druan.

Roedd yr ysbyty wedi addo cysylltu cyn heddiw ac roedd Cariad ar bigau'r drain yn poeni mai newyddion drwg oedd yn eu hatal rhag ateb.

Cyn hir daeth diwedd yr wythnos i Akuma Cyf., ac wedi i'r swyddfa wagio toc wedi pump cododd Emlyn y ffôn a galw'i wraig i weld sut roedd hi erbyn hynny.

'Iawn, Cariad, ti'n ok?'

Ond disgwyl y newyddion gwaethaf yr oedd Emlyn pan glywodd y dagrau cyn iddi siarad.

'Gwych…' oedd y gair annisgwyl cyntaf. 'O'n i ar fin dy ffonio di, Ems… Ma bob dim yn iawn efo'r babi. Y prawf yn glir. Dim probs.'

Torrodd tsunami o ryddhad dros ysgwyddau tyn Emlyn.

''Na'r newyddion gore dw i 'di gael trwy'r dydd… Ti ffansi peint i ddathlu? Fi'n cwrdd ag Euros am chwech yn y Butchers.'

'Dos di, Ems. Dw i 'di blino'n lân. Emotionally drained, 'de. Wela i di ben bora…'

'Reiti-ho.'

'Ac Ems…'

'Ie?'

'Dw i'n dy garu di.'

'Ditto babes. Nos da.'

Dychwelodd y derbynnydd i'w grud yn ddyn hapus tu hwnt, cyn gadael y swyddfa ac anelu am y Butchers i ddathlu yng nghwmni ei frawd.

CYFLE

'We are all faced with a series of great opportunities
brilliantly disguised as impossible situations.'
Charles R Swindoll

Casa Eilfyw-Jones, Llandaf: Bore Dydd Gwener

Cyfuniad o gnocio pellennig, dirgryniadau'r dril a haul isel mis Mawrth, a dreiddiai i mewn i'r stafell trwy hollt fach yn y llenni – hynny a ddihunodd Cariad ar ddechrau'r diwrnod hyfryd hwn o aeaf hwyr.

Heb agor ei llygaid, trodd ar ei chefn a theimlo pwysau godidog a chysurlon y bachgen bach oedd yn tyfu yn ei bola. 'Napoleon' oedd ei enw ar hyn o bryd. Wedi'i enwi ar ôl yr anfarwol Mr Dynamite, seren hoff ffilm Cariad ac Emlyn, y cwpwl. Er nad dyna fyddai ei enw ar ôl iddo dorri'n rhydd o'r groth a dechrau sgrechen. Doedden nhw ddim wedi penderfynu'n bendant ar ei enw go iawn eto, er bod rhestr hir o ryw ddeg o enwau ganddyn nhw – o'r syml (Tom a Jâms) i'r rhyfedd (Caledfwlch) a ffefryn Cariad, sef Pennar, y darganfu hi e mewn rhyw nofel Gymraeg roedd hi wedi ei darllen yn ddiweddar gan awdur na allai gofio'i enw. Roedd sgiliau cofio byrdymor a hirdymor Cariad wedi diflannu yn ystod y misoedd diwethaf, ac er i hynny achosi cryn bryder iddi ar y dechrau, doedd e ddim yn ei phoeni bellach gan i Eve yn y gwaith ei darbwyllo bod hynny'n symptom cyffredin yn ystod tri mis olaf beichiogrwydd pawb. Wel, efallai dim pawb, ond câi sylw yn *The Contented Baby* gan Gina Ford, felly rhaid ei fod yn wir.

Llai na deufis oedd tan y diwrnod mawr, ac er bod Cariad yn ysu i gwrdd â'r bychan, roedd hi hefyd yn mwynhau ei deimlo'n symud yn ei bol. Roedd yr holl beth yn hudolus. Ac er nad oedd hi'n grefyddol mewn unrhyw ffordd, gwyddai mai atgynhyrchu oedd gwir ystyr bodolaeth dynol ryw, a bod beichiogrwydd ei hun yn wyrth o fath.

Agorodd ei llygaid wrth i'r gwaith barhau yn stafell

Napoleon bach. Edrychodd ar y cloc. 09:08. Gallai gysgu am awr neu ddwy arall yn hawdd, ond roedd gormod i'w wneud heddiw cyn angladd Stifyn yn y crem am dri o'r gloch y prynhawn. Bu farw aelod olaf y grŵp Fflach! wythnos ynghynt. Niwmonia a chymhlethdodau cysylltiedig yn ôl yr arbenigwyr. Roedd Cariad yn hapus iddi orfodi ei hun ac Emlyn i ymweld â Stifyn lai nag wythnos cyn iddo farw. Byddai'r euogrwydd yn ormod pe na bai wedi mynd i'w weld y dydd Sadwrn hwnnw. Mewn ffordd, roedd hi'n falch ei fod wedi marw achos roedd gweld person mor ifanc yn dioddef bywyd yn y fath fodd yn drychineb go iawn. Ac er nad oedd e'n 'dioddef' poen na dim byd felly, roedd cofio fel roedd e a chymharu hynny â'i gyflwr presennol yn ddigon i dorri calon unrhyw un.

Ciciodd y babi a mwythodd Cariad ei bola'n reddfol. Clywodd Emlyn yn rhegi yn y stafell yr ochr arall i'r tŷ. Gwenai wrth ei ddychmygu wrth ei waith. Chwarae teg iddo. Roedd e wedi gwneud ymdrech fawr yr wythnos hon i sicrhau bod stafell y babi'n barod. Gwyddai i bethau fod yn anodd iddo yn y gwaith yn ddiweddar – y ffilm fel rhyw gadwyn o gwmpas ei wddf a'i ymennydd, yn ei arteithio a'i wawdio bob dydd, yn ogystal â'r cytundebau a'r tendrau a gawsai eu canslo a'u gwrthod ers ymweliad Steffan Grey rai misoedd ynghynt. Eto, doedd ei gŵr ddim wedi dod â'i broblemau adref gyda fe o gwbwl. Roedd yn benderfynol o fod yn dad ac yn ŵr o'r radd flaenaf, ac roedd Cariad wrth ei bodd hyd yn hyn.

Roedd y gwaith bron ar ben yn stafell y babi – y waliau wedi'u peintio'n las golau; trim anifeiliaid y jwngwl wedi'i ludo'n daclus ar y muriau; y cot a'r cypyrddau o Ikea wedi'u hadeiladu a'u gosod yn eu lle; a'r llenni'n hongian. Yr unig beth oedd ar ôl nawr oedd y silffoedd, ac roedd hi'n swnio fel petai Emlyn yn brysur yn eu hadeiladu'r bore 'ma.

Tawelodd Napoleon a chrwydrodd bysedd Cariad o'i bola tua'i chedorau. Roedd hi wedi tyfu'n fwy tinboeth yn ystod ei beichiogrwydd, ac erbyn hyn roedd teimlo defnydd rhai o'i dillad isaf yn cyffwrdd â'i benyweidd-dra yn ddigon i'w gwneud hi'n wlyb. Ond, gan fod ei bola'n debycach i fola chwaraewr darts bellach, roedd rhoi pleser iddi hi ei hunan yn dasg go anodd, os nad amhosib. Ystyriodd estyn y dirgrynwr o'r drôr wrth ei gwely, ond fflachiodd delwedd o Emlyn yn ei ddillad gwaith a'r chwys yn diferu o'i dalcen o flaen ei llygaid, ac felly llithrodd o'r gwely a mynd i'r en suite i frwsio'i dannedd, cyn rhoi ei gwallt mewn cwt merlen a chamu at stafell ei mab er mwyn llithio'i gŵr cyn brecwast.

Heb ddweud gair, pwysodd Cariad ar ffrâm y drws i wylio Emlyn wrthi. Roedd wedi gosod dwy silff ar y wal yn barod bore 'ma, ac roedd bellach wrthi'n paratoi i osod y nesaf. Yn ei shorts tyn, ei wregys offer a gyda phensel fain tu ôl i'w glust, roedd e'n atgoffa Cariad o Nick Knowles byr a boliog. Roedd hynny'n ddigon i'w hatgoffa pam y daeth hi i'w weld, yn hytrach nag aros yn y gwely ac estyn ei hen gyfaill o'r drôr...

Tair i fynd, meddyliodd Emlyn wrth estyn y pren mesur dur o'i wregys a mynd ati i farcio'r wal yn y mannau priodol ar gyfer y sgriwiau fyddai'n cadw'r silffoedd yn eu lle. Am byth. Dyna'r gobaith.

Fel arfer, byddai Emlyn wedi talu Madog i wneud y gwaith − hen ffrind fyddai'n gwneud hyn fel bywoliaeth. Ond oherwydd y diffyg datblygiadau diweddar yn Akuma penderfynodd wneud y gwaith ei hun. Cymerodd wythnos o wyliau, a dyma fe ar fore dydd Gwener, gyda'r llinell derfyn o fewn cyrraedd, y dodrefn yn ymddangos yn ddigon solet a'r papur wal jwnglaidd yn daclus, yn syth ac yn rhydd o swigod.

Meddyliodd am ei fab a gwenodd ar ei enw presennol. Wrth gwrs, gwyddai na fyddai Cariad byth yn gadael iddo gadw'r enw Napoleon, ond roedd Emlyn yn hoff ohono erbyn hyn ac eisoes wedi dod i arfer â'i alw'n hynny. Os nad Napoleon, yna Caledfwlch oedd ei ddewis cyntaf oddi ar y rhestr hir. Ond eto, doedd dim lot o obaith ganddo, gan y byddai'n rhaid i Cariad ac yntau gytuno ar yr enw. Os nad oedd modd ei alw'n enw 'unigryw', byddai Emlyn yn hapus gyda Tom neu Sam. Enwau syml. Enwau cryf. Braidd yn gyffredin, efallai, ond doedd dim byd yn bod ar hynny.

Roedd e'n hapus tu hwnt mai bachgen oedd yn tyfu ym mola'i wraig, yn bennaf oherwydd na fyddai'n rhaid iddo ddioddef yr holl nonsens Disney Princesses sy'n rhan annatod ac anochel o fagu merched y dyddiau hyn. Roedd cartref Euros yn llawn pethau pinc bellach, a stafell ei ferched bron â gwneud i Emlyn chwydu.

Ffag cyn dechrau drilio, meddyliodd, ond pan drodd i adael y stafell ac anelu am yr ardd gefn, gwelodd Cariad yn sefyll yno'n ei wylio, â'i dwylo'n mwytho'i bola, fel y byddent bron yn barhaus y dyddiau hyn, a golwg nwydus yn ei llygaid.

'Bore da,' cyfarchodd Emlyn ei wraig, gan wybod ar unwaith nad oedd modd dianc heb ei phenetreiddio. Roedd hyn wedi digwydd bob penwythnos ers deufis – Cariad yn dihuno'n dinboeth ac yn hela Emlyn tan ei gornelu, ei rwydo a'i reidio – a bob dydd yr wythnos hon. Dim bod Emlyn yn cwyno na dim. Wel…

'Hia Ems. Mae'n edrych yn wych o fan hyn.'

'Ydy, dim ond tair silff ar ôl nawr, ac wedyn bydda i wedi gorffen.'

'Ti'n haeddu gwobr...' Edrychodd arno trwy lygaid cnychu, ac agor ei gŵn nos i ddatgelu cnawd noeth o'i chorun i'w sawdl.

'*Blankety Blank* cheque book and pen? Carriage clock? Gwyliau i ddau yn yr Hilton?'

Gwenodd Cariad a chamu ato, gan afael yn ei law a'i gosod rhwng ei choesau.

'Mmmmmmmmmm,' canodd wrth gau ei llygaid a brathu ei gwefus mewn ymateb i gyffyrddiad clitoraidd bys canol ei gŵr.

Pwysodd Emlyn ati a'i chusanu'n galed ar ei cheg.

In for a penny...

Roedd ei wraig a fe'n symud i gyfeiriadau gwahanol yn nhermau eu teimladau rhywiol y dyddiau hyn. Roedd Cariad yn fwy horni bob dydd wrth i'r babi dyfu yn ei bola, ond roedd Emlyn yn ffeindio'r weithred yn reit afiach erbyn hyn, a byddai'n dychmygu ei goc yn palu twll ym mhenglog ei fab bob tro y byddai ei wraig yn ei orfodi i'w ffwcio.

Nid oedd wedi stopio'i ffansïo hi na dim, ond roedd yr holl beth mor rhyfedd ac anghyfforddus fel nad oedd modd mwynhau'r profiad. Dim gyda'r bola mawr yn cicio rhyngddynt. Edrychai ymlaen at gael ei wraig yn ôl, namyn y plentyn yn ei chroth, ond tan hynny byddai'n rhaid iddo barhau i gymryd yr artaith fel gŵr da, gan osgoi brifo'i theimladau a gwneud iddi ei amau ar bob achlysur.

Oherwydd ei hanes tu allan i briodas, nid oedd Emlyn am i'w wraig ei amau o fod yn anffyddlon, yn enwedig gyda'i hormons yn rhedeg yn wyllt ar hyn o bryd, felly byddai'n gorfodi ei hun i gyflawni'r weithred.

Gallai Cariad flasu'r mwg a'r coffi yn ei geg. Blas cyfarwydd. Blas dyn go iawn. Estynnodd ei llaw tua'i ddyndod gan wenu'n fewnol o weld bod ei gledd mor gadarn ag obelisg. Bachgen da...

Roedd llaw Emlyn cyn wlyped ag afon bellach, a'r sudd yn rhaeadru o gedorau ei wraig fel Sgwd yr Eira yn dilyn storm. Mwwwmiodd ac wwwwmiodd fel cath yn cael ei goglais, a gyda'i lygaid ar gau wrth ei chusanu roedd hi bron yn bosib i Emlyn anwybyddu'r baban oedd yn gorwedd rhyngddynt yn ei chroth. Bron.

Roedd ceisio anwybyddu Napoleon bach yn ddigon i wneud i Emlyn weld delwedd ohono – afro and all – gyda phidyn ei dad yn cloddio i'w ben fel piston cnawdol creulon.

Agorodd ei lygaid mewn ymateb greddfol a thynnu yn ôl oddi wrth ei wraig. Heb oedi, trodd hithau ei chefn ato gan adael i'w gŵn nos gwympo oddi ar ei sgwyddau, a chymryd ei bidyn yn ei llaw, cyn arwain hwnnw i mewn i'w gwain wlyb a gafael yn ochr y cot newydd sbon a gadael i Emlyn fynd ati fel hen gi o'r tu ôl.

Wrth bwnio ei wraig gyda'i bidyn, crwydrodd ei lygaid o amgylch y stafell – o'r din gron yn sboncio o'i flaen, draw at y silffoedd newydd, y papur wal, y cyrtens a'r bore braf o aeaf hwyr tu hwnt.

Yn groes i'r rhan fwyaf o ddynion wrth iddynt fwynhau cyfathrach o'r fath, roedd Emlyn eisiau gorffen cyn gynted ag y bo modd, felly cyflymodd ei hyrddio wrth dynhau crothau ei goesau mewn ymdrech i ddod ar unwaith. Ond, diolch i holl ffwcio'r wythnos hon, nid oedd modd cyflymu'r broses felly setlodd 'nôl i rythm canolig a gadael i bethau ddatblygu'n naturiol.

'C'mon, Emlyn! Caletach!' gwaeddodd Cariad, gan edrych arno dros ei hysgwydd – ei llygaid yn anifeilaidd a'i gwallt wedi dianc o'r cwt ceffyl yn nyth wyllt, chwyslyd ar ei phen.

Gwnaeth Emlyn fel y mynnai hi, ond atgoffodd gorchymyn ei wraig e o Beca. Roedd hithau hefyd yn hoff o gyfarth cyfarwyddiadau arno yng nghanol y weithred, ac fe arweiniodd hynny Emlyn i feddwl am ei faban arall a fu ym mola Beca rai misoedd ynghynt, ond a gafodd ei erthylu. Nid oedd wedi clywed oddi wrthi ers y neges destun ryfedd yna 'nôl yn yr hydref.

'Dwwwwiiiiiii'nnnnndooooooooooooooooooooooooooo ooooooooooood!!!!!!!' bloeddiodd Emlyn, a doedd e ddim yn dweud celwydd chwaith. Mewn eiliad neu ddwy roedd e'n echdynnu ei goc o gloddfa'i wraig ac yn ei dychwelyd i'w drowsus gyda pheth rhyddhad.

'Diolch,' dywedodd Cariad wrth adael y stafell gyda'i llaw dde'n dynwared cwpan wedi torri o dan ei chont, gan ddiferu dynol laeth ei gŵr dros y carped wrth gamu at y tŷ bach.

Pwysodd Emlyn ar ochr y cot, gan aros i'w wraig wneud ei gwneud yn y toiled, cyn i'r ddau gerdded i lawr y grisiau'n dal dwylo – Cariad yn mynd i wneud brecwast, ac Emlyn yn mynd am ffag.

Llys y Goron, Caerdydd

'Haven't you got any so-called criminals to catch, Ellis?' gofynnodd Bryn yn swta i'r ditectif, oedd yn sefyll yng nghyntedd y llys yng nghwmni dau gydweithiwr yn gwisgo siwtiau tywyll tebyg o Top Man. Roedd y wep ar ei wyneb fel tasai newydd sugno lemwn trwy dwll tin iâr. Ond nid arhosodd Bryn i glywed yr ateb gan fod ei ffrind, y troseddwr

Rodney Joyce, yn ei dynnu o 'na am y drws ac i gyfeiriad ei ryddid gerfydd llawes ei grys.

'O ble fi'n mynd i ffeindio pedwar cant tri deg saith punt, Bryn?' pendronodd Rod wrth agor y drws pren trwm a chamu o dywyllwch myglyd cyntedd y llys i haul llachar y bore hwyr. Roedd y ffigwr wedi'i ysgathru ar ei gof cyn gynted ag y clywodd e'n cael ei boeri o geg y barnwr rhyw chwarter awr ynghynt.

Byddai gwasanaeth cymunedol wedi bod yn well. Yn well o lawer 'fyd. Roedd ganddo ddigon o amser i sbario, wedi'r cyfan. Ond 'run geiniog goch. A'r cyfan dros chwe thâp o Comet, gwerth llai na chwe deg punt! Roedd yr holl beth yn absŵrd ac yn anhygoel, ond nid oedd modd i Rod bwyntio'r bys at neb ond y dyn ifanc yn y drych.

Brasgamodd y ddau ffrind i lawr y grisiau, troi i'r chwith cyn dod at swyddfa'r heddlu a'i heglu hi ar draws Ffordd y Gogledd am Erddi'r Castell a Chaeau Llandaf tu hwnt. Fe basion nhw'r Coleg Celf a Drama – ar goll tu ôl i ffasâd o darpolin a sgaffaldiau – a Nazareth House, cartref y lleianod, ac wedi croesi'r afon Taf trwy faes parcio gorsaf ambiwlans y ddinas, cyrraedd tawelwch gwythïen werdd Caerdydd.

'My pares'll lend you the cash, Rod. Dim probs like. All you need to do is ask…'

'Fi'n gwybod, ond…'

'Ond nothing. Seems to me that you haven't really got much dewis, bra.'

Nid atebodd ei ffrind. Roedd Rod mewn cachdwll, heb lawer o opsiynau i esgyn o'r badell. Nid oedd arian gan ei dad. A hyd yn oed tasai ganddo gynilion, ni fyddai'r hen alci'n eu rhannu gyda Rod, dim ond gyda'i afu a'i arennau. Nid oedd Dave yn medru cynnig help chwaith. Roedd e'n ceisio rhedeg busnes a doedd ganddo ddim llawer o glem, heb sôn am lawer o gyllid. Tasai gan Rod swydd… ond, wrth gwrs, gyda'i record droseddol newydd sbon, roedd ei obeithion o ffeindio un yn waeth bellach.

'Don't be proud, dude. Dim nawr,' dywedodd Bryn wrth iddynt gamu i mewn i Barc Bute a'i dirlun gwyrddlas eang. 'My pares would like to help. They see you as some kind of son as it is. Not the ffefryn, mind… more like the disabled bastard they forgot to abort, but that's by the by, innit.'

'Diolch.'

'I'm only joking, you twat, and I know things look bad right this very second after leaving court and everything, but seriously now, it's not that bad. Ti ddim yn mynd i'r jail. Ti ddim yn gorfod gwneud community service. All you gotta do is pay a fine. And not a huge one at that…'

'Mae'n ddigon mawr! Fuck, man, ddylsen i ddim…'

'Too late for that shit, Rod. You *did*. And you got caught. But don't think about it too much, it'll only depress you. Further. Get over it, right now. And get on with it. Starting with asking my pares for a loan. You can pay it back when you get a job, innit.'

'A dyna'r broblem nesaf.'

'Beth?'

'Ffeindio job. Piece of piss. Gyda'r criminal record newydd a popeth…'

'Ond ti'n anghofio one thing…' dechreuodd Bryn esbonio, cyn stopio, gwthio'i law i'w drowsus a thynnu bag plastig clo-sip llawn sbliffs wedi'u rholio'n barod o'i bants. Tynnodd drwmped drewllyd ohono a'i basio i Rod, cyn cynnau'r mwgyn yng ngheg ei ffrind a pharhau. 'Dau beth, in fact.'

'What you talking about, Willis?'

'The tapes in your possession. Namely the ones of the

attack outside Akuma and the discussion between the boss and that Beca bird.'

'Fi 'di anfon nhw'n barod. Wel, dim *nhw*, ond yr un gyda Beca.'

'Pryd?'

'Dydd Gwener diwethaf.'

'A?'

'A dim byd. Dim gair. Fuck all.'

'That's weird. Why didn't you tell me you'd sent it?'

'O'n i ddim eisiau gwneud big deal o'r peth.'

'Pam?'

'Rhag ofn bydde rhywbeth fel hyn yn digwydd.'

'Oh.'

'Exactly.'

Aeth y ffrindiau i mewn i dafarn yr Hannerffordd i gael cinio – gyda Bryn yn talu am y cyfan, wrth gwrs. Prynodd beint o Bow a pheint o Carling wrth y bar, cyn cario'r ddau wydryn llawn draw at Rod, a eisteddai wrth fwrdd ger y ffenest yn syllu allan ar Heol y Gadeirlan trwy lygaid gwydrog, meddwl cymylog a chalon drom. Gosododd Bryn y ddau beint o flaen ei ffrind, cyn troi at y bwrdd nesaf, oedd newydd wagio, a gafael mewn un o'r gwydrau peint gwag. Aeth ati wedyn i wagio hanner peint o seidr i'r gwydryn brwnt, cyn rhannu'r lager rhwng y ddau. Voilà, dau beint o Snakebite.

'Fuck me, Bryn, oes rhaid?'

'Beth?'

'Snakebite?'

'A?'

'It's not even midday yet.'

'So?'

'Wel…'

'Have you got something on this afternoon, then? Some pressing matter to deal with? A case to crack, Captain Mack? Baddies to thwart, Batman? A young lady to woo, perhaps?'

'Wel… na… ond…'

'Ond nothing. Stop your fuckin moaning and get it down you. You're not even paying for any of this, but I might start charging if you carry on with your complaining.'

Ac fel yfwyr cydamserol safon Olympaidd, cydgododd y ffrindiau eu diodydd at eu cegau cyn llarpio'r gybolfa feddwol, cydosod y gwydrau ar y bwrdd a mynd ati i archwilio'r fwydlen.

'Beth you havin then?' gofynnodd Bryn wrth godi ar ei draed. Roedd e wedi penderfynu'n barod, a doedd dim ffordd well o orfodi ei ffrind i wneud penderfyniad nag edrych dros ei ysgwydd yn ddiamynedd.

'Fish and chips gyda mushy peas. Os mae hynny'n ok gyda ti?'

'Course it is. That's what I'm havin too.' Ac i ffwrdd â Bryn cyn i'w ffrind gael cyfle i newid ei feddwl.

Eisteddodd Rod gan adael i'w feddyliau grwydro, ond er iddo roi rhyddid llwyr iddynt fynd i unrhywle, dim ond un cyrchfan oedd ganddynt – Akuma Cyf. ac Emlyn Eilfyw-Jones.

Roedd y cwestiynau'n ddiddiwedd, ond yn dilyn yr un patrwm, yr un thema. Beth oedd wedi digwydd i'r tâp? Pam nad oedd e wedi cael ateb? Beth os oedd Emlyn wedi mynd at y cops? Wedi'r cyfan, twyll a blacmêl oedd ar waith fan hyn. Dechreuodd Rod boeni, diolch yn bennaf i'r mwg oedd yn dal i afael ynddo. Roedd cael dirwy am ddwyn o Comet yn ddigon gwael a heb wella dim ar ei obeithion yn y byd gwaith, ond byddai mynd i'r llys i wynebu achos yn ymwneud â blacmêl yn llawer gwaeth, ac yn siŵr o arwain at wyliau bach annifyr hyd y mynnai Ei Mawrhydi.

'Have you heard all this Cymraeg in here, Rod? It's like Glan-llyn or Llanfairpwllgwyngyllgoderekgwynfrodolan yourjacksiegogogock or summin. I'm draw at y bar, aros fy turn like, and all I can clywed is Cymraeg. Not Cymraeg Caerdydd, mind, but fuckin foreign Cymraeg, innit. Sosej rôôôôôôls everywhere, sti. Either that or Cardis yn bob man. Don't know what's worse really. Not that I mind, mind. I love hearing it spoken proper. Iaith y nefoedd and all that. There's a table of lads over there calling each other cunts but not lampin each other to fuck because of it! What's going on there, Rod? I've never heard such a thing. It's cont this, cont that, and gobble-gobble-Wil-gwaaaaaac. All I need now is a bag of da-das and a Bangor-aye-samurai and I'll be sorted.'

Llifodd y geiriau o geg Bryn fel bwledi o AK-47 llafar. Gwenodd Rod arno. Roedd yntau hefyd wedi clywed y Gymraeg gefndirol ac yn hoff o hynny.

'I even archebu'd our lunch yn Cymraeg perffaith cos I heard the young lady siarad y lingo…'

'Da iawn ti.'

'Cheers, if I makes an ymdrech, mae'n rhyfeddod beth alla i ei gyflawni.'

'Chwarae teg.'

'Diolch yn dalpe. Whatever the fuck that means. Mae'n fy gwneud i'n falch bod yn Cymru, Rod, or yn Cymro, I should say. When you hear it being spoken naturally, like this, down the pub and all that…'

'A fi, Bryn. A fi.'

Cododd Rod ei beint. Yfodd ohono ac eistedd yn ôl i wrando ar ei ffrind. Roedd Bryn ar dân nawr, a'i feddyliau'n rhuthro'n ddireolaeth, heb hysbysu ei geg o'u bwriad ar bob achlysur.

'On a completely unconnected matter, I'm thinking of symud mas.'

Pesychodd Rod ar ei ddiod a thagu wrth glywed yr hyn oedd gan Bryn i'w ddweud, gan arllwys ychydig o'r hylif dros flaen y siwt a'r crys roedd e'n eu gwisgo. Siwt Bryn. Crys Dave.

'Pam?' gofynnodd ar ôl dod dros y sioc a'r pesychu.

'Lots of reasons…'

'Fel?' Roedd Rod yn methu deall o gwbwl pam y byddai ei ffrind eisiau symud allan o gartref ei rieni. Rhent isel. Bwyd ar y bwrdd. Dillad glân.

'I dunnow. It's just I've never lived anywhere else, have I?'

'A?'

'And I'm almost dau ddeg dau. I've got an alright job. Alright wages. I can afford it. And when Cesar comes to stay, it would be sweet if he had his own bedroom like, dyna 'gyd. Plus…'

Tawelodd Bryn cyn ymhelaethu.

'Beth?'

'Wel… my mam's doing my nut in a bit. I think she's started the menopause or something. She's fussing like fuck these days…'

'Bryn. Your mam's always fussed like fuck.'

'It's just got worse lately, that's all…'

'Hmmmm. Sa i'n credu ti…'

'Pam? You don't have to byw with her…'

'So hi mor wael â hynny. Ac anyway, nag yw'r rhent isel, y bwyd am ddim a'r dillad glân yn werth yr holl nagio?'

'Wel ie, ond…'

'Ond beth? Go on, spit it out.'

'Ok. She's started nagging me to give up the weed.'

'A dyna fe. Y gwir o'r diwedd.'

Gwenodd Rod ar ei ffrind, ond ni ddychwelodd Bryn y wên. Roedd y sefyllfa'n amlwg yn chwarae ar ei feddwl, a gwyddai Rod nad oedd opsiwn ganddo mewn gwirionedd; doedd dim gobaith y byddai Bryn yn ffarwelio â Mary Jane – dim nawr, dim y flwyddyn nesaf, dim mewn degawd neu hanner canrif. Byddai Bryn yn cael ei gladdu gyda'i fong. Gwyddai Rod hynny. Gwyddai Bryn hynny hefyd. Ond, yn amlwg, doedd dim syniad gan Anti Jan.

'You should dod gyda fi. Symud mewn an' all that. It'll be a ball. We'll rent a three-bed house down the Grange or maybe Riverside. Adamsdown if we have to. What d'you reckon?'

'Ar pa blaned wyt ti'n byw, Bryn, fuckin Neptune, ife?'

'Beth?'

'Ti 'di anghofio am fy ffein i'n barod?'

'Course not. But I've already told you that my pares'll take care of that. Loan you the cash…'

'A wedyn?'

'A wedyn you get a job. Get some money. Symud mewn.'

'Ti'n mental.'

'Wel, fi off i weld some houses wythnos nesaf. With or without you, I don't give a fuck. But the offer's there if you change your mind…'

'Jesus, Bryn, it's got nothing to do with changing my mind! Byswn i wrth fy modd yn symud mewn gyda ti, ond sa i'n gallu achos sdim arian 'da fi!'

'Alright, alright, calm down, dude. No need to get so wound up. It was just an idea.'

'Dau cod a sglods?' gofynnodd llais prydferth gyda'i wreiddiau ym Mhen Llŷn. Trodd y ddau ffrind i edrych arni – eu bochau cyn goched â'u llygaid bellach – gan wenu wrth groesawu'r bwyd.

Bochiodd Rod ar unwaith i mewn i'w bryd, ond cyn i Bryn ddechrau gwledda, mynnodd sylw'r weinyddes, a gyda'r hyder sy'n mynd law yn llaw â chwpwl o beints o Snakebite gofynnodd:

'Faint o'r gloch ti'n gorffen gweithio heno, dollface?'

Ddim y llinell agoriadol fwyaf gwreiddiol, efallai.

Ond digon effeithiol.

Effeithiol iawn, a dweud y gwir.

Amlosgfa Thornhill: Prynhawn Dydd Gwener

Wedi parcio'r Porsche yng nghysgod coeden binwydd dal, cododd Emlyn o'r car a chamu at ddrws ei wraig i'w helpu hi a'r bwmp i esgyn o'u heisteddle isel.

Am drawsnewidiad! meddyliodd Emlyn wrth wylio Cariad yn codi trwy lensys tywyll ei sbectol haul. Roedd hi ganwaith yn fwy dymunol a rhywiol yn ei dillad galar nag oedd hi y bore hwnnw wrth blygu dros y cot yn cael ei sbaddu gan goc gadarn ei gŵr.

Gyda'i bronnau yn bolio o dan sidan tywyll ei chrys, roedd hi bron yn bosib i Emlyn anwybyddu'r bola islaw iddynt. Ac er nad oedd hynny'n beth hawdd i'w wneud, teimlai Emlyn ei fod yn dechrau caledu rhyw fymryn.

'Ti'n barod?' gofynnodd.

Eisoes, gallai weld y dagrau'n dechrau cronni yng nghorneli llygaid Cariad. Nodiodd ei hateb, a phlygodd Emlyn ati er mwyn gosod clamp o sws ar ei thalcen. Wrth wneud, gwelodd gar du sgleiniog a chyfarwydd iawn wedi parcio rhyngddyn nhw a mynedfa capel yr amlosgfa, ac wrth iddo gerdded fraich ym mraich gyda Cariad heibio i'r car dechreuodd y ddau gi oedd yn gaeth mewn cewyll yn ei gefn gyfarth a glafoerio'n wyllt.

Cyflymon nhw eu cam, ond roedd y cŵn yn dal i arthio wrth iddyn nhw gamu o'r heulwen i mewn i gysegr y capel bach.

Sylwodd y ddau arno'n eistedd yn rhes gefn y capel, ei ben wedi ymgrymu fel tasai'n gweddïo. Sylwodd Emlyn hefyd ar y dogfenfag tywyll a orweddai ar y fainc bren wrth ei ochr. Gan ei anwybyddu'n llwyr, aeth Emlyn a Cariad i du blaen yr addoldy er mwyn ymuno â'r cynulliad bychan i gofio ac i ffarwelio â Stifyn. Dim ond rhieni Stifyn a llond llaw o berthnasau eraill oedd yno yn y capel bach.

Trodd ambell un i edrych arnynt, a nodiodd tad Stifyn arnynt â golwg brudd ar ei wyneb. Roedd ei wraig yn beichio crio, a Cariad hefyd, er ychydig yn dawelach.

Crwydrodd llygaid Emlyn at arch Stifyn. Ond nid tristwch na thosturi a deimlai, ond rhyddhad fod ei fywyd ar ben, wedi degawd creulon tu hwnt i Stifyn ac, yn bennaf, i'w rieni a'i deulu agos.

'Be mae o'n wneud yma?' gofynnodd Cariad yn dawel a chrac trwy ei dagrau. Ond ni chafodd Emlyn gyfle i ymateb, gan i'r gweinidog gyrraedd a dechrau'r gwasanaeth. Ac wrth i hwnnw ruthro drwy'r gwasanaeth, aeth meddyliau Emlyn ar wibdaith fach o'r presennol pryderus i ddyddiau euraid ddegawd ynghynt.

Wrth i'r cynulliad bychan godi ar eu traed i ganu emyn, cofiodd Emlyn yr anhrefn lwyr a amgylchynodd angladd Marcel a Snez, aelodau eraill y boy band Fflach!

Oherwydd y sylw cyfryngol i'r llofruddiaethau, cynhaliwyd

y cyd-wasanaeth angladdol yng Nghadeirlan Llandaf. Roedd yr eglwys gadeiriol yn llawn, er nad oedd braidd neb wedi clywed amdanynt cyn i Luc Swan eu saethu, a chriwiau ffilmio di-rif yno i gofnodi'r galaru cyhoeddus ynfyd.

Wrth gwrs, roedd Emlyn wedi chwarae ei ran yn y syrcas, ac wedi gwneud yn siŵr fod y digwyddiad yn cael cymaint o gyhoeddusrwydd ag oedd yn bosib. Pan ddarlledwyd ei ffilm ddogfen, *Murder on the Dancefloor*, ar y BBC flwyddyn a mwy wedi'r digwyddiad, yn anochel roedd yn llwyddiant ysgubol. Ond daliai i ddihuno mewn pwll o chwys pan gofiai am ei fethiant i ennill gwobr BAFTA Cymru am ei ymdrechion y flwyddyn honno, gan mai Derek Brockway, y dyn tywydd, gipiodd y wobr am ffilm ddogfen orau 2001, yn cofnodi ei daith i ddwyrain Ewrop i adeiladu ysgol neu rhyw nonsens o'r fath. Er y siom y noson honno, cafodd *Murder on the Dancefloor* ei darlledu ar BBC2 ledled Prydain, gan ddenu adolygiadau ffafriol iawn yn y wasg yn Lloegr. Wedi'r llwyddiant Prydeinig, gwerthwyd y ffilm i bedwar ban byd – Awstralia, America, Canada, Seland Newydd a Scandinafia hyd yn oed.

Ond wrth gofio na lwyddodd i ailadrodd llwyddiant y ffilm honno ar hyd y blynyddoedd, diflasu wnaeth Emlyn. Ac er i Akuma ehangu fel cwmni, rhaglenni cachlyd oedd eu bara menyn; rhaglenni dibwys, rhad, heb wreiddioldeb yn cael eu darlledu ar sianel leiafrifol, prin ei pharch. Wrth gwrs, roedd ei ffilm nodwedd, *Elvis Jones*, i fod i newid pob dim, ac mewn ffordd roedd hi wedi llwyddo i wneud hynny, ond nid fel y gobeithiai Emlyn iddi wneud. Diolch i'w anallu llwyr i greu ffilm artistig, ei libido nwydwyllt ac anhosturi Steffan Grey fel comisiynydd a chyn-gyfaill, roedd dyfodol Akuma a'i ddyfodol proffesiynol e yn edrych yn llwm iawn yr eiliad hon.

Wrth i'r gweinidog orffen ei druth duwiol, caeodd y llenni, ac wrth i'r cludfelt gario arch Stifyn tuag at fflamau'r ffwrnais, edrychodd Emlyn dros ei ysgwydd. Sylwodd fod Steffan Grey wedi diflannu, er na chlywodd neb ei gamau'n gadael, na'r drws yn agor a chau ar ei ôl.

Gwesty'r New House, Mynydd Caerffili, Caerdydd

Ymhen hanner awr roedd y Porsche wedi'i barcio yn y coed gerllaw gwesty'r New House ar lethrau Mynydd Caerffili, ac Emlyn a Cariad yn sefyll yn yr haul egwan yn mân sgwrsio â pherthnasau Stifyn wrth i'r ddinas ymestyn islaw.

Roedd Emlyn yn lwcus bod Cariad wrth ei ochr, gan nad oedd syniad ganddo beth i ddweud wrth y bobol 'ma. Byddai'n ymian ac yn mwmian o bryd i'w gilydd, gan nodio'i ben ac edrych yn ddwys tu ôl i'w sbectol haul.

Wrth i'r sgwrsio barhau heb unrhyw fewnbwn ganddo, trodd ei feddyliau at y tro diwethaf iddo fod yma, 'nôl ym mis Medi y llynedd. Cofiodd newyddion Cariad y bore hwnnw, a sut y newidiodd hynny bopeth ar unwaith. Cofiodd Beca a fe yn y tŷ bach i'r anabl – hi'n crio a rhegi a fe'n torri'n rhydd o'r hunllef gymhleth honno. Roedd e'n gobeithio'i bod hi'n iawn, wrth gwrs, er y byddai'n hapus pe na bai e'n ei gweld byth eto. Clywsai ei bod wedi gorfod gadael *Dechrau Canu, Dechrau Canmol* oherwydd iddi ddioddef rhyw fath o chwalfa feddyliol neu nerfol a'i bod hi bellach yn ysbyty'r meddwl yr Eglwys Newydd yn gwella'n araf yn dilyn ei chwalfa anffodus. Nid oedd Emlyn yn gwybod oedd hynny'n wir ai peidio, ac oherwydd hynny ni theimlai unrhyw euogrwydd ynghylch sefyllfa'i gyn-gariad. Eto i gyd, gwyddai ei fod wedi chwarae rhan allweddol yn ei haflwydd. Rhyddhad oedd yr unig deimlad, gollyngdod ei fod wedi dianc rhagddi mewn da bryd. Roedd hi wedi troedio'n agos at y dibyn – roedd ei hunan-niweidio a'i negeseuon testun yn brawf o hynny – a doedd dim rhyfedd ei bod wedi cael codwm mewn gwirionedd.

'Diolch yn fawr i chi am ddod,' ailadroddodd mam Stifyn am y trydydd tro ers i'r sgwrs ddechrau.

'Does dim angen diolch!' atebodd Cariad, gan afael yn ei llaw a gwenu.

'A diolch am bopeth ry'ch chi 'di gwneud dros y blynyddoedd. Wir nawr, bydde'r rhan fwyaf o bobol wedi stopio ymweld â fe flynyddoedd yn ôl...'

'Yn hapus o wneud.' Ymunodd Emlyn yn y sgwrs, yn falch cael anghofio am ei broblemau cyfredol am eiliad neu ddwy. 'On'd oedden ni, Cariad?' Pasiodd y baton yn ôl at ei wraig, oedd yn fwy na pharod i'w gymryd.

'Roedd Stifyn yn ddyn ifanc mor dalentog. Yn llawn hwyl. Bob amser yn gwenu a digon i'w ddweud. Dyna fel bydda i'n ei gofio. A ti hefyd 'de, Emlyn?'

'Yn sicr. Roedd dyfodol disglair o'i flaen e. Tan i...' Tawelodd Emlyn cyn yngan enw'r cythraul Swan, cyn ailafael yn ei gelwyddau. 'Wir nawr. O'r tri aelod yn Fflach!, Stifyn oedd y mwyaf talentog, heb os. Mae'r hyn ddigwyddodd iddo, iddyn nhw i gyd, yn drasiedi lwyr.'

'Diolch, Emlyn,' cydadroddodd y rhieni balch. Roedd ei gelwyddau yn fêl ar eu briwiau, a gwenodd Emlyn arnynt, yn hapus o allu lliniaru rhyw fymryn ar eu poen.

Dechreuodd mam Stifyn wylo unwaith yn rhagor, a gwyliodd Emlyn y colur o gwmpas ei llygaid yn creu deltâu dyfrllyd tywyll oddi tanynt. Wrth i Cariad ei chofleidio, edrychodd draw at dad y cyn-gantor yn sefyll o'i flaen yn hollol ddiemosiwn, gan adlewyrchu'r ffordd roedd e'i hun yn teimlo. Roedd rhieni Stifyn yn edrych yn llawer hŷn heddiw na'u gwir oedran. Doedd hynny ddim yn syndod, diolch i artaith lethol y degawd diwethaf, ac er bod y fam yn fwy na pharod i alaru'n gyhoeddus dros y mab a gollodd, dim ond rhyddhad oedd i'w weld ar wyneb ei dad. Ac er bod Emlyn yn teimlo tosturi llwyr tuag atynt, yr unig beth y gallai feddwl amdano yr eiliad hon oedd pa mor falch oedd e y byddai pob dydd Sadwrn yn rhydd o hyn 'mlaen, o leiaf tan y byddai Napoleon bach yn cyrraedd.

Trelái Isaf: Nos Sadwrn

'So beth ddigwyddodd ar ôl i fi adael?' gofynnodd Rod i Bryn, wrth wylio dŵr yr Elái yn llifo'n araf yn y gwyll dinesig.

'Hang on,' medd Bryn, gan godi'i fys i gyfeiriad ei ffrind a chodi'r bong persbecs dwy droedfedd – neu 'Big Bertha' i ddefnyddio'i henw swyddogol – i'w geg, cyn cynnau'r côn a sugno fel Dyson nes bod y swigod yn byrlymu a'i sgyfaint yn llawn llygredd. Wedyn, ar ôl dynwared draig, gwagio'i berfedd a llarpio digon o Stella i ailgyflwyno ychydig o leithder i'w geg, roedd yn barod i ateb.

'Right... um... beth oedd y cwestiwn?'

'Neithiwr. Beth ddigwyddodd?'

'Oh ie... right... you left at what time... sevenish... neu should I say saith... ish... what's "ish" yn Gymraeg... never mind... I don't really need to know... rest easy, Rodney... so ie... she finished her shift at saith... jyst ar ôl i ti adael in fact... she comes over carrying two pints of Bow... love at first sight, I tell you... sits down opposite me, eyeing me up, working me out, but I can tell she fancies me straight away...'

'Sut?'

'I don't know... I just did... her eyes... body-language...

fuck knows... but she did and I knew right away... so we're chatting... sgwrsio... yn Gymraeg, and I'm really trying not to sound like a cunt, but probably fail, let's face it... but the chit-chat's going well... digon o chwerthin... flirting... sexual tension... neu should I say tensiwn rhywiol i fod yn mwy accurate considering the company I was keeping, innit...'

Gwagiodd Rod ei botel Stella wrth wrando ar Bryn yn parablu, cyn ei gosod yn y bin cyfagos ac estyn un arall o'r oer-flwch oedd yn gorwedd rhwng ei sedd e ac un ei ffrind.

'... I was ar dân though... givin it "fy enw i yw Bryn, j'habite à Cardiff, le grande ville de Pays de Galles"... I actually said that to her too and she pissed herself... must have done Ffrangeg TGAU... well versed in the world of Tricolore... Jean-Claude... Chantelle... La Rochelle... tourne à gauche... où est la banque, and all that... and then she gives it "Fy enw i ydi Alis, gydag i-dot"... as if that's supposed to impress me or something...'

Cododd Rod y bong yn awr, datgysylltu'r côn a'i wagio ar lawr, cyn ei lenwi unwaith eto yn y fowlen fach llawn cymysgedd brown ffluwchog. Ond cyn codi'r ddyfais at ei geg, ymlaciodd yn ei sedd blastig a gwylio'r ddwy lein bysgota yn ymestyn i'r nos o'u blaenau. Ac er nad oedd Rod erioed wedi bod yn sgota o'r blaen, ac er bod y pysgod yn gwrthod chwarae'r gêm hyd yn hyn heno, rhaid oedd cyfaddef bod rhywbeth hollol chilled am yr holl beth – y cydymaith perffaith i slab o Stella a llond powlen o berlysiau.

Yn wahanol i Rod, roedd Bryn wedi'i fagu â gwialen yn ei law, diolch yn bennaf i ddiddordeb ei dad yn y gamp a'r ffaith fod gardd ei gartref yn ymestyn i lawr at lan yr afon Elái. Roedd Wncwl Steve wedi gwirioni gymaint fel ei fod wedi adeiladu cwt pren bach digon cartrefol er mwyn ei gysgodi fe a'i fab rhag yr elfennau pan fyddent yn penderfynu bwrw lein i'r afon a gweld beth fyddai'n brathu.

Taniodd Rod y côn wrth i Bryn fynd yn ei flaen gyda hanes y noson cynt.

'… Alice gydag i-dot! I says… ond mae gan bob Alice yn y byd i-dot, luv… and then I start listing all the Alices I know… Alice Cooper… Alice in Chains… Alice in Wonderland… and once again she wets herself… she then explains her name to me as if I'm in remedial class or something… which I suppose I was and still would be if I was astudio Cymraeg yn yr ysgol… anyway… she says that Alice yn Gymraeg is spelt with a "y"… A-L-Y-S… but that her name's spelt with an i-dot… A-L-I-S… an anagram of her mam's name… she's called Lisa, by the way… which makes perfect sense if you believe her story… which I did and still do… no reason not to…'

Chwythodd Rod y mwg allan dros yr afon mewn pryd i weld tân gwyllt yn sgrialu i'r awyr o rywle yn y Tyllgoed tu hwnt i'r afon dywyll, a ffrwydro'n gawod o liwiau llachar o'u blaen.

Amseru gwych, chwarae teg.

Tynnodd ei sylw o'r ffurfafen pan ddechreuodd un o'r leins ddawnsio yn y dŵr, ond pan afaelodd Bryn yn reddfol yn y wialen i weld beth oedd yn digwydd, llaciodd y lein ar unwaith.

'… so after finishing our pints and the introductions we head to the Robin Hood, where we find a nice quiet corner and snuggle up a little…'

'Snuggle up?'

'Yeah. Beth? What's wrong with that?'

'Dim byd. Os chi'n ddeuddeg.'

'Fuck off, Rod, and let me finish... so... while we snuggle up nice and close she turns to me and says "Dw i'n dod o Rhiw, Bryn"... now, I don't really know what she's on about, but I guess – correctly as it happens – that Rhiw is some tiny village in Gogland... so I say "I'll take that as a good omen"... and once again she laughs her lovely tits off...'

'Ac oedd e?'

'Beth?'

'A good omen?'

'Too fuckin right it was... soon enough she was feeling my cock under the table... then it was back to her gaff on Romilly Road for a bit of jiggery-pokery... it was pure Hollywood-style sex as well... soon as we're through the front door she's tearing my clothes off, sucking my cock and balls in the hall... her housemates were off somewhere for the weekend... I didn't give a fuck anyway... they could have watched for all I cared... it was amazing, Rod... I fucked her on the stairs first time... from behind... and you know she's up for it when you do the dog first time...'

'Filth.'

'Oh yes... then we hit the sofa for a spliff... and that only made her hornier...'

'Tone Loc was right then.'

'He fuckin was as well... good old Tone... we did it on the sofa after finishing the smoke and finally made it upstairs to her bedroom where we fucked until we both passed out sometime around three...'

'How did you know it was three?'

'I looked at the clock... what the fuck sort of question is that? Who gives a fuck what time it was... time stood still, bra... it was fuckin magic... the best sex I've ever had... no doubt...'

'That's not saying much though, is it?'

'Fuck off!'

'Beth yw ei hoed hi?'

'Dau ddeg dau. Same as us.'

'Perffaith.'

'Ideal... she graduated from the Coleg Cerdd a Drama last summer... claims to be an actress and a dancer... she said she'd done a little acting... *Pobol y Cwm*... *Belonging*... *Caerdydd*... *Torchwood*... nothing major though... small roles... that's why she's working in the Halfway... paying the bills... waiting for her break... but she defo had a dancer's body... really toned... perfect tits... wicked ass... and the flattest stomach I've ever seen... you could have played pool on it...'

'Nice.'

'Ffyrfach, I believe, is the word you're looking for.'

'Beth?'

'Ffyrfach. Toned yn Cymraeg.'

'Good vocab!'

'Cheers. I looked it up on-line this morning.'

'Ti'n gweld hi eto 'te?'

'Beth wyt ti'n meddwl? Of course I'm seeing her again. Tomorrow as it happens. She's got a day off. I'm meeting her down the Riverside market at eleven, she's gonna cook me some nice dinner, walk in the park, few beers... and lots of fucking of course.'

'Wrth gwrs.'

'Gog birds are the way ahead, bra. I'm fuckin converted anyway.'

Ac wedi i'r stori ddod i ben ar y nodyn hwnnw, ailafaelodd Bryn yn y bong a mynd ati i chwalu'i ben ymhellach cyn i Rod ymuno ag e er mwyn gorffen y rownd.

Ac yna, gyda'u calonnau ar ras a'u pennau mor gymylog â llethrau'r Wyddfa ar doriad dydd, daeth cnoc ar ddrws y cwt a wnaeth i'r ddau gyfaill gachu eu pants mewn cytgord.

Agorwyd y drws gan Wncwl Steve, gyda pheint o Guinness ffres yn ei afael a chwinc drygionus yn ei lygaid.

'Shove up, boys, and let me have a seat, and while you're at it, pack us a cone, would you, Rod?'

Ac wedi iddo eistedd, edrychodd Steve ar y bechgyn gan synnu ar eu stad, er nad oedd e'i hun yn agos at fod yn sobor.

'Jesus fuckin Christ, check the state of you two! How many bongs have you smoked tonight? No, actually, don't answer, I don't want to know. And before I forget, before I smoke the bowl that is, are you ok for the coming week, Rod?'

'Aye...' atebodd Rod wrth sgriwio'r côn i mewn i'r bibell yn barod ar ei gyfer. 'And thanks, Uncle Steve, I really appreciate your help.' Roedd Rod wedi gofyn i Steve fenthyg yr arian iddo allu talu'r ddirwy yn dilyn achos llys y diwrnod cynt, ond yn hytrach na gofyn iddo ad-dalu'r arian cynigiodd Steve fod Rod yn gwneud wythnos o waith yn rhad ac am ddim iddo er mwyn talu'r ddyled. Roedd hynny'n siwtio Rod i'r dim, wrth gwrs, er nad oedd e wir yn edrych 'mlaen at wythnos o labro ar ryw safle adeiladu neu'i gilydd. Yn enwedig gyda'r tywydd garw roedd Derek Brockway yn ei addo ar gyfer yr wythnos i ddod.

'Don't mention it, Rodney. Least I can do. You're like a son to me. Not a favourite son, obviously, more like an illegitimate son that I only see once a year at Christmas or something. But still a son, no less.'

'Thanks. I think.'

'Any luck tonight then, boys? There're some big fishies out there these days. I caught a huge pike last week, I did. At least twenty pounds, I reckon…'

'Nothing, Dad,' atebodd Bryn, wrth ddal y bong a gadael i'w dad barablu nawr.

'It's the perfect sport for getting high, I reckon,' cynigiodd Rod.

'Ha! Too right it is. When I was growing up, me and your dad used to do the same thing exactly. The eels were huge back then. We used to take 'em home and my mam would cook 'em up for brekkie. How is your dad by the way?'

'Same as.'

'Aye. Shame that. But there we go. I might have gone the same way if Jan would have died young. Who knows? Anything I can do to help?'

'Nah. He's beyond help, I reckon. He only lives for the booze. Nothing else.'

'Well, if I can do anything, ever, let me know. We used to be tight, me and your dad.'

'I know. Thanks, Uncle Steve.'

'No worries. Now pass me Bertha, would you, Bryn?'

'You sure it's a good idea, Dad? After last time like?'

'That was a one-off, son. You know that. And anyway, your mam's not here tonight, is she, so I won't be able to puke up over her in bed, even if I do pull another whitey.'

'Ok, whatever. Just go easy, yeah, there's a shitload of dope in this mix.'

'Don't patronise me, son. I was smoking cones when you were nothing but a tadpole in my nutsack.'

'But you're still a lightweight, Dad.'

'Don't be so cheeky, you little cunt. I'm just out of practice, that's all.'

'We'll see about that now, won't we.'

'Aye, we fuckin will an' all!' Ac i ffwrdd ag Wncwl Steve i geisio dangos i'w fab nad oedd wedi colli'i blwc. Ac wedi chwalu'r côn a chwydu'r mwg i'r noson glaear, suddodd i'w gadair, gafael yn ei beint a gadael i'r ganja ei gofleidio fel hen ffrind.

Mynnodd Bryn sylw ei gyfaill a nodio at ei dad â'i ben gan wenu.

'Check the state of you, Dad. You're fuckin fucked!'

Trodd Steve ei ben yn araf tua'r llais, cyn gwenu ar ei 'feibion'.

'Too right I am, Bryn. But I'd be very, very, *very* disappointed if I wasn't, wouldn't I?'

Eisteddodd y tri mewn tawelwch am ychydig, ar goll yn nrysfeydd eu meddyliau.

'What the fuckin fuck is that?' Ysgydwodd llais Wncwl Steve Rod a Bryn o'u myfyrdodau.

'What?' gofynnodd y ddau gyda'i gilydd.

'Look!' Ac yn arnofio'n araf tuag atynt yn y dŵr du roedd corff dynol yn gwisgo cot puffa gyfarwydd iawn.

Allan â'r tri o'r cwt, gyda Steve yn arwain y ffordd ar goesau braidd yn sigledig. Gafaelodd Bryn yn y rhwyd er mwyn glanio'r wompyn annisgwyl, a gwyddai'r tri bod y corff yn gelain cyn ei dynnu ar dir sych.

'You know who that is, don't you, Bryn?' dywedodd Rod yn hollwybodus.

'Aye.'

'Who? Who is it, and how the fuck do you know from the back?'

'It's the jacket, Dad. Only one rude-boy wears a jacket like that around here.'

'Who?'

'MC Kardz,' cydadroddodd y ddau, er nad oedd yr enw'n golygu dim i Steve.

'Who?'

'Never mind. He's just one of the local idiots. Thinks Ely is Compton or South Beach or something. Him and his gang hang around the Spar. You must have seen him around, Dad.'

'As you know, son, I avoid the Avenue at every opportunity. But still, I wonder how he ended up in the river? Doesn't sound like the suicidal type…'

A phan dynnodd Rod a Bryn ei gorff i'r lan, cafodd Wncwl Steve ei ateb gan fod gwddw MC Kardz wedi'i dorri o glust i glust yn gelfydd. Chwydodd mewn ymateb i'r hyn a welodd, gan wagio'r cyrri a fwytaodd yn gynharach i'r afon – gwledd i'r pysgod, heb berygl o gael eu bachu.

Camodd Bryn at ei dad a mwytho'i gefn, tra plygodd Rod wrth ochr corff Kardz. Cododd yn sydyn ac estyn ei gamera o'i fag oedd yn y cwt, cyn dechrau ffilmio'r celain mud.

'What the hell are you doing?' gofynnodd Wncwl Steve trwy'r glafoer sbeislyd.

'I've got to get this on film. I've been following Kardz for years, and this is where it ends…'

Daeth yr heddlu yn gwisgo lifrai rhyw ddeg munud ar ôl i Steve eu galw, mewn dau gar â'u golau'n fflachio ar y stryd o flaen y tŷ. O fewn hanner awr roedd cartref Steve a Bryn yn llawn heddweision, rhai mewn lifrai a rhai mewn siwts a chotiau hir. Roedd golau llachar y tîm fforensig yn goleuo'r ardd gefn a'r afon tu hwnt gan fod corff Kardz a'r modd y bu farw yn achos difrifol, wrth reswm.

Ymhen dim daeth DS Jones a DC Ellis trwy'r drws.

Roedd DS Jones, fel arfer, yn foesgar a pharchus wrth ddelio â'r triawd a eisteddai o gwmpas y ford frecwast yn syllu ar y stêm yn codi o'u cwpanau te.

Ond roedd DC Ellis, yn ôl y disgwyl, eisiau sicrhau bod Rod yn hollol ymwybodol o'i safle yn neg uchaf ei gachrestr bersonol. Ac wrth i'r ditectif ifanc ddatgan mai Rod oedd ei 'number one suspect' yn yr achos hwn, penderfynodd Rod yn y fan a'r lle bod yn rhaid iddo adael ei filltir sgwâr, a hynny ar hast hefyd. Ac er nad oedd syniad ganddo sut y byddai'n cyflawni hynny, nid oedd agwedd afiach DC Ellis yn gadael llawer o ddewis iddo.

Tafarn Brewsters, Cyrion Caerffili: Prynhawn Dydd Sul

Yn y Porsche yn teithio dros gopa Mynydd Caerffili, trodd Cariad i edrych ar ei gŵr. Roedd Emlyn yn gwgu wrth yrru am dref y caws, y castell a Tommy Cooper, a heb yngan yr un gair ers gadael Llandaf. Gwyddai Cariad fod ganddo broblemau yn y gwaith a'i fod, ar yr un pryd, yn ysu ac yn ofni dychwelyd i'r swyddfa yfory ar ôl wythnos o wyliau, a bod ei ysgwyddau'n gwegian o dan y pwysau. Ond gwyddai hefyd nad hynny oedd yn effeithio arno ar yr eiliad hon. Wrth gwrs, roedd Akuma'n siŵr o fod yng nghefn ei feddyliau, yn atseinio'n dawel rhywle yn y cysgodion, ond pen y daith fach yma oedd wrth wraidd ei hwyliau tywyll, yn hytrach na diffygion cyfredol ei gwmni cynhyrchu.

Gyda thŵr cam y castell yn hawlio sylw Cariad trwy'r

ffenest, tu hwnt i'r ffos ffiaidd a'r dofednod anystyriol a dreuliai'u hamser yn hwylio trwy'r sbwriel a'r ewyn estron yr olwg, mentrodd agor ei cheg mewn ymdrech i dawelu gofidiau ei gŵr.

Llithrodd ei llaw ar hyd ei goes, cyn ei thynnu o 'na pan deimlodd ei gyhyrau'n tynhau, a'i gadael i orffwys ar law Emlyn oedd yn gafael yn y gearstick mor gadarn nes bod ei ddyrnau'n wyn o dan y straen.

'Mae'n rhaid i ti ymlacio, Ems.'

'Fi wedi yml…'

'Nac wyt, siŵr dduw, edrych ar dy g'mala. Maen nhw bron â gwthio trwy'r croen!'

Edrychodd Emlyn ar ei law chwith, cyn ei llacio fymryn a gadael i'r gwaed lifo'n rhydd unwaith eto.

'Mi fyddi di'n grêt, Ems, yn dad gwych, ti'n gwybod hynny, dwyt?' Dim ateb. 'Mae gen i ffydd ynot ti. Iawn?'

Roeddent ar y ffordd i barti pen-blwydd Miriam, un o ferched Euros, yn bedair blwydd oed, ac roedd Cariad wedi gweld ei gŵr fel hyn ar fwy nag un achlysur yn y gorffennol. Yn wir, bob tro y byddai'n rhaid iddynt fynd i un o bartïon merched ei frawd.

Nid oedd Emlyn yn gwybod sut i ymddwyn mewn sefyllfaoedd o'r fath. Ond yn fwy na hynny, nid oedd yn gwybod sut i ymateb na rhyngweithio gyda'i nithod na rhieni eu ffrindiau chwaith. Teimlai Emlyn fel esgymun cymdeithasol mewn partïon plant, ond eleni roedd pwysau ychwanegol arno i newid, wrth iddo baratoi ar gyfer dyfodiad ei blentyn ei hun a'r holl bartïon y byddai'n rhaid iddo'u trefnu a'u mynychu yn ystod y blynyddoedd nesaf.

'Fi'n casáu mynd i'r pethe 'ma, Car.'

'Y gwir o'r diwadd! Ond gad i fi rannu cyfrinach fach efo chdi. Dw inna'n eu casáu nhw hefyd. Ac yn fwy na hynny, ma pob oedolyn sy'n cael eu gorfodi i fynychu yn eu casáu hefyd. A deud y gwir, yr unig bobol sy'n hoffi partis plant, wrth reswm, ydi'r plant…'

'Paid anghofio Martyn Geraint.'

'Ha! Gwir iawn, ma'r boi 'na'n gwneud ffortiwn ar eu cefnau.'

Roedd Euros yn chwarae pêl-droed gyda chyn-gyflwynydd *Ffalabalam* bob nos Iau, a Mr Geraint yn gwneud ei ffortiwn yn perfformio ym mhartïon plant ei gydchwaraewyr.

'Fair play iddo fe, really. Gweld y gap, cymryd ei gyfle. Blah blah blah. Ond fi'n dweud wrthot ti, os bydd e'n troi lan heddi, bydda i'n stwffo'r fuckin lygoden binc 'na lan ei dwll tin e gan ganu "Mae gen i dipyn o dŷ bach twt" yn dyner yn ei glust!'

'Agorwch dipyn o gul eich crac…' canodd Cariad yn ei llais cerdd dant gorau, a chwarddodd Emlyn wrth i'r tensiwn ddiflannu o'r car.

Ond er iddo ymlacio rhyw ychydig cyn cyrraedd eu cyrchfan, sef tafarn Brewsters i'r gogledd o Gaerffili, dychwelyd wnaeth y tyndra a'r pryder wrth i Emlyn barcio'r Porsche a diffodd yr injan. Unwaith yn rhagor, bu'n rhaid i Cariad geisio'i gorau i godi'i galon. Blydi dynion! meddyliodd wrth blygu tuag ato a gosod ei breichiau o gwmpas ei wddf – gweithred anodd tu hwnt, diolch i'w bola mawr a'i gynnwys bywiog.

'Ems,' dechreuodd sibrwd, ac wedi goresgyn y reddf i roi slap iddo ar draws ei foch a mynnu ei fod yn tynnu'i ben allan o'i din ac ymddwyn fel dyn yn hytrach na phlentyn, mwythodd ei ego bregus gydag ambell air yn syth o'i chalon. 'Mi fydd rhaid i chdi ddod i arfer…' Rhoddodd Emlyn ei law ar fola'i wraig wrth iddi ddechrau dweud ei dweud, a theimlodd Napoleon bach yn cicio yn y groth. Gwnaeth hynny iddo wenu, cyn i'r geiriau nesaf o geg ei gymar doddi ei galon fel delw gŵyr mewn ffwrnais. '… â phartïon fel hyn, achos dim ond dechrau ein teulu ni ydi Napoleon, ti'n sylweddoli hynny, 'yn dwyt?'

Edrychodd Emlyn arni, cyn gwenu'n ddisglair a phlygu'i ben i'w chusanu. 'Faint sydd gen ti mewn golwg 'te?' gofynnodd, wedi gorffen y gusan.

'Tri o leia,' medd Cariad yn llawn awdurdod. Roedd hi'n amlwg wedi meddwl am hyn. 'Dau hogyn, a hogan fach yn y canol.'

Ac ar y nodyn hwnnw, camodd Emlyn o'r car ac agor y drws i Cariad, cyn ei thynnu allan o'r cerbyd, gan na allai godi heb gymorth bellach. Pwysodd Cariad ar ochr y Porsche yn cwyno am anaddasrwydd y cerbyd o ystyried ei chyflwr, wrth i Emlyn blygu a gafael yn yr anrheg anferth oedd wedi'i lapio mewn papur pinc sgleiniog.

Mwythodd Cariad ei bola'n fodlon ei byd wrth i'r haul gaeafol dwymo croen ei hwyneb. Roedd hi'n mwynhau ei beichiogrwydd bellach, a'r trydydd trimester yn hudolus, yn enwedig o'i gymharu â'r cyntaf, fu'n llawn pryder, salwch ac ansicrwydd. Ac er ei bod hi'n gwybod yn iawn nad edrychai ar ei gorau, teimlai'n fwy godidog nag y gwnaethai erioed o'r blaen. Gallai handlo unrhyw beth, cyflawni unrhyw her. Ar wahân i gystadlu mewn mabolgampau, wrth gwrs.

'Sbia!' mynnodd Cariad, a phan drodd Emlyn i weld testun ei brwdfrydedd, gwelodd deulu ifanc yn cerdded tua'r brif fynedfa – tad a mam, law yn llaw, a dau fachgen tua thair a chwech oed bob ochr i'w chwaer, oedd wedi'i gwisgo fel tylwythen deg.

'Ooooooooo,' medd Emlyn yn goeglyd gan dderbyn pen-elin yn ei asennau am wneud.

'Oh c'mon, Ems, paid â dweud nad ydi hynny'n toddi dy galon di.'

'Pa galon?' daeth yr ateb, gyda gwên.

Diflannodd hwyliau da dros dro Emlyn cyn gynted ag y cerddodd trwy'r drws. Wrth gwrs, roedd yn disgwyl gweld plant yma heddiw – wedi'r cyfan, tafarn wedi'i haddasu'n benodol ar eu cyfer nhw a'u rhieni oedd hon – ond nid oedd erioed wedi dychmygu y byddai cymaint o blant yma chwaith.

'Fuckin hell!' ebychodd yn dawel yng nghlust Cariad wrth weld dyn wedi gwisgo fel cowboi yn cerdded heibio, gyda phedwar plentyn bach yn sgrechen a chwerthin mewn perlewyg llwyr ac yn hongian oddi arno. Ond pan drodd y Siryf o gwmpas, bu bron i lygaid Emlyn neidio o'i ben pan welodd mai Euros ei frawd oedd yr ynfytyn.

'Howdy!' medd Euros mewn acen Americanaidd uffernol.

'Yeee-haaaaaa!' ebychodd Cariad yn llawn hwyl.

'Jesus fuckin Christ,' oedd ymateb Emlyn, ac ysgydwodd ei ben ar ei frawd mawr.

Plygodd Euros i lawr er mwyn i'r plant gael disgyn oddi ar ei gorff yn ddiogel, ac aeth Miriam a Megan, ei angylion bach, yn syth at Anti Cariad a'i chofleidio, gan anwybyddu Wncwl Ems yn llwyr, er mai fe oedd yn cario'r anrheg.

'Pwy sy 'di marw?' gofynnodd Euros wrth edrych ar wyneb ceffyl ei frawd.

'Sa i'n gwybod pwy sy 'di marw, Eus, ond mae dy hunan-barch di ar goll yn rhywle, presumed dead mae'n siŵr.'

Gwenodd Euros ar ei frawd. Gwên llawn tosturi. Nid oedd Emlyn wedi profi'r pleser llwyr oedd yn dod o wneud i'ch plant wenu a chwerthin. Eto. A fflachiodd delwedd o flaen ei lygaid – Emlyn wedi'i wisgo fel Sportacus, mwstash paedoffeil o dan ei drwyn, yn dawnsio a chicio ac yn arwain llond stafell o blant ar helfa drysor hudolus. Gwyddai Euros fod ei bersona teuluol mewn gwrthgyferbyniad llwyr â'i un proffesiynol, ond pan fyddai'n clywed ei ferched yn chwerthin byddai unrhyw amheuon oedd ganddo'n diflannu. Roedd ei ferched yn werth y byd, a'u hapusrwydd nhw oedd unig amcan ei fywyd bellach. Swydd oedd bod yn dditectif; dim mwy, dim llai. Ond roedd ei deulu yn alwedigaeth ac yn brosiect oes. Doedd dim cymhariaeth, ac fe ddeuai Emlyn i sylweddoli hynny.

'Dere'r fucker diflas, ymuna yn yr hwyl!'

'Peint gyntaf. Ti moyn un?'

Ac wedi bachu dau beint o Brains wrth y bar, ymunodd y brodyr â gweddill y parti. Aeth Emlyn yn syth at Cariad, oedd wrthi'n sgwrsio â Caroline, gwraig ei frawd, gan gydbwyso Miriam a Megan ar ei chôl.

'Iawn, Ems?' gofynnodd Caroline. 'Ti'n edrych yn petrified.'

'Fi yn petrified, Caz.' Syllodd Emlyn ar ei nithod, ill dwy wedi'u gwisgo fel tywysogesau, yn sbarcls a sidan i gyd. 'Iawn ferched?' Ceisiodd ddechrau sgwrs, ond ei anwybyddu wnaeth y ddwy, gan syllu ar y gwallgofrwydd o'u cwmpas – plant ym mhobman, rhieni ar eu holau, gweiddi, sgrechen, danteithion, diodydd lliwgar llawn rhifau-E, ac arogleuon estron yn arnofio yn yr aer. Nid oedd Emlyn eisiau meddwl gormod am hynny…

'Oi!' ebychodd Euros arnynt. 'Ma'ch wncwl yn siarad â chi.'

Trodd y ddwy i'w wynebu, cyn i lygaid Miriam agor i'r eithaf wrth sylwi ar yr anrheg pinc yn ei afael.

'Rho fe gyda'r gweddill,' gorchmynnodd Caroline wrth ei gŵr, a chan anwybyddu cwyno'i ferch ifancaf, oedd am ei agor ar unwaith, cariodd Euros yr anrheg a'i osod ar fwrdd yn y cornel oedd yn llawn anrhegion pinc o bob maint a lliw.

'Jesus!' ebychodd Emlyn wrth weld y pentwr.

'Fi'n gwybod,' atebodd ei frawd. 'Ridiculous, ife. Sdim syndod bod y plant 'ma mor spoilt...'

'I blame the parents!' dywedodd Caroline gan chwerthin.

'Ie, rhieni plant eraill!' chwarddodd Euros dros y lle, ond parhau i syllu ar yr anrhegion wnaeth Emlyn.

'Y peth gorau am gael cymaint...' dechreuodd Caroline esbonio, cyn i'r merched adael côl Cariad a rhuthro am y man chwarae meddal, '... yw bod chi'n sorted am anrhegion i blant pobol eraill am weddill y flwyddyn.'

'Be ti'n feddwl?' gofynnodd Cariad.

'Wel, bydd Miriam yn agor yr anrhegion i gyd dros yr wythnos nesaf, ond dim ond y rhai bydd hi'n eu hoffi ac yn eu defnyddio y bydd hi'n eu cadw. Fi'n rhoi'r gweddill mewn cwpwrdd ac yn dipo i mewn i'r stash pan fydd angen anrheg ar ryw blentyn random wrth i'r merched gael gwahoddiad i barti. Handi iawn, fi'n dweud wrthoch chi.'

'No way!'

'Way. A sdim angen teimlo'n euog na dim, achos bydd o leia hanner yr anrhegion draw fynna wedi'u hailgylchu yn yr un modd...'

'Unwritten rule yw hi,' ychwanegodd Euros, cyn eistedd i lawr rhwng ei wraig a Cariad a dechrau mwytho bol ei chwaer-yng-nghyfraith braidd yn rhy frwdfrydig.

'Every little helps! A gad hi fod nawr, Euros, fi'n siŵr nag yw Cariad eisiau ti'n slobran drosti i gyd!'

'No way, Caz, ma hwn yn gyfle rhy dda i beidio gwneud.'

'Jyst rho belten iddo fe, Car. Ma fe'n obsessed gyda merched beichiog. Fi'n dala fe'n syllu ar complete randoms yn y stryd, yn yr archfarchnad. A dylse ti 'di weld e'n mynd i'r dosbarthiadau ante-natal. Perv wyt ti, Euros Jones!'

Syllodd Emlyn mewn anghrediniaeth lwyr ar ei frawd yn pawennu ei wraig unwaith eto.

Edrychodd Cariad ar ei gŵr o gornel ei llygad, yn syllu ar y sefyllfa swreal o'i flaen heb wybod yn iawn beth i'w wneud. Gwyddai Cariad fod Emlyn yn ei chael hi'n anodd yn yr adran gorfforol, a hithau'n fwy nwydus fyth yn ddiweddar wedi i'r bychan yn y bola lenwi'r groth. Gwyddai hefyd fod y weithred rywiol yn artaith iddo bellach, gan iddi gael cip ar ei wyneb yn ystod sesiwn ar fwy nag un achlysur. Er hynny, nid oedd yn rhaid poeni y byddai'n edrych am foddhad rhywiol yn rhywle arall, gan fod yr Emlyn newydd yn wellhad mawr ar yr hen fersiwn. Am y tro cyntaf erioed, roedd Cariad yn ymddiried ynddo'n llwyr.

'Fi'n mynd am ffag,' medd Emlyn, cyn troi ar ei sawdl heb air pellach, ond cyn iddo gyrraedd yr awyr iach roedd Euros wrth ei ochr.

'Hei, Ems, paid pwdu nawr. Jyst ffwcio o gwmpas o'n i.'

'Paid poeni, Eus, fi jyst bach yn…'

'Ffeindio ffwcio'r wraig bach yn weird, wyt ti?'

'Ydw. Sut…?'

'Wel, so hynny'n anghyffredin. Gofyn di i fwyafrif y darpar dadau. Ma pobol fel fi yn y lleiafrif. Ond Jesus, ma rhywbeth hudol am fenyw feichiog. Serious nawr, sa i'n gwybod beth yw e, ond ma fe'n turn-on llwyr i fi.'

'Fi jyst yn edrych 'mlaen at gael fy ngwraig i'n ôl. Minus y bola.'

'Aye, a bydd digon o amser ac egni gyda chi i ffwcio drwy'r dydd wedyn, bydd!'

'Falle dim egni nac amser, ond bydd mwy o awydd.'

Chwarddodd y brodyr, cyn i'r tawelwch ddisgyn.

'Oh shit!' medd Euros wrth weld dyn yn ei dridegau cynnar yn agosáu.

'Be sy?'

'Dim byd. Rhaid i fi fynd. Newydd gofio rhywbeth...'

Ac i ffwrdd ag Euros, gan nodio'i ben ar y dyn wrth basio.

Ymunodd y dyn ag Emlyn, cyn tanio rhôl ac estyn ei law.

'Brawd Euros, ie? Fi yw Tom. Tad Dafydd.'

'Emlyn.'

'Neis cwrdd â ti. Pa un sy'n perthyn i ti?'

'Beth?'

'Plentyn. Pa un...?'

'Oh, reit. Dim un o'nyn nhw. Ma'r wraig yn feichiog, though. Rhyw fis a hanner i fynd tan D-day.'

'The countdown has begun.'

'Yn sicr. Ma'r naw mis 'ma 'di teimlo fel naw mlynedd cofia.'

'Aye. Tell me about it. Fi'n disgwyl yr ail nawr...'

'Oh ie? Ydy'r missus 'ma heddiw, neu wyt ti 'di rhoi prynhawn bant iddi?'

'Wel, mae braidd yn gymhleth...'

'Sut?' gofynnodd Emlyn heb feddwl, gan ddifaru gwneud bron ar unwaith.

'Wel... heb fod eisiau dy ddiflasu... nath mam Daf fy ngadael i'n ddiweddar... rhyw chwe mis yn ôl nawr... ar ôl iddi ffeindio mas 'mod i'n cael affair... ond dim ond y dechrau oedd hynny... o'n i'n gwybod mai camgymeriad oedd yr holl beth felly 'nes i orffen gyda'r cariad newydd er mwyn ceisio mynd 'nôl at y wraig… ond yn y cyfamser roedd hi wedi cwrdd â rhywun arall… a'r cariad yn feichiog 'fyd… so er bod hi'n disgwyl fy mabi i, sa i'n meddwl bydd perthynas dda gyda ni rywffordd… ma fy nghyn-gariad i'n gandryll… off 'i phen… a dw i wedi mynd o gael dwy fenyw yn fy mywyd i ddim un mewn llai na hanner blwyddyn…'

'Shit. Sori.'

'Paid bod. Bai neb ond fi fy hun.'

Ac wrth orffen eu mwg mewn tawelwch llethol, lletchwith, gwerthfawrogodd Emlyn unwaith eto pa mor lwcus oedd e o gael gwared ar Beca o'i fywyd, ac agwedd hael Cariad at ei gamymddwyn. Gwyddai ei fod yn byw bywyd cyfareddol, ac er i'w berthynas â Beca frifo'i wraig, ni fyddai'n ystyried gwneud hynny eto.

Ar y gair, daeth bachgen gwyrdd ei groen i fyny at Tom, yn cwyno ac yn griddfan.

'Dyma Daf. Dwed helô wrth Emlyn, Daf,' gorchmynnodd Tom, ond pan drodd y bachgen teirblwydd i gyfeiriad Emlyn, nid geiriau a lifodd o'i geg ond gwerth prynhawn llawn o fwyd melys a hylif lliwgar – enfys erchyll, heb aur yn agos at ei diwedd – dros ei sgidiau a'i drowsus.

Akuma Cyf., Heol Penarth: Bore Dydd Llun

'Urgh! Beth yw'r smell 'na?' gofynnodd Kate wrth osod pentwr o bost ar y ddesg o flaen Emlyn, gan grychu ei thrwyn fel cwningen mewn cachdy.

'Pa smell?' gofynnodd Emlyn yn amddiffynnol, er y gallai e hefyd ei arogli, nawr bod Kate wedi tynnu'i sylw ato.

'Y… sa i'n gwbod beth yw e… parmesan… ish… ond yn fwy rancid na hynny rywffordd…'

'Wel, am groeso 'nôl. Diolch, Kate!' dywedodd Emlyn yn goeglyd, er y gwyddai'n iawn at beth roedd hi'n cyfeirio – gweddillion cynnwys cylla Dafydd, y bachgen bach sâl ym mharti Miriam, ar ei sgidiau o dan y ddesg. Roedd wedi'u golchi a'u sgwrio'n drylwyr y noson cynt ar ôl dychwelyd adref ar frys o'r parti, gan ddefnyddio pob math o ddeunyddiau arbenigol. Credai iddo ddofi'r ffieidd-dra, ond profodd ymateb Kate nad oedd hynny'n wir. Ac er nad oedd Emlyn yn gallu arogli'r caws afiach cyn iddi ddod i'w swyddfa, dim ond y parmesan sur oedd yn hawlio sylw'i ffroenau bellach.

'Unrhyw beth i reportio o wythnos diwethaf, Kate?'

'Na. Dim really. Dim newyddion da fel y cyfryw. Ond dim disasters chwaith.'

'Oh,' atebodd Emlyn.

'Ti'n swnio braidd yn siomedig. Diolcha na wnaeth ti'n gwybod pwy ganslo unrhyw gytundebau eraill yn dy absenoldeb.'

Cododd Emlyn y pentwr post.

'Don't hold your breath. Sa i 'di agor rhain eto.'

'Croesi bysedd,' medd Kate, cyn troi ar ei sodlau.

Cyn troi ei sylw at y post, lluniodd Emlyn e-bost byr i'w wraig. Dim byd difrifol, jyst neges fach i adael iddi wybod ei fod yn meddwl amdani. Dim ond rhyw fis oedd ar ôl ganddi yn y gwaith bellach, a chwe wythnos cyn y diwrnod mawr. Penderfynodd Cariad fanteisio ar yr holl wyliau roedd hi wedi eu harbed dros y flwyddyn ddiwethaf a chael rhyw wyliau bach cyn esgor. Bwriadai ymweld â'i rhieni yn Port am wythnos, ond gwyddai Emlyn y byddai adre o fewn pedwar diwrnod man pellaf, gan fod ei mam yn mynd ar ei nerfau ar ôl cwpwl o ddyddiau yn ei chwmni. Y ddwy'n rhy debyg i'w gilydd, dyna oedd y broblem.

Gwnaeth hynny i Emlyn feddwl am ei fam ei hun. Er ei phersona busnes caled, byddai hithau'n llawn cyffro hefyd wrth edrych 'mlaen i gwrdd â'r bychan, a'i chalon yn agos at ffrwydro. Bachgen arall iddi ddotio arno, fel y gwnaeth hi ddotio arno fe ac Euros ill dau tan y diwedd. Roedd ei gŵr – tad Emlyn ac Euros, hynny yw – o'r farn ei bod hi'n llawer rhy faldodus a thyner gyda nhw. Ond Mam oedd yn iawn, hi oedd yn eu hadnabod orau. Ac fe ddatblygodd 'my boys', fel y galwodd hi nhw gydol ei hoes, i fod yn ddynion llwyddiannus ar fwy nag un lefel.

Edrychodd eto ar ei llun ar wal ei swyddfa. Gwenodd arni, cyn estyn am ei goffi a throi ei sylw at y pentwr o amlenni o feintiau a lliwiau amrywiol.

Dechreuodd trwy agor yr amlen ar y brig, gan ddifaru ar unwaith pan welodd logo a chyfeiriad y Sianel ar ben y dudalen. Darllenodd y cynnwys yn araf. Cadarnhad o sgwrs gafodd Emlyn gyda Rhian Phillips, y comisiynydd rhaglenni plant, yn ystod yr wythnos cyn ei wyliau, yn datgan na fyddai trydedd gyfres o *Rhys Rhechu* yn cael ei chomisiynu. Er nad oedd y gyfres yn wreiddiol mewn unrhyw ffordd, roedd hi'n hynod boblogaidd ymysg y gwylwyr iau, cyn-ysgol. Cyfres am glown diniwed oedd *Rhys Rhechu*, gydag artist meim yn baglu a ffwndro trwy amryw o sefyllfaoedd bob dydd – mynd i'r siop, cael bath, bwyta brecwast ac yn y blaen. Roedd Akuma wrthi'n ffilmio diwedd yr ail gyfres ar hyn o bryd, a'r tîm cynhyrchu'n broffesiynol tu hwnt, chwarae teg, ar ôl i Emlyn rannu'r newyddion drwg gyda nhw cyn iddo gymryd wythnos o wyliau. Byddai'n rhaid iddo ddechrau ystyried diswyddo rhai o'r staff, yn enwedig o gofio nad oedd *Amser Stori* yn cael ei gomisiynu chwaith, ar ôl dros chwarter canrif o ddarlledu ar y Sianel. Cyllideb gymharol fach oedd gan y ddwy gyfres, ac roedd y potensial i werthu fformat *Rhys Rhechu*, neu dim ond yr hawliau hyd yn oed, i wledydd tramor yn amlwg, gan nad oedd cymeriad Rhys yn siarad, felly dim ond troslais mewn iaith arall y byddai'n rhaid i ddarlledwyr o bedwar ban byd ei recordio cyn gallu dangos y gyfres.

Ac am y rheswm hwnnw, gwyddai Emlyn fod yna fendeta yn ei erbyn e yn bersonol ac Akuma, ei gwmni. Gwyddai hefyd nad oedd modd profi hynny, nac unrhyw ffordd o atal yr artaith, felly gafaelodd yn y parsel mwyaf a gobeithio bod rhywbeth ynddo a allai godi'i galon, neu hyd yn oed ddatrys ei holl broblemau. Wel, roedd yn rhaid breuddwydio ar adegau fel hyn.

Cododd yr amlen drwchus a'i harchwilio, rhag ofn ei bod hi hefyd wedi'i hanfon gan y Sianel. Ond CF5 oedd y marc post, nid CF14, felly aeth Emlyn ati i rwygo ceg ludiog yr amlen gan ddefnyddio cyllell fechan arian â charn lledr coch.

Arllwysodd y cynnwys allan o'r amlen a syllodd yn syn ar yr hyn oedd ar y ddesg o'i flaen. Tâp VHS. Nid oedd wedi gweld un ers blynyddoedd. Nid oedd llythyr cysylltiedig ond roedd gorchymyn syml wedi'i argraffu ar y sticer yng nghanol y tâp.

AT SYLW EMLYN EILFYW-JONES.
GWYLIWCH Y TÂP.
FFONIWCH 07812 010844.

Retro iawn, meddyliodd gyda gwên hunanwybodus, a chyfunodd y fformat hynafol a'r gorchymyn pendant i gyfareddu Emlyn ar unwaith. Wedi'r cyfan, roedd y diwydiant yn fôr o chwedlau am awduron a chyfarwyddwyr ffilmiau yn ceisio dal sylw cynhyrchwyr, comisiynwyr ac arianwyr trwy ddefnyddio dulliau gwreiddiol o gyflwyno'u gwaith.

Cododd y ffôn a galw Edit Suite 1.

'Deian. Emlyn. Ti'n iawn? Good. Falch clywed. Gwranda, oes 'na beiriant VHS 'ma'n rhywle?'

Ac wedi diolch i Deian, ffoniodd Emlyn Kate, a gofyn iddi anfon un o'r runners i'w swyddfa ar unwaith.

Ymhen munud, daeth cnoc uchel ar y drws. Edrychodd Emlyn ar y bachgen gorhyderus oedd yn sefyll o'i flaen, gan bendroni sut yn y byd y cafodd y mwlsyn y swydd yn y lle cyntaf. Wedyn cofiodd am ei gysylltiad teuluol a'r fargen a darodd gydag un o gomisiynwyr y Sianel. Penderfynodd Emlyn yn y fan a'r lle na fyddai 'beth bynnag yw ei enw' yn para mwy na'i gyfnod prawf, a fyddai'n dirwyn i ben ddiwedd yr wythnos hon.

Cyfleus iawn, meddyliodd, wrth lygadu'r hipster yn ei jîns tyn Russell Brandaidd a'i grys-T Marc Bolan.

'Iawn bos?' gofynnodd y bachgen. Cofiodd Emlyn am ei gyfweliad. Roedd e'n fwystfil tra gwahanol y diwrnod hwnnw. Yn gwisgo'i ddillad dydd Sul ac yn edrych fel petai ar fin llewygu unrhyw funud. Roedd pob un o'r ymgeiswyr eraill yn haeddu'r swydd yn fwy na hwn, ond oherwydd nepotistiaeth eofn y diwydiant roedd Akuma yn styc gyda'r haliwr am y tro.

Anwybyddodd Emlyn ei gyfarchiad a phalu'n syth at y pwynt.

'Ma angen chwaraeydd fideo arna i ar unwaith.'

'Be, VHS?'

'Ie, VHS. Ma Deian yn meddwl bod 'na un yn y storfa. Cer i hôl e i fi.'

'Wrth gwrs,' atebodd y rhedwr yn foesgar ac yn llawn brwdfrydedd, cyn diflannu i gyflawni'r dasg. Ond ni chafodd ei agwedd gadarnhaol unrhyw effaith ar Emlyn. Byddai'n ddi-waith cyn diwedd yr wythnos.

Dychwelodd o fewn deg munud gyda pheiriant yn cyfuno teledu a VHS llychlyd o dan ei fraich.

Cerddodd i mewn i'r swyddfa heb gnocio.

'Lle ti moyn hwn 'te, bos?'

'Uh… fan hyn… ar y ddesg…' gorchmynnodd Emlyn, wedi'i syfrdanu gan ba mor ddigywilydd oedd e.

Cofiai'r adeg pan fyddai pob runner ei ofn, neu o leiaf yn ei barchu. Roedd y dyddiau hynny wedi hen ddiflannu, a'r bobol ifanc a fyddai bellach yn ymuno â'r cwmni ar ris isaf yr ysgol gyfryngol yn ymddwyn fel petaen nhw'n berchen y lle ac yn gwybod popeth yn barod.

Symudodd Emlyn ei liniadur oddi ar y ddesg a'i osod yn ofalus yn y bag, cyn i'r bachgen osod y peiriant yn y man priodol a diflannu ar ei liniau o dan y ddesg i roi'r plwg yn y soced.

Cododd y rhedwr â golwg gyfoglyd ar ei wep.

'Fuckin hell, beth yw'r smell 'na?!' ebychodd yn wyllt gan gamu tuag at y drws.

'Ca'r drws ar dy ôl,' gorchmynnodd Emlyn, gan anwybyddu ei gwestiwn yn gyfan gwbwl.

Cododd y tâp a theimlo rhyw wefr estron yn ei fola. Cyffro oedd y teimlad. Hen ffrind nad oedd wedi'i brofi ers amser maith.

Ond cafodd déjà vu wrth i'r tâp ddechrau chwarae. Gwelodd ddrws agored mewn swyddfa cynllun agored gyfarwydd. Roedd y swyddfa'n wag a'r golau isel yn awgrymu bod y ffilm wedi'i saethu tu allan i oriau gwaith. Gyda drws y swyddfa ar agor led y pen, gallai weld ei hun yn eistedd tu ôl i'w ddesg a Beca yn eistedd gyferbyn â fe ar y noson dyngedfennol honno rhyw bedwar mis ynghynt.

Fuck! meddyliodd wrth i'r gair atseinio drosodd a throsodd yn ei ben. I ddechrau, yr unig beth y gallai glywed ar y trac sain oedd Beca yn beichio crio, ond ymhen dim clywodd ei lais ei hun yn siarad yn eglur. Ac er bod ei lais yn swnio braidd yn anghyfarwydd roedd e'n gwybod yn iawn beth oedd i ddod, gan iddo ail-fyw'r achlysur ddegau o weithiau yn ei ben.

Pum munud barodd y ffilm, ond teimlai fel diwrnod cyfan i Emlyn. Er hynny, gwyliodd hi eilwaith, gan ganolbwyntio i weld oedd 'na unrhyw gliwiau i ddatgelu pwy oedd tu ôl i'r ymdrech. Ai un o'r staff oedd yn gyfrifol? Neu'r boi diogelwch nos 'na, Karim? Wedi'r cyfan, fe oedd un o'r ychydig rai oedd yn gwybod am berthynas Emlyn a Beca. Ac er i Emlyn anwybyddu ei arferiad perlysieuol amlwg a rhoi bonws hael tu hwnt iddo bob Nadolig, nid oedd modd ymddiried ynddo'n llwyr, wrth reswm. Ond wedyn trodd at Steffan Grey. Ei hen ffrind. Ei nemesis newydd. Fe oedd wrth wraidd y fendeta yn erbyn Akuma, ac roedd digon o reswm ganddo i fynd i ryfel gydag Emlyn ar lefel bersonol hefyd.

Roedd ei ben ar chwâl yn awr, a Beca a Cariad yn flaenllaw iawn yn ei feddyliau. Credai Emlyn fod y llanast hwn wedi dod i ben gydag erthyliad y baban, ond awgrymai'r tâp nad oedd hynny'n wir. Roedd rhywun eisiau gwneud iddo dalu am y weithred. Arweiniodd hynny'n syth at Beca. Hi oedd yr unig un fyddai'n elwa o'r sefyllfa, yn enwedig o gofio'i thorcalon amlwg pan wrthododd Emlyn hyd yn oed ystyried chwarae rhan yn ei bywyd hi a'i ffetws. Cofiodd Emlyn yr holl negeseuon gwallgof a anfonodd hi ato. Yr hunan-niweidio. Y salwch meddwl. Rhaid mai hi oedd tu ôl i'r fideo. Ond sut? A phwy oedd yn ei chynorthwyo?

Gyda Cariad mor agos at esgor, roedd y VHS fel bom o

dan eu perthynas, eu dyfodol a'u hapusrwydd. Wrth gwrs, roedd hi'n gwybod am y berthynas, ond heb syniad am yr hyn ddigwyddodd wedyn. Byddai'n gandryll petai'n darganfod bod Emlyn wedi gorfodi Beca i gael erthyliad.

Gwasgodd y botwm a gwylio'r tâp yn cael ei chwydu allan yn araf o grombil y peiriant. Gafaelodd ynddo ac edrych ar y geiriau ac ar y rhif. Cododd y ffôn ar ei ddesg a dechrau deialu. Canodd am amser maith cyn i lais cyfarwydd ateb.

'Euros,' medd Emlyn. 'Ti ffansi peint yn y Butchers heno? Ma angen bach o help arna i.'

The Butchers Arms, Llandaf: Nos Lun

'Ti'n siŵr bod hi 'di cael gwared ar y babi?' gofynnodd Euros wrth ei frawd, wedi clywed yr holl hanes mewn manylder gan Emlyn dros beint neu bedwar yng ngardd gefn y Butchers.

Er yr oerfel sy'n cyd-fynd â noson glir ar ddechrau'r gwanwyn, roedd y brodyr yn gynnes braf diolch i'w cotiau trwchus a'r gwresogyddion awyr-agored ar y wal. Rhaid bod perchnogion y dyfrdwll yn ysmygwyr, dyfalodd Emlyn, gan mai dyma'r dafarn orau yng Nghaerdydd o ran adnoddau i ddarpar gleifion adrannau cardioleg ac ysgyfaint y GIG.

'Dim cant y cant. Fel wedes i, sa i 'di gweld y gont ers mis Hydref, ond fi 'di clywed sibrydion amdani...'

'Sibrydion?'

'Ie. Gossip. Ti'n gwbod. Industry goss. On the grapevine, fel petai.'

'Beth ti 'di clywed 'te?'

'Bod hi 'di gadael *Dechrau Canu* oherwydd "pwysau gwaith". Bod hi yn rehab yn rhywle.'

'Hmmm.' Nid oedd Euros mor siŵr â'i frawd. Sylwodd Emlyn ar hynny ac estyn ei ffôn o boced ei got.

'Anfonodd hi hwn ata i ychydig ddyddiau ar ôl i fi

roi'r arian iddi.' Dangosodd Emlyn y ddelwedd i'w frawd. Edrychodd Euros arno am sbel, gyda golwg ddryslyd ar ei wyneb.

'Beth yw 'i ystyr e?'

'Hara-ciri. Seppuku.'

'Beth?'

'Hara…'

'Glywes i ti'n iawn! Beth yw ystyr y blydi peth, Ems?'

'Dull o hunanladdiad oedd yn cael ei arfer gan y Samurai yn Siapan yw e, pan o'n nhw'n cwympo ar eu cleddyfau ac yn gwthio'r llafn i mewn i'w boliau.'

'Neis. Fi wedi clywed amdano fe 'fyd. Rhyw hen ffilm mae'n siŵr.'

'So fe'n gyffredin iawn bellach, wrth reswm, ond 'nes i fynd ar-lein ac mae 'na ddigon o enghreifftiau cyfoes mas 'na.'

'A ti'n meddwl mai…'

'Ydw. Nath hi anfon e ata i wap ar ôl i fi roi'r arian iddi i gael erthyliad. Beth arall alle fe feddwl?'

Cododd Euros ei ysgwyddau i ateb, cyn cymryd llond ceg o gwrw a chynnau sigarét arall.

'Falle bod hi jyst off 'i phen. Cwcw. La-la. Wacko Jacko.'

'Sa i'n gwadu bod hi'n boncyrs, Euros. A fel wedes i, sa i 'di gweld hi ers 'ny, so sdim ffordd o wybod yn iawn…'

'Tan heddiw.'

'Beth ti'n feddwl?'

'Y tâp. Y fuckin tâp.'

'Ti'n meddwl dylen i ffonio?'

'Heb os. In fact, gad i fi wneud. Pas dy ffôn 'ma, nei di? Wyt ti ar gael nos fory am gyfarfod bach gyda'r mystery man?'

'Neu woman.'

'Beth bynnag. Dim ond un ffordd sydd o ffeindio mas. Pryd a ble?'

'Bydde chwech o'r gloch yn ideal. Yn fy swyddfa i. Ar ôl i bawb adael gwaith.'

'Ti'n siŵr, Ems? Mae 'na bosibilrwydd bydd y bastard yn ddyn peryglus.'

'Ti ddim yn meddwl mai Beca sydd tu ôl i'r holl beth 'te?'

'Falle. Ond sa i'n disgwyl iddi hi ateb y ffôn na dod i gwrdd â ni chwaith. Rhyw middle-man fydd e, mae'n siŵr. Cloak and daggers, Ems. Cloak and fuckin daggers.'

'Ti'n mwynhau hyn, 'yn dwyt ti?'

'Sa i'n mwynhau dy weld ti'n gwingo, Ems, ond mae'r holl beth yn light relief o'i gymharu â beth dw i'n delio ag e yn y gwaith ar hyn o bryd.' Ac ar ôl galwad ffôn fer ond llwyddiannus, a dros bumed peint yr un o Brains, adroddodd Euros hanes MC Kardz a gwe gymhleth a threisgar gangiau Trelái a Chaerau – byd oedd yn bodoli lai na dwy filltir o'r lle yr eisteddent, ond byd nad oedd gan Emlyn unrhyw ymwybyddiaeth ohono.

Cei Dewi Sant, Bae Caerdydd: Nos Fawrth

Ar ddiwedd ei ail ddiwrnod yn gweithio gyda chwmni adeiladu Wncwl Steve, teimlai Rod fel petai wedi bod yn slafio am fis, os nad mwy. Roedd cyhyrau nad oedd yn ymwybodol ohonyn nhw, hyd yn oed, yn gwynegu, rhan isaf ei gefn ar dân diolch i'r holl friciau a sment a gariodd yn ystod y deuddydd a bysedd ei ddwylo fel petaen nhw wedi bod yn goglais crombil peiriant golchi peli golff. Roedd e'n barod am fath hir, sbliff gryf a noson dda o gwsg, cyn ailafael yn yr artaith ben bore. Ond doedd dim gobaith am hynny heno. Ddim am gwpwl o oriau ta beth. Roedd ganddo gyfarfod pwysig yn Akuma, y cyfarfod pwysicaf iddo orfod ei fynychu erioed.

'You ready, Rodney? Let's get out of here.' Eisteddai Steve tu ôl i olwyn yrru ei fan las ddi-fefl, y geiriau 'Starling Construction – Simply The Best Since 1986' yn ymffrost disglair ar ei hochr. Wrth ei ymyl, yn mygu'n dawel, roedd John the Wood, ei ffrind gorau a'r saer coed mwyaf dawnus ers Joseff. Roedd y ddau wedi bod yn cydweithio ers dros ugain mlynedd, ond ni chlywodd Rod e'n yngan yr un gair yn ystod y deuddydd diwethaf. Boi rhyfedd iawn, yn ddi-os.

Trodd Rod yn araf i edrych ar dad ei ffrind, a theimlodd gyhyr yn ochr ei wddf yn rhwygo. Cododd ei law at y goelcerth gnawdol, cyn ateb ei fos wrth grensian ei ddannedd.

'You go ahead, Uncle Steve. I've got to go meet someone down Bar Cwtch.'

'Lookin like that? Are you serious?'

'Yeah, of course,' atebodd Rod braidd yn amddiffynnol.

'Who you meeting then?' Nid oedd Rod yn disgwyl gorfod ymhelaethu ar ei gelwydd golau, ond daeth yr ateb yn ddigon hawdd.

'Just some girl I met down the Cornwall last week.'

'Down the Cornwall? What, down the Grange?'

'Yeah.'

'When do you ever go down the Cornwall, son?'

'Not often, granted, but I was down there last week.' Ysai Rod am i Steve adael llonydd iddo, gan fod yr atebion a'r straeon yn dechrau sychu. Roedd angen ffordd o ddod â'r sgwrs i ben, cyn y byddai tad Bryn yn torri tyllau yn ei stori. 'I went to this Welsh book launch down there…'

Edrychodd Steve arno mewn anghrediniaeth lwyr, a phwysodd John ymlaen yn ei sedd i edrych i'w gyfeiriad hefyd. Ac er na ddywedodd yr un ohonyn nhw yr un gair, roedd yr olwg ar eu hwynebau yn dweud y cyfan.

'One of my favourite authors, like. Catrin Dafydd,' ychwanegodd, ond ni helpodd hynny o gwbwl. Parhau i syllu arno fel pysgod aur wnaeth yr adeiladwyr. Ac er na fu ar gyfyl y Cornwall na lansiad Ms Dafydd, cofiodd ddarllen yn rhywle am ddigwyddiad yn y dafarn i ddathlu cyhoeddi ei nofel ddiweddaraf rai misoedd ynghynt.

'Katrin Daffyd? Never heard of her,' poerodd Steve.

'Well, of course you haven't, you can't speak Welsh!' ebychodd Rod. Yr unig beth roedd Steve a John yn ei ddarllen oedd y *Sun*, yr *Echo* a'r *News of the World* ar ddydd Sul, felly ni soniodd 'run gair am gampwaith yr awdur, *Random Deaths and Custard*, llyfr y gallai'r ddau ohonyn nhw fod wedi'i ddarllen pe na bydden nhw'n Philistiaid llwyr.

'Alright, son, keep your hair on. But I've never met a bird who's impressed with dust and grime...'

'Well, this one's well into it, Uncle Steve. Dirty as hell she is.'

A gyda hynny daeth y sgwrs a'r diwrnod gwaith i derfyn, ac i ffwrdd â Steve a John am adref yn chwerthin ar ffraethineb Rod... neu yn chwerthin ar ei ben efallai.

Edrychodd Rod ar y cloc ar ei ffôn. Roedd hi'n tynnu am hanner awr wedi pump. Wrth gwrs, byddai mwyafrif yr adeiladwyr yn gorffen yn llawer cynt, ond roedd Wncwl Steve yn gweithio awr ychwanegol o ddydd Llun i ddydd Iau er mwyn cael prynhawn dydd Gwener yn rhydd i fynychu tafarn y Victoria Park yng nghwmni John ac ambell i hen ffrind arall.

Dechreuodd Rod gerdded o'r safle adeiladu yn y Bae i gyfeiriad Riverside. Gyda'r tai teras, yr ieithoedd estron a dillad lliwgar trigolion yr ardal yn gwneud iddo deimlo fel estronwr yn ei ddinas ei hun, rhuthrodd yr adrenalin trwy ei gorff wrth i'w feddyliau droi at y cyfarfod.

Wrth i'w ben lenwi a'i ddychymyg grwydro, daeth un peth yn amlwg iddo – doedd e erioed wedi bod mor ofnus. Ac roedd hynny'n ddweud mawr o ystyried ei fagwraeth a'i fywyd ar y stad tai cyngor fwyaf, o ran maint ac enw drwg, yn y wlad. Aeth i'w warfag ac estyn ei faco, cyn stopio mewn arhosfan bws wrth y Tesco Metro ar gornel Heol Penarth er mwyn rholio sigarét i dawelu ei nerfau. Edrychodd ar y cloc ar ei ffôn unwaith eto – roedd yr amser yn cripian tuag at chwech nawr. Wnaeth y mwg ddim i leddfu ei bryderon.

Fel y gwnâi cyn pob cyfweliad, aeth dros bob dim yn ei ben: yr hyn roedd e eisiau oddi wrth Emlyn, ei gymhellion, y diffyg cyfleoedd, a'r hyn y gallai gynnig i'r cwmni.

Ond a oedd e'n disgwyl i Emlyn ei gredu? Pam dylse fe wneud, ta beth? Blacmêl oedd hyn yn y bôn. Yn sydyn, difarodd ddechrau ar yr holl gynllwyn ac ystyriodd droi am adref. Ond wrth sefyll ar y stwmpyn â sawdl ei esgid drom, cofiodd am y diffyg cyfleoedd i rywun fel fe, yn ogystal â'i awydd i gael swydd yn y diwydiant teledu a'i freuddwyd o ddianc rhag diffyg disgwyliadau ei gefndir a llwyddo yn yr hen fyd hwn ar ei liwt ei hun. Doedd ganddo ddim opsiynau eraill erbyn hyn, diolch i'w record droseddol.

Wrth gerdded ar hyd Heol Penarth tuag at ei gyrchfan, llifai'r cwestiynau i'w ben: sut y dylai ymddwyn yn y cyfarfod – caled neu digyffro? Fyddai Emlyn yn ei gofio?

Roedd wedi ei gymryd o ddifrif yn ystod yr alwad ffôn y noson cynt, neu o leiaf dyna fel y swniai ar y ffôn. Fe, Rod, oedd yn rheoli'r sefyllfa. Fe oedd ym meddiant y MacGuffin. Trosglwyddodd y ffilm o'r cyfarfod rhwng Emlyn a Beca i dâp VHS gyda chymorth Bryn rai wythnosau ynghynt. Proses olygu gyntefig a syml tu hwnt – cysylltu'r camera i'r teledu yn ei stafell wely a gwasgu 'RECORD' ar y peiriant fideo. Voilà! Nid oedd Bryn yn disgwyl iddo weithio, ond roedd Rod wedi gwneud hyn o'r blaen. Gallai fod wedi anfon tâp DV i Akuma, wrth gwrs, yn enwedig o wybod bod ganddynt adnoddau golygu ar y safle a'r cyfleusterau i wylio tâp o'r fath, ond gan fod angen gwahanu'r ffilm oddi wrth gynnwys y tâp gwreiddiol doedd dim dewis ond cynhyrchu'r copi ar VHS.

Gorchmynnodd Emlyn i fod yn Akuma ar ei ben ei hun, gan ddatgan y byddai'n diflannu ar unwaith petai unrhyw un arall ar gyfyl y lle. Ac wrth sefyll gyferbyn ag Akuma nawr, tu allan i Fordthorne, gallai weld ceir di-rif yn y maes parcio. Ond gan ei fod wedi dod mor bell, penderfynodd ffonio Emlyn i roi un cyfle olaf iddo.

Atebwyd y ffôn bron ar unwaith.

'Wedes i wrthot ti i fod ar dy ben dy hunan.'

'Fi ar 'mhen fy hunan!' daeth yr ateb.

'Ond mae 'na lot o geir yn y maes parcio.'

'Dim ond fi sydd yn y swyddfa. Ma'r ceir yn perthyn i staff sydd allan yn ffilmio'n rhywle. Ma nhw'n gadael eu ceir ac yn mynd mewn fans.'

Roedd y gorffwylltra yn llais Emlyn yn ddigon i ddarbwyllo Rod, ac er nad oedd e'n ymddiried ynddo'n llwyr, croesodd y ffordd i gael golwg agosach.

'Der i gwrdd â fi wrth y fynedfa. Nawr.'

Gorffennodd yr alwad a chyflymu ei gamau. Roedd y

foment wedi cyrraedd o'r diwedd. Ai dyma'r cyfle roedd Rod wedi bod yn aros amdano gydol ei oes, neu ai trap oedd e fyddai'n dod â'i fywyd i ben?

Cerddodd Emlyn yn benderfynol ar draws y swyddfa ddifywyd tuag at y dderbynddesg a'r fynedfa tu hwnt.

Fel Rod, roedd ei galon e hefyd ar ras. Ei reddf gyntaf oedd tynnu'r bastard i'w swyddfa gerfydd ei wallt a rhoi cweir a hanner iddo am fod mor heger, ond doedd hynny ddim yn mynd i ddigwydd.

Ei ail reddf, a'r un fwyaf amlwg, oedd cyrraedd at wraidd y broblem hon – datrys y pos, talu'r pridwerth, symud ymlaen a mynd adref at Cariad yn hwyrach heno yn hapus ei fyd ac yn gwybod na fyddai unrhyw sgandal yn rhwygo'u dyfodol yn ddarnau mân.

Ond cyn gallu cyflawni hynny roedd yn rhaid trafod y mater gyda'r dihiryn oedd yn camu tuag ato, heibio'r Porsche a'r cerbydau segur ym maes parcio Akuma.

Daliai Emlyn i gredu mai Beca oedd tu ôl i'r cynllun. Atseiniodd y geiriau olaf a ynganodd hi wrtho fisoedd yn ôl yn ei ben. Wedyn clywodd ddrws ei thŷ yn cau'n glep rhwng ei glustiau a'r wylo torcalonnus tu ôl i'r gwydr yn crafu bwrdd du ei isymwybod, fel ewinedd miniog rhyw athro milain.

Gwyliodd y dyn ifanc yn agosáu gan synnu at ei olwg. Roedd e'n gyfarwydd am ryw reswm, ond ni allai Emlyn ddychmygu ble yn gwmws y gwelsai e o'r blaen. Ddim yn y cyfryngau ta beth, gan mai adeiladwr oedd y dyn yma – roedd ei ddillad yn brawf o hynny. Gwisgai hen bâr o jîns a siwmper lychlyd, a sgidiau trwm â phaent yn eu britho. Daeth yn syth o'r safle adeiladu, dyfalodd Emlyn, a drysodd hynny fe ymhellach. Er nad oedd Emlyn yn gwybod yn iawn beth oedd e'n ei ddisgwyl, doedd hyn ddim yn agos at y ddelwedd oedd wedi ffurfio yn ei ben.

Wrth gerdded ar draws y maes parcio cyfarwydd, gwelodd Rod Emlyn yn ymddangos trwy'r drysau gwydr. Er nad oedd yn hoff o'r holl geir yn y maes parcio, roedd hi'n rhy hwyr i droi a ffoi yn awr.

'Mr Jones,' dywedodd wrth ddod wyneb yn wyneb â'i darged. Yn reddfol, estynnodd ei law i Emlyn gael ei hysgwyd, a chymerodd hwnnw hi heb feddwl. Ac wrth i gledrau chwyslyd eu dwylo gyffwrdd, pasiodd teimlad bach annifyr iawn rhyngddynt, cyn i'r ddau dynnu'u dwylo'n ôl ar frys, fel petai trydan wedi llifo trwyddynt.

'A pwy wyt ti?' gofynnodd Emlyn.

'Dyw hynny ddim yn bwysig am nawr, Mr Jones. Ond bydd popeth yn cael ei ddatgelu mewn munud.'

Daeth yr ateb o nunlle, a dyna'r eiliad y sylweddolodd Rod nad oedd cynllun o unrhyw fath ganddo. Cododd y panig gan wneud i'w stwmog droelli'n wyllt, ac arweiniodd Emlyn y ffordd tuag at ei swyddfa ym mhen draw'r stafell eang, wag.

Wrth ddilyn, edrychodd Rod o'i gwmpas a dros ei ysgwydd i wneud yn siŵr nad oedd neb yn aros amdano – yn cuddio tu ôl i ddesg fel y gwnaethai yntau ar noson ymweliad Beca. Byddai Karim, neu pwy bynnag oedd yn gwarchod y lle heno, yn cyrraedd cyn hir, ond byddai Rod wedi hen gefnu ar y lle cyn hynny. Roedd ei galon yn dal ar garlam, ond gwyddai fod calon Emlyn yn gwneud yr un peth. Neu, o leiaf, roedd e'n gobeithio mai dyna oedd y gwir.

I mewn â'r ddau i'r swyddfa: Emlyn yn syth at y sedd tu ôl i'w ddesg, cyn troi a gwahodd Rod i eistedd gyferbyn ag e. Wrth wneud, sylwodd Rod ar ei lygaid yn saethu i'r gofod tu ôl iddo, a gwyddai ar unwaith ei fod wedi cael ei faglu.

Arafodd ei fodolaeth a chlywodd y drws yn cael ei wthio'n glep. Edrychodd o gwmpas gan ddisgwyl gweld yr heavy mob yn cau amdano. Ond suddodd ei galon wrth weld rhywbeth llawer, llawer gwaeth na hynny. Ystyriodd geisio dianc, ond beth oedd y pwynt? Nid oedd gobaith ganddo adael y swyddfa hon, heb sôn am bencadlys Akuma. A ta beth, roedd DS Jones yn gwybod yn iawn ble i'w ffeindio.

'Rod?' dywedodd Euros, yn llawn anghrediniaeth.

'Ditectif Jones,' daeth yr ateb, wrth i Rod eistedd yn araf yn y gadair, a'r gobaith yn dianc ohono fel heliwm o falŵn wedi byrstio.

'Hang on,' medd Emlyn, gan wneud yn debyg a chymryd sedd tu ôl i'r ddesg. 'Sut? Beth? Euros? Esbonia!'

Camodd Euros o'r cysgodion ac eistedd mewn cadair wrth ochr Rod, gan adael y drws yn ddiamddiffyn. Unwaith eto, meddyliodd y dyn ifanc am ei heglu hi, cyn cofio pa mor ddibwrpas fyddai gwneud hynny.

'Emlyn, dyma Rod.'

'Pwy? Beth?' Roedd Emlyn ar goll bellach, heb syniad beth oedd yn digwydd.

'Rod. Rodney. Rodney Joyce.' Canodd cloch rhywle ym mhen Emlyn, ond er hynny, ni ddaeth yr ateb. 'Ti'n cofio'r enw?' gofynnodd Euros, cyn i'r sgwrs fynd yn ei blaen fel na phetai Rod yn y stafell. Eisteddodd yntau â'i ben yn ei blu, yn dychmygu dyfodol erchyll ar draul y fenter hon.

Roedd presenoldeb DS Jones wedi newid popeth. Yn enwedig nawr wrth i Rod sylweddoli bod y ddau ddyn yn y swyddfa yn frodyr. Roedd e allan o'i ddyfnder yn y pen dwfn, ac yn boddi.

'Ydw, fi'n cofio'r enw…'

'Gath e gyfweliad 'ma rai misoedd yn ôl. Ti'n cofio fi'n gofyn am y ffafr 'na?'

Archwiliodd Emlyn ei atgofion.

'Ydw, fi'n meddwl…' Yna edrychodd yn fanwl ar Rod, a chofio pam ei fod e'n gyfarwydd. 'Ond sut y'ch chi'n…?'

'Fi'n adnabod ei frawd,' medd Euros, oedd yn ddigon o ateb i Emlyn, er nad oedd yn esbonio dim chwaith. 'So, Rod, beth yn y byd yw ystyr y tâp 'ma 'te?'

'Wyt ti'n gweithio i Beca?' gwaeddodd Emlyn. 'Neu Steffan Grey?'

'Emlyn,' ceisiodd Euros ei dawelu, wrth edrych ar Rod yn ysgwyd ei ben a syllu ar ei frawd.

'Sori,' medd Emlyn, wrth gofio bod gan ei frawd gryn brofiad o gyfweld dihirod fel hwn.

'Rod,' dechreuodd Euros unwaith eto, mewn llais tawel, diemosiwn. 'Plis, esbonia i ni beth sy'n digwydd. Ni ar goll braidd, rhaid cyfaddef.'

Ni fyddai Euros yn dweud y fath beth o dan amgylchiadau arferol, ond gallai weld oddi wrth iaith gorfforol Rod ei fod yn ofnus. Yn ogystal, gwyddai ar unwaith nad oedd yma ar ran unrhyw un arall, a'i fod yn difaru dod ar gyfyl y lle bellach.

Edrychodd Rod ar y ditectif i ddechrau, ac wedyn ar ei frawd. Cloriannodd ei opsiynau, a daeth i'r casgliad mai dim ond y gwir fyddai o gymorth iddo bellach. Dim ond y gwir fyddai'n ei gadw allan o'r ddalfa. Dyna oedd ei obaith, ta beth.

'Pwy yw Beca a Steffan Grey?' gofynnodd, heb wybod yn iawn pam.

'Neb o bwys,' atebodd Euros.

'Wel, fi'n gwybod pwy yw Beca,' dywedodd. 'Hi yw'r ferch yn y ffilm. Hi yw'r rheswm bo chi 'di ffonio fi. Y rheswm 'mod i yma nawr.'

'Beth wyt ti moyn?' gwaeddodd Emlyn eto. Roedd e'n ysu am gael atebion, ond roedd Rod yn gyndyn i chwarae.

'Cyfle,' atebodd Rod, yn chwithig braidd.

'Beth?'

'Cyfle. Swydd…'

'A ti'n meddwl mai dyma'r ffordd i gael un?'

Ni allai Euros gredu ei glustiau. Roedd Rod yn barod i beryglu'i ryddid er mwyn gweithio fan hyn! Dechreuodd Emlyn chwerthin ac ysgwyd ei ben, cyn eistedd 'nôl yn ei gadair fel tasai holl bwysau'r byd wedi disgyn oddi ar ei sgwyddau ar unwaith. Ond er y rhyddhad amlwg, roedd Emlyn wedi'i gyfareddu gan y labrwr ifanc. Edmygai faint anferthol ei geilliau, a'i benderfyniad. Nid oedd y nodweddion yma'n rhai cyffredin iawn ymysg gweithwyr y maes, yn enwedig y bobol ifanc oedd yn edrych am eu cyfle cyntaf. Ni allai feddwl am un o redwyr Akuma a fyddai'n fodlon dangos cymaint o fenter. O deuluoedd dosbarth canol y deuai'r mwyafrif, wrth gwrs, wedi hen arfer cael popeth ar blât. Ond o edrych ar Rod yn ei ddillad gwaith, gwyddai Emlyn na fu bywyd yn fêl i hwn. Roedd e'n wahanol i'r rhelyw, ac roedd Emlyn yn hoff ohono'n syth. Wedi'r cyfan, roedd angen ychydig o ddiawlineb ar bawb, yn enwedig yn y diwydiant hwn.

'Wyt ti'n sylweddoli pa mor ddifrifol yw blacmêl, Rod?' gofynnodd Euros.

Nodiodd Rod ei ateb cyn ychwanegu, 'Beth alla i ddweud? Ro'n i'n desperate. Wedi cael digon o fynd i gyfweliadau ond byth yn cael swydd. Fi 'di bod i ddegau dros y pum mlynedd diwetha. Fi'n ysu am weithio yn y cyfryngau, ond mae rhywun arall wastad yn cael y swydd. Bob tro. Sa i'n gwybod pa mor aml ma rhywun wedi dweud wrtha i nad oes digon o brofiad gen i i wneud y swydd, ond shwt alla i gael profiad heb gael swydd? Fi 'di neud loads o brofiad gwaith, ond so hynny'n cyfri dim mewn gwirionedd, fi'n gwybod hynny nawr. It's who you know yn y busnes 'ma, ac o'n i 'di cael digon. Desperate times...'

Edrychodd y brodyr ar ei gilydd tra edrychai Rod ar y llawr. Wrth gwrs, nid oedd Emlyn wedi bod trwy'r un profiadau gan mai ei fam e oedd perchennog Akuma gynt, ond gallai ddychmygu 'run fath. Er hynny, roedd angen arddangos ei bŵer dros y dyn ifanc.

'Ma'r tâp yn ddiwerth ta beth,' dechreuodd. 'Roedd fy ngwraig yn gwybod am y berthynas, ac am yr erthyliad a ddilynodd y sgwrs ar y tâp.'

Cododd Euros ei aeliau, ond ni welodd Rod hynny, gan ei fod e ar goll mewn pydew llawn pryder. Ac ni welodd Emlyn yn wincio 'nôl chwaith.

'Wyt ti moyn i fi ei arestio fe?' gofynnodd Euros i'w frawd, gan fachu ar y cyfle i godi mwy o arswyd ar Rod.

Roedd y brodyr yn mwynhau eu hunain nawr, a gwyddai'r ddau na fyddai dim yn dod o'r cyfarfod. Roedd Emlyn yn rhydd o'r pryder ddaeth i'w aflonyddu, a gwelai Euros fod Rod wedi hen ddysgu ei wers. Camgymeriad wedi codi o sefyllfa anffodus oedd hwn; dim mwy, dim llai.

'Mae gen i dâp arall!' ebychodd Rod, gan synnu'r brodyr yn llwyr.

'Tâp o beth?' gofynnodd y ddau fel un.

'Yr ymosodiad.'

'Pa ymosodiad?'

'Beth? Oedd 'na fwy nag un?'

'Uh… na…'

Tawelodd pawb wrth i'r dryswch fygu'r sgwrs. Cododd Rod ei warfag ac estyn y tâp DV.

'Ti'n ffilmio popeth?' gofynnodd Emlyn, o weld y camera yn y bag.

'Ceisio gwneud. Os oes gen i dapiau, ta beth.' Edrychodd Rod ar DS Jones wrth ddweud hyn, gan weld cydnabyddiaeth yn fflachio yn ei lygaid.

'Dim VHS yw hwnna,' sylwodd Euros.

'Da iawn, Sherlock! DV yw e. Dewch. Draw i Edit Suite 1. Fi'n ysu i weld beth sydd gyda ti.'

Ac i ffwrdd â'r tri – Emlyn ar y blaen, wedyn Rod ac Euros yn y cefn. Roedd pryderon Rod am gael ei arestio wedi diflannu'n llwyr nawr, gan ei fod newydd chwarae ei drymp. Jyst mewn pryd.

Wrth i Emlyn fynd at y peiriannau, ac Euros am yr oergell yng nghefn y stafell olygu, syllodd Rod yn gegagored o'i gwmpas. Roedd hi'n anodd credu'r moethusrwydd. Soffas a chadeiriau lledr. Peiriant coffi. Oergell llawn diodydd meddal a meddwol. Peiriannau drud, sgriniau di-rif, a'r dechnoleg ddiweddaraf ar flaenau'r bysedd. Breuddwydiodd Rod am gael golygu ei ffilm ei hun mewn lle o'r fath, ac er y teimlai fod y freuddwyd honno o fewn cyrraedd, roedd hi'n dal i fod ymhell i ffwrdd ar hyn o bryd.

Eisteddodd Emlyn yn y gadair droelli ledr a mynd ati i reoli'r ddesg. Roedd yn amlwg ei fod yn gyfarwydd â'i defnyddio, ac ymhen dim roedd y ffilm i'w gweld ar y sgrin fwyaf yng nghanol y clogwyn o rai llai.

Rhoddodd Euros botelaid oer o Stella yr un iddyn nhw, cyn eistedd wrth ochr Rod ar y soffa ledr. Roedd y cwrw'n blasu'n well nag erioed heno am ryw reswm.

'Shot neis,' dywedodd Emlyn, wrth wylio dyn yn camu o'r

car. Gwenodd Rod yng ngolau isel y stafell, tra chwyddai ei galon mewn balchder.

Adwaenodd Emlyn ac Euros yr ymosodwr ar unwaith. Steff oedd e, yn ddi-os. Roedd ganddo'r un symudiadau, yr un osgo yn union â'r comisiynydd. Ond gyda'r balaclafa am ei ben, y glaw a'r golau isel, ni fyddai'n hawdd profi hynny mewn llys.

Gwyliodd y triawd y ffilm mewn tawelwch, ac er y gorfoledd cychwynnol a deimlai Emlyn, nid oedd digon o dystiolaeth yma i ddatrys y problemau roedd Akuma'n eu dioddef wrth law Steff a phwerau uwch yn y Sianel. Ond, gydag Emlyn ar lawr tu ôl i'r Porsche a'r gobaith bron wedi diflannu, tynnodd y camera yn ôl a dangos y dihiryn yn dychwelyd i'w gar, cyn eistedd i lawr a thynnu ei fwgwd.

Oedodd Emlyn y ddelwedd.

'Bingo!' gwaeddodd, gan droelli yn ei gadair a chicio'i goesau fel ffŵl.

'Y fuckin money shot, myn yffach i!' ebychodd Euros, gan fwrw Rod yn galed ar ei gefn, gan achosi i'r cwrw dasgu i fyny'i drwyn.

'Ti'n fuckin genius, Rodney bach!'

'Falch bo chi'n hoffi 'ngwaith i,' atebodd Rod yn foesgar, gan ei fod yn dal i obeithio elwa o'r cyfarfod.

'Dyna ni 'te, Ems. Pryd ti moyn i fi ei arestio fe – heno, neu'r peth cyntaf bore fory, ar doriad gwawr cyn iddo fe hyd yn oed gael ei gorn fflêcs?'

Trodd Emlyn i edrych ar ei frawd, cyn ateb yn bwyllog a meddylgar.

'Sa i moyn i ti arestio neb, Euros...'

'Beth ti'n feddwl? Sa i'n deall.'

'Ma'r tâp yma'n fwy gwerthfawr na hynny. Ma'r tâp

yma'n mynd i achub fy nghroen i ac achub y cwmni.'
Roedd y rhyddhad a deimlai Emlyn yr eiliad honno'n agos
at fod yn anorchfygol. Diolch i'r cyfarfod gyda Rod, roedd
cyfle ganddo nid yn unig i gladdu holl hanes ei berthynas
â Beca a diweddglo anffodus hynny, ond hefyd i achub
dyfodol Akuma, oherwydd roedd y dystiolaeth yn ei
feddiant yn fwy na digon i wneud i Steffan Grey stopio
chwarae duw â'i ddyfodol.

'Oh,' daeth ateb Euros, yn llawn siom.

'Y peth cyntaf sy'n rhaid gwneud yw cwpwl o gopis.
Jyst i fod yn saff…'

'Hei, hei, hang on! So'r tâp 'na'n perthyn i chi,'
dywedodd Rod, gan dynnu'r gwynt o hwyliau'r brodyr.

'Name your price,' ymatebodd Emlyn heb oedi am
eiliad.

'Chi'n gwybod beth fi moyn, Mr Jones.'

Taff Embankment, Riverside: Prynhawn Dydd Iau

Gwyliodd Rod yr olygfa o'i flaen mewn syndod, gan
synnu at ddiffyg gofal y ddau gymeriad canolog, sef putain
welw ei chroen a gwerthwr crac o dras Somalaidd. Roedd
e'n sefyll yn edrych allan o ffenest fwa fflat llawr-canol
oer, dafliad carreg o'r afon Taf a'r bragdy Brains ar y lan
gyferbyn. Tu ôl iddo yn rhywle gallai glywed yr asiant
tai yn mynd trwy ei bethau – rhent, treth y cyngor, y
gymdogaeth, blah blah blah – wrth dywys Bryn o gwmpas
y stafelloedd gwag.

O ran maint, roedd y fflat yn ticio'r blychau (tair stafell
wely, cegin reit fawr, stafell ymolchi ddigonol a lolfa
maint cae pêl-droed pump bob ochr), ond o ran ansawdd
y lle a'r lleoliad, nid oedd gobaith iddo blesio. Roedd y
papur wal yn plicio a'r artex ar y nenfydau wedi troi'n

ddu mewn mannau oherwydd y lleithder. Ond roedd y tu mewn yn wynfyd o'i gymharu â'r tu fas, a gydag ymweliadau cyson Cesar i'w hystyried, ni fyddai'r ffrindiau yn symud i Riverside yn y dyfodol agos.

Wrth gwrs, roedd digon o erchylltra i'w weld ar strydoedd Trelái, a chorff marw MC Kardz yn dal yn fyw yng nghof Rod, ond nid oedd puteiniaid na gwerthwyr crac yn gweithredu yn yr un ffyrdd ar y stad ag y gwnaen nhw yn y rhan yma o'r ddinas. Câi gweithgareddau o'r fath eu cadw tu ôl i ddrysau caeedig yn Nhrelái– gwyddai Rod hynny'n well na'r rhan fwyaf wrth gwrs – ond roedd Riverside yn debycach i'r Bronx y dyddiau hyn, gan wneud i Drelái edrych fel y Bont-faen.

Gwyliodd Rod y butain a'r gwerthwr yn cloi'r fargen ac yn cyflawni'r cyfnewid, cyn iddi hi gerdded i ffwrdd yn ansicr gan anelu am y guddfan agosaf i smocio'r crac. O fewn eiliadau roedd y butain nesaf yn agosáu, gyda phapur ugain mewn un llaw a gwylltineb gwaetgoch yn ei llygaid. Crwydrodd llygaid Rod ar draws y ffordd i'r parc bach rhwng y tai a'r afon. Roedd y lle'n fwrlwm o fywyd, ac yn cynnwys pobol o bob rhan o gymdeithas – menywod yn gwisgo byrcas llawn ac yn gwthio'u plant o fan i fan; hipsters ar feics plant; alcis oedrannus yn cofleidio'u Special Brew; puteiniaid; gwerthwyr cyffuriau; pimps; gang o goths ifanc; a phobol yn seiclo ar hyd llwybr Taith Taf tua'r Bae. Crochan byrlymus, yn ddi-os, ond maes chwarae peryglus yn ogystal.

North Clive Street, Grangetown

'This place is of a different class entirely to the last property,' datganodd yr asiant wrth droi'r allwedd yn nrws ffrynt y tŷ teras a'i ddal ar agor i'r ffrindiau gael mynd i mewn, gan gamu'n syth o'r stryd i'r stafell fyw.

Ar unwaith, gwyddai'r ddau fod gan y lle botensial. Roedd dodrefn yma i ddechrau, a wnâi wahaniaeth mawr, gan roi teimlad cartrefol i'r lle. Ac roedd y ffaith fod y Cornwall wedi'i leoli rownd y cornel yn beth da.

'Three bedrooms upstairs. Nice size on two of them. The third's no more than a boxroom, really, but perfect for a study or a small gym. But I'll show you out back before we head on up,' aeth yr asiant yn ei flaen a thywys y bechgyn tuag at gefn y tŷ. Roedd y gegin yn iawn. Dim byd sbesh, ond digon da. Roedd y stafell ymolchi yng nghefn y tŷ yn werddon o foethusrwydd annisgwyl, gyda chawod ddwbwl a whirlpool bath yn nodweddion a apeliai'n fawr at y ddau.

'Nice, yes?' dywedodd yr asiant gan godi'i aeliau wrth weld yr olwg ar wynebau'r ffrindiau, cyn dangos yr ardd fach ond chwaethus, gyda phren o dan draed a thri clematis yn gorchuddio'r ffensys a'i hamgylchynai, gan ei gwneud yn guddfan breifat a thawel.

'So, what do you think?' gofynnodd yr asiant wedi iddo ddangos y stafelloedd gwely i Rod a Bryn.

'I'm well impressed,' atebodd Bryn, gan mai fe oedd yr arweinydd yn yr achos hwn. Roedd angen lle cartrefol a chyfforddus arnyn nhw, er budd Cesar yn bennaf, a Bryn fyddai'n talu rhan helaeth y rhent.

'Me too,' cytunodd Rod, oedd yn llawn cyffro am symud i mewn erbyn hyn, diolch yn bennaf i gynnig hael Emlyn y noson o'r blaen.

'There's only one thing we need to know now. How much?'

Estynnodd yr asiant y papurach priodol er mwyn eu hastudio, er ei fod yn gwybod yn iawn faint oedd y rhent. Roedd actio'n rhan allweddol o'r swydd, a dyna oedd y brif elfen a roddai fwynhad iddo.

'Eight hundred a month. Not including bills.'

'Eight hundred!' cydebychodd Bryn a Rod, wrth i'w gobeithion ddiflannu.

Nodiodd yr asiant ei ben yn bendant, a gwawriodd gwên alaethus ar ei wyneb.

'Grangetown is the new Pontcanna, gentlemen, and prices for this kind of property are generally in this region. Grangetown's changing fast, that's for sure. More and more middle-class people are moving in. Those who can't afford to live in Pontcanna itself, or Vic Park and Canton. They're moving here and pushing the prices up. And I know it seems high at first glance, but this is a lovely house, and worth every penny if you ask me. I've got two more couples coming to see it this afternoon, and I'm willing to wager that it won't be available come morning.'

The Cornwall, Grangetown

'Gutted,' dywedodd Bryn wrth osod dau beint o Bow ar y bwrdd o flaen ei ffrind.

'Fi'n gwybod. Roedd y tŷ 'na'n berffaith.'

'Did you gweld y bath, man? Fuckin jacuzzi! A'r gawod? Digon o le for two, if you catch my drift.'

Roedd ganddyn nhw hanner awr i'w gwastraffu cyn eu hapwyntiad nesaf ac roedd y Cornwall yn plesio'r ddau i'r dim. Roedd y Bow yn oer ac yn llawn swigod ac acenion Caerdydd cras i'w clywed yn y bar, yn cyd-fynd yn berffaith ag wynebau caled eu perchnogion. Teimlai'r ddau ffrind yn gartrefol iawn ar unwaith.

'Byddai'n ideal for your swydd newydd hefyd,' dywedodd Bryn a gwenodd Rod tu ôl i'w beint.

'Ti'n iawn. Ac i ti. Fi'n methu aros i ddechrau yn Akuma dydd Llun…'

'You can't wait to gorffen gweithio gyda Dad, ti'n meddwl.'

'You could put it that way... ma'r job yn lladd fi'n barod, a dim ond pedwar diwrnod fi 'di bod yn 'i wneud e!'

'Tri a hanner,' cywirodd Bryn, gan fod Wncwl Steve wedi rhoi prynhawn rhydd i Rod heddiw er mwyn iddo fynd gyda Bryn i edrych am dŷ.

'Edrych ar y dwst,' dywedodd Rod, cyn rhwbio'i wallt â'i law ac achosi i gawod o eira gwympo dros ei sgwyddau ar y bwrdd o'i flaen.

'Watch the Bow!' ebychodd Bryn, gan osod ei law dros geg ei wydr.

Ni chafodd Rod gyfle i gael cawod ar ôl gadael y gwaith amser cinio. Newidiodd yn gyflym o'i ddillad llychlyd yn y tŷ bach drewllyd ar y safle, cyn cerdded i Riverside i gwrdd â Bryn. Rhoesai ei ddillad gwaith, yn ogystal â'i gamera wrth gwrs, yn ei warfag, a daliai i wisgo'i sgidiau trwm am ei draed. Roedd y bawiach wedi ffurfio haenen annifyr ar ei groen, a bysedd ei ddwylo'n debycach i fwydod, diolch i'r llysnafedd oedd yn eu gorchuddio.

'Ble nesaf?' gofynnodd Rod wrth wylio'i ffrind yn gwagio gweddillion ei seidr.

'Hang on,' daeth yr ateb, wrth i Bryn estyn ei ffôn symudol o'i boced er mwyn darllen y neges destun oedd newydd ei gyrraedd.

Aeth Rod ati i orffen ei beint, wrth i Bryn wenu fel ceffyl ar eiriau ei gariad.

'Ohhhhhhh!' meddai Rod yn llawn dychan.

'Beth?'

'Dim byd. Jyst bod ti'n gwenu fel mong fan 'na.'

'Fuck off, Rod!' Cododd Bryn ar ei draed, gwisgo'i got a gadael y dafarn heb aros am ei ffrind.

Stryd Bedwas, Grangetown

Wrth agosáu at eu cyrchfan, roedd y bechgyn yn ffrindiau unwaith eto. Roedd Alis eisiau i Bryn ei ffonio mewn hanner awr, ac roedd yntau'n gobeithio'i bod hi moyn iddo alw draw am sesiwn arall heno. Trodd y ddau oddi ar North Clive Street a gweld Danny Finch, perchennog rhif un Stryd Bedwas, yn aros amdanyn nhw wrth ddrws ffrynt y tŷ ar y clos bach tawel, yn smocio sigarét a sgwrsio ar ei ffôn symudol.

Y peth cyntaf a ddaeth i feddwl Rod oedd 'Phil Collins'. Ie, y Phil Collins yna – cyn-ddrymiwr y band Genesis, un o hoff artistiaid Patrick Bateman, a'r boi chwaraeodd ran Buster yn y ffilm gachu o'r un enw. Roedd Danny yn ei dridegau, dyfalodd Rod, wedi colli'i wallt, ond er hynny'n ddyn golygus iawn. Gyda'i lygaid llwydaidd, fel mwg, a'i ddillad drud, byddai'r ddau ffrind wedi osgoi dyn o'r fath fel arfer, ond ar yr eiliad yma roedden nhw'n fodlon bod yn ffrind gorau iddo, yn y gobaith o daro bargen.

Wrth weld y bechgyn yn agosáu, dychwelodd Danny ei ffôn i'w boced a sodlu ei sigarét ar lawr.

'Mr Starling?' gofynnodd Danny heb wenu, ond heb fod yn oeraidd chwaith.

'Mr Finch?' atebodd Bryn, gan estyn ei law i'r perchennog. 'This is Rod. He'll be moving in with me… if we… you know…'

'Good to meet you, Rod. Now, I don't want to rush you, but I'm looking for a quick deal here, gents.' Arweiniodd Danny nhw i mewn i'r tŷ teras graenus, gan siarad yn ddi-dor, fel rapiwr mewn gornest rydd. 'I'm moving to New York on Monday and I need this place filled by then. Long-term let if possible cos I don't know when I'll be back and I don't want to mess around with an agency. Rip-off merchants that they are. I had this Slovenian chick round this morning, could hardly speak English. But I don't want no foreigners. Not that I'm racist, you must understand, but I've got a mate who had a house and this Portuguese family up sticks and left without warning, leaving a long line of debts for him to mop up. I just don't need any of that hassle. You know what I mean?'

Nodiodd y ddau mewn ymateb, gan gymryd at Danny Finch ar unwaith. Aeth â nhw o gwmpas y tŷ yn siarad fel arwerthwr mart ar amffetamin, ac roedd hi'n amlwg fod y lle'n berffaith ar eu cyfer. Tair stafell wely, cegin, stafell fwyta, lolfa, stafell ymolchi a gardd gefn breifat, llawn planhigion.

'You can have it fully-furb, part-furb or empty, but I'll need an answer this afternoon. As I said, I'm a bit rushed for time…'

'What's the rent?' gofynnodd Bryn.

'It's six hundred a month, but that doesn't include bills. You'll have to take care of that yourself.'

Pefriodd llygaid y ddau, ond cyn rhoi ateb pendant aeth y ffrindiau i'r ardd am ffag a thrafodaeth fer, tra aeth Danny 'nôl at ei ffôn symudol.

'Beth ti'n feddwl?'

'It's perffaith.'

'Aye. Ond beth am y dodrefn?'

'The what?'

'Furniture.'

'Well, that telly's got to aros. A'r gwely yn y master bedroom. He can leave the bed and wardrobe in the spare room, cos that's where you'll be sleeping, and clear the study, cos I want to get Cesar a racing car bed and stuff…'

Ac wedi iddyn nhw dywys Danny o gwmpas y tŷ er

mwyn iddo wneud rhestr o'r pethau roedd angen eu symud o 'na cyn diwedd yr wythnos, rhoddodd e gytundeb yr un iddyn nhw i'w ddarllen a'i lofnodi, cyn iddynt drefnu dod draw fore Sadwrn er mwyn cael yr allweddi a symud i mewn. Ysgrifennodd Bryn siec i'r landlord yn y fan a'r lle er mwyn talu'r blaendal a mis o rent.

Wedi ysgwyd llaw tu allan i'r drws ffrynt, trodd Bryn a Rod a dechrau cerdded yn ôl am y Cornwall, gyda'r amser yn tynnu am chwech yr hwyr. Roedd y ddau mewn hwyliau gwych yn awr, ac yn ysu am gael symud i mewn i'w cartref newydd.

'Peint i ddathlu?'

'Peintssssss,' atebodd Bryn gyda'i lygaid yn fflachio'n ddrygionus. Ar y gair, tynnodd sbliff o'i boced a'i thanio, cyn i'r ddau gerdded yn araf am y dafarn unwaith eto.

Wrth orffen y mwgyn ar gornel y stryd gyferbyn â'r dyfrdwll, tawelodd y ffrindiau. A phan aeth y mudandod yn anghyfforddus i Rod, gofynnodd:

'Beth ti'n meddwl am, Bryn?'

'Reit nawr?'

'Yup. Reit nawr.' Roedd Rod yn disgwyl i'r budredd ddechrau llifo, ond er mawr syndod, nid Alis oedd yn cipio sylw ei ffrind...

'Phil Collins,' daeth yr ateb.

Chwarddodd y ddau fel ffyliaid, ond cyn i un o'r trigolion lleol ffonio ambiwlans i ddod i'w hôl nhw, torrodd cân ffôn Bryn ar draws y rhialtwch, ac aeth i'w boced i'w hestyn.

'Alis. 'Nes i dweud I'd phone you, babes... beth? Ti yn y Cornwall... Beth, nawr?... Sweet... Gyda pwy?... Yeah... Ok... Wel, falle I'll see you later on... Ond I'm not promising anything...Well, if you say it like that I'll defo gweld ti later on... See ya...'

Gwenodd Bryn ar ei ffrind yn hollwybodus a hunanfodlon, cyn ei arwain at y dafarn a'r holl ddanteithion oedd yn aros amdano yn y fan yno.

Gwelodd ei gariad yn sefyll wrth y bar ar ei phen ei hun, ac aeth i sefyll wrth ei hochr heb ddweud gair. Safodd Rod wrth ei ochr gan geisio dal sylw'r Geordie boldew, moel oedd yn gweithio'n araf bach ar ei ben ei hun tu ôl i'r bar yn ceisio plesio pawb ar unwaith. Roedd hynny'n amhosib, wrth gwrs, felly gwnaeth beth fyddai pob dyn yn ei wneud yn y fath sefyllfa – gweini'r ferch bert yn gyntaf a gadael i'r dynion aros eu tro.

Safodd Bryn yn fud wrth ei hochr tan i'r barman osod dau gin a thonig o'i blaen.

'Let me get these for you, luv,' dywedodd Bryn.

'No thank 'iw, wir nawr, I'm alright,' daeth ateb Alis heb iddi edrych i'r ochr i weld ei hedmygwr newydd.

'And I'll have two Bows to go with that, please,' ychwanegodd Bryn, ac roedd clywed yr archeb yn ddigon i Alis adnabod ei lais. Trodd yn yr unfan ac edrych arno, cyn neidio i fyny a chlymu'i breichiau a'i choesau o gwmpas ei gorff a mynd ati i'w gusanu'n nwydwyllt.

Rhwng y labswchan, gallai Rod glywed ambell gwestiwn – 'Be ti'n neud 'ma?', 'Tisio aros efo fi heno?' – cyn i Alis osod ei thraed ar y ddaear unwaith eto a thynnu Bryn i gyfeiriad cefn y dafarn er mwyn iddo gael cwrdd â Betsan, pwy bynnag oedd hi. Ond cyn mynd gyda hi, rhoddodd Bryn bapur ugain i Rod a dweud wrtho dalu am y diodydd cyn ymuno yn yr hwyl.

Wedi gosod y diodydd ar hambwrdd, troediodd Rod yn ofalus tua chefn y dafarn, ond pan welodd y triawd yn eistedd wrth y bwrdd bu bron iddo golli'r diodydd, diolch i'r adrenalin a ruthrodd fel tân trwy ei gorff. Adwaenodd

Betsan ar unwaith. Hi oedd y ferch benfelen dal a weithiai yn Akuma. Ond cyn cael ei gyflwyno iddi hi ac Alis, baglodd dros lechen anwastad o dan draed a cholli ychydig o seidr dros gôl ei freuddwydferch.

'Good work, Rodney!' ebychodd Bryn, gan chwerthin. Ond fe oedd yr unig un a wenai, gan fod Alis yn brysur yn estyn lliain llestri o'r bar er mwyn sychu jîns ei ffrind druan, tra eisteddai Betsan yn ei sedd yn edrych fel petai ar fin ffrwydro.

Ac ar ôl y dechreuad gwaethaf posib hwn, aeth pethau o ddrwg i waeth. Daeth hi'n amlwg bron ar unwaith fod Betsan yn meddwl y byd o'i hunan ac nad oedd yn meddwl fawr ddim o Rod. Ond am ryw reswm, roedd hynny'n gwneud Rod yn fwy chwantus fyth. Ceisiodd godi sgwrs ar fwy nag un achlysur – am ei gwaith yn Akuma a'r ffaith y byddai e'n dechrau yno ddydd Llun; am ei gwreiddiau yng Ngheredigion a'i hanes diweddar, prifysgol ac yn y blaen – ond dim ond atebion unsill a gâi ganddi. Aeth Betsan ati i feddwi'n dawel yn y cornel, gan anwybyddu Rod fwyfwy. Roedd hyn yn hunllef ar raddfa ddiwydiannol, gan fod Alis a Bryn yn rhy brysur yn gwledda ar ei gilydd i sylwi.

Yn y diwedd, penderfynodd Rod adael. Roedd wedi cael hen ddigon o'r ast, ac aeth heb ddweud gair wrth yr un ohonyn nhw – Bryn ac Alis yn rhy brysur yn cnuchio'n gyhoeddus, a Betsan bron wedi diflannu tu ôl i'w hego anferthol.

Camodd Rod allan i'r nos, cyn cynnau rôl a dechrau cerdded tuag at Sloper Road ar ei daith hir yn ôl i Drelái. Roedd ei gorff yn gwynegu o'i gorun i'w sawdl, a thyrchodd ym mhoced ei drowsus yn y gobaith o ganfod darn dwybunt fel y gallai gael bws yn ôl i'w wely.

Gwenodd pan ddaeth o hyd i arian, gan ddiolch nad oedd

Bryn yn cofio gofyn am ei newid ar bob achlysur. Edrychodd ar ei oriawr i wirio pryd y byddai'r bws nesaf yn cyrraedd. Roedd deg munud ganddo cyn y byddai'r rhif deuddeg yn mynd heibio, felly cyflymodd ei gam rhyw fymryn er mwyn gwneud yn siŵr na fyddai'n ei golli.

Ond, cyn cyrraedd pont y rheilffordd lai na chanllath i ffwrdd o ddrws y dafarn, teimlodd law ar ei ysgwydd. Trodd o gwmpas yn araf gan ddisgwyl gweld cyllell neu botel o dan ei drwyn a dyn bygythiol yn syllu 'nôl arno.

'Beth wyt *ti* moyn?' gofynnodd Rod, wedi i'w galon arafu ar ôl y syndod cychwynnol.

'Ti,' daeth yr ateb unsill, cyn i Betsan afael yn ei law a'i arwain tuag at ei chartref rownd y cornel ar North Clive Street.

Mewn tawelwch rhyfedd a golau isel, aeth Betsan ati i reibio Rod – ar y soffa i ddechrau, cyn ei lusgo i'w gwâl lle gwnaeth bethau bythgofiadwy iddo. Er bod y ddau yr un oedran, roedd profiad amlwg Betsan yn y gwely yn gwneud i Rod wrido, ac yn y diwedd roedd e'n ddiolchgar iawn na wnaeth estyn strap-on o'r cwpwrdd a'i gyflwyno i Rod fel 'ffrind da' iddi. Yn wahanol i Rod, gwyddai Betsan yn iawn beth roedd hi'n ei wneud, a'r unig beth wnaeth Rod oedd ceisio'i orau i beidio ffrwydro'n gynamserol, cyn iddi hi ddweud wrtho wneud.

Wedi marchogaeth Rod am y trydydd tro, tan bod ei gronfa o benbyliaid dall a digyfeiriad cyn syched â'r Sahara, aeth Betsan i gysgu tua dau y bore. Ond bu Rod yn gorwedd yn lled-dywyllwch y stafell wely am beth amser, yn ail-fyw'r noson a brwydro i wneud synnwyr o'r holl beth.

Clywodd rywun yn mynd i'r tŷ bach wedyn, gan synnu bod Betsan wedi gwneud y fath gampau lawr stâr tra bod ei chydbreswylydd yn cysgu yn ei gwely. Er hynodrwydd y noson, nid oedd Rod erioed wedi blasu'r fath bleser. A'r peth olaf a gofiodd cyn i'w ymennydd gau i lawr yn oriau mân y bore oedd geiriau Bryn yn atseinio yn ei ben unwaith eto.

'Gog birds. I'm converted. Gog birds. I'm converted. Gog birds. I'm converted. Gog birds. I'm converted. Gog birds. I'm converted. Gog birds. I'm converted.'

Dihunodd Rod mewn gwely gwag a hithau'n tynnu at naw y bore. Roedd ganddo rhyw frith gof o Betsan yn sôn am 'shoot cynnar', felly cododd yn araf a llusgo'i din at y tŷ bach, lle llenwodd y badell gyda hylif melyn llachar oedd yn gwynto o Sugar Puffs.

Gwyddai ei fod yn hwyr i'r gwaith gydag Wncwl Steve, ond ruthrodd e ddim i adael y tŷ. Wedi'r cyfan, dyma'i ddiwrnod olaf yn gweithio iddo, ac roedd y glaw a ddisgynnai fel ceiniogau tu allan i'r ffenest yn awgrymu mai dim ond eistedd yn y fan y byddai Steve a John y bore 'ma ta beth.

Sleifiodd i lawr i'r lolfa gan obeithio nad oedd neb arall adref, gan nad oedd ei ddillad i'w gweld yn y stafell wely o gwbwl. Ffeindiodd nhw wedi'u plygu'n daclus ar fraich y soffa ledr, a gwenodd wrth eu gweld, cyn eu gwisgo'n gyflym a mynd i'r gegin i weld beth y gallai'i gael. Wedi llenwi'i fol â phedwar Weetabix, dau ddarn o dost a choffi du melys, diolchodd fod y glaw wedi peidio bellach a'r haul yn ceisio gwenu arno o'r tu ôl i'r cymylau. Gwelodd nodyn byr a'i enw arno yn gorwedd ar fwrdd y gegin.

Rod, wela i di ddydd Llun, B x

Nid oedd yn disgwyl gweld nodyn o'r fath, gan nad oedd Betsan wedi dangos mymryn o emosiwn nac ymrwymiad tuag ato'r noson cynt. Ei greddfau corfforol yn unig a welsai mewn gwirionedd – hynny a rhewlif ei hego. Er hynny, llenwodd ei galon â gobaith wrth ddarllen y nodyn, ac aeth i'r gwaith yn fachgen hapus iawn.

Stryd Bedwas, Grangetown: Bore Dydd Llun

Cododd Rod yn gynnar er mwyn paratoi ar gyfer ei fore cyntaf yn Akuma, ond wedi cael cawod a gwisgo gwawriodd arno fod ganddo dros awr cyn bod angen iddo adael y tŷ.

Aeth ati i baratoi brecwast cyn eistedd o flaen y bocs i wylio Daybreak ar ITV. Synnodd wrth weld bod y papurau cloriau coch yn dweud y gwir am unwaith a bod cerbyd boreol newydd Adrian a Christine yn anhygoel o wael – manion dibwys, newyddion ysgafn a'r diweddaraf o fyd y selebs.

Rholiodd sigarét cyn ceisio cofio pryd y trodd o fod yn ysmygwr achlysurol i rywun oedd yn hoff o ffag gyda choffi cynta'r dydd. Ceisiodd ddarbwyllo'i hun nad oedd hyd yn oed yn hoff o flas tobaco, cyn gorfod cyfaddef bod rhywbeth hollol gysurlon am lond sgyfaint ben bore. Taniodd y mwgyn a theimlo'r cemegion yn goglais ei berfeddion, cyn i'w feddyliau droi at ei frawd a'i dad yn Nhrelái.

Treuliodd fore dydd Sadwrn yn pacio'i bethau, cyn i Wncwl Steve roi lifft iddo fe a Bryn lawr i Stryd Bedwas yn y prynhawn. Wedi derbyn yr allweddi gan Danny Finch a gwagio'r fan, aeth Bryn a'i dad i lawr i Ikea i brynu ambell beth angenrheidiol – bwced a mop, drip-tray ac yn y blaen, yn ogystal â gwely a dodrefn addas i stafell Cesar – gan adael i Rod fynd ati i sortio'i stafell wely.

Roedd y tŷ yn lân, chwarae teg i'r perchennog, a hwnnw'n amlwg wedi talu rhywun i ddod draw i lanhau'r lle'n drylwyr cyn i'r bechgyn gyrraedd, felly dim ond trosglwyddo tri bag sbwriel du llawn dillad i'r wardrob a rhoi lliain glân am y matres oedd gan Rod i'w wneud. Yna, rhoddodd ei gasgliad eang o dapiau ar ben y wardrob, a mynd ati i neud sbliff. Ond penderfynodd beidio â'i smocio tan y byddai Bryn yn dychwelyd, rhag ofn y byddai angen help ar ei ffrind i adeiladu rhyw ddodrefnyn.

Aeth o amgylch y tŷ gan fwynhau'r tawelwch. Roedd y gegin yn gyfoes ac yn goch a'r crôm yn disgleirio, y ddau le tân (un yn y lolfa, y llall yn y stafell fwyta) yn nodweddion hynod ac ymarferol a'r llawr pren tywyll yn dwym o dan draed, o ran edrychiad o leia. Fyddai ei gartref yn Nhrelái byth yn dawel, diolch i Dave a'i ymwelwyr di-baid a phroblemau ei dad. Diflasodd yno, a doedd e ddim hyd yn oed wedi dweud hwyl fawr wrth yr hen ddyn cyn gadael. Doedd dim pwynt, gan ei fod un ai'n feddw gaib yn y gwter neu'n anymwybodol drwy'r amser. Mwmiodd Dave ei ffarwél, ond roedd ei frawd wrthi'n taro bargen gyda chwsmer pan adawodd Rod am y tro olaf, felly nid oedd ganddo amser i gofleidio'i frawd na hyd yn oed ysgwyd ei law. Am deulu! Byddai ei fam mor drist tasai hi yma i weld y fath ymddygiad – ar ran y tri ohonyn nhw. Ond roedd Rod yn eithaf sicr na fyddai'n gweld bai arno am adael, a'i bod yn gwylio drosto yr eiliad hon, yn gwenu o weld bod ei mab ifancaf wedi gadael Trelái ac ar fin dechrau pennod newydd yn hanes ei fywyd.

Dychwelodd Bryn a'i dad cyn i deimladau Rod ei feddiannu, ac wedi gwagio'r fan rhoddodd Wncwl Steve bapur hanner canpunt iddyn nhw. Ei eiriau olaf cyn gadael y bechgyn a dychwelyd at Anti Jan oedd 'Don't spend it all down the Cornwall tonight, lads. Remember that you'll need some food to eat tomorrow.' Ond ei anwybyddu'n llwyr wnaeth y ffrindiau, gan fynd yn syth i lawr i'r dafarn a gwario'r cwbwl lot cyn gadael.

Roedd Rod, wrth gwrs, yn gobeithio gweld Betsan yno, ond nid oedd golwg ohoni yn unman. Nac Alis chwaith. Yn ôl Bryn, roedd y ddwy'n ffilmio fideo gyda rhyw fand neu'i gilydd i'r gyfres *P(l)op* i gwmni Akuma – Alis yn dawnsio a Betsan yn rhan o'r criw cynhyrchu.

Treuliodd Rod ddydd Sul yn gorwedd ar y soffa yn gwylio'r teledu ac yn gwrando ar Bryn yn brwydro i adeiladu dodrefn stafell Cesar lan stâr. Ond nawr, a hithau'n agosáu at hanner awr wedi wyth, cododd Rod a diffodd y teledu, golchi'i lestri brecwast yn gyflym a gadael y tŷ mewn hwyliau gwych.

Er bod y cymylau uwchben yn dywyll eu lliw ac yn bygwth ei drochi, nid oedd modd diffodd y gobaith newydd oedd yn tywynnu ym mêr esgyrn Rod y bore 'ma, wrth iddo droi cornel North Clive Street am Heol Penarth. Wrth gerdded, crwydrodd ei ddychymyg gan ei dywys ar lwybr gyrfaol annhebygol iawn – Akuma heddiw, yfory Y BYD! Runner, ymchwilydd, golygydd, cynhyrchydd, sgriptiwr, cyfarwyddwr, dyn camera: roedd yr opsiynau yn ddi-ben-draw.

Yna, ansicrwydd. Ar ffurf Betsan a'i gwallt blond byr, ei llygaid glas dideimlad, ei chwe throedfedd o daldra a'i hego hunanbwysig. Sut fyddai hi'n ymateb iddo'r bore 'ma? Ac yn fwy penodol, sut fyddai e'n ymateb wrth ei gweld hi? Teimlai fel petai 'nôl yn yr ysgol, yn dair ar ddeg mlwydd oed ac yn methu'n lân â deall ymddygiad Chloe Coslett yn dilyn eu snog tu ôl i'r anecs amser cinio.

Ysgydwodd ei ben i waredu'r atgof wrth gamu trwy fynedfa Akuma a dod wyneb yn wyneb â Kate, y dderbynwraig benfrown, oedd yn ei gyfarch â gwên gynnes ond llygaid gwag. Wedi paned gloi yn ei chwmni (gan nad oedd Emlyn o gwmpas y bore 'ma), galwodd Kate ar Gethin, un o'r runners eraill, i fynd â Rod ar daith o gwmpas y safle er mwyn cyflwyno'r gweithiwr newydd i bawb.

Yn Edit Suite 2, atebwyd cwestiwn cynharach Rod wrth i Betsan ei anwybyddu fe'n llwyr. I fod yn deg â hi, roedd wrthi'n recordio troslais gyda Huw Stephens ar gyfer rhifyn nesaf *P(l)op*, ond galle hi fod wedi'i gydnabod o leiaf drwy nodio'i phen. Nid oedd Rod yn gofyn am gusan neu goflaid na dim byd felly, ond bydde rhyw arwydd ei bod yn ei gofio wedi bod yn neis. Wedi'r cyfan, roedd ei goc yn ddwfn ynddi rhyw naw deg chwech awr ynghynt.

Ar wahân i'r frenhines oerllyd, roedd pawb arall yn gynnes eu croeso, ac ar ddiwedd y daith aeth Gethin ag aelod diweddaraf y tîm at ei ddesg. Pasiodd gweddill y bore'n uffernol o araf, am nad oedd gan Rod unrhyw beth penodol i'w wneud a doedd gan neb mewn awdurdod ddim syniad gyda phwy roedd e i fod dechrau gweithio.

Ganol dydd galwodd Kate ar Rod ac aeth ati ar unwaith, yn y gobaith bod ganddi rywbeth iddo'i wneud. Ond, yn lle hynny, anfonodd Kate e am 'awr ginio hir' gan ofyn iddo ddod 'nôl i'r swyddfa erbyn tri o'r gloch, pan fyddai Emlyn wedi dychwelyd.

Gwawriodd ar Rod o'r diwedd nad oedd unrhyw un, ar wahân i Emlyn, yn gwybod ei fod yn dechrau ar ei waith heddiw. Cofiodd yr olwg wag ar wyneb Kate ben bore, a'r ffordd y gofynnodd iddo gymryd sedd yn y dderbynfa am bum munud tra aeth hi ati i wneud galwad ffôn breifat yn y stafell gyfarfod gerllaw. Ffonio Emlyn oedd hi, ond doedd dim ots ganddo chwaith, gan ei fod yno ac yn barod i ddechrau go iawn yn hwyrach heddiw.

Aeth adref i Stryd Bedwas, lle daliodd Bryn ac Alis yn 'bedyddio' y gegin wrth gerdded i mewn i'r tŷ. Rhedodd

Alis ar unwaith i'r stafell ymolchi tra edrychodd Bryn arno gan ysgwyd ei ben ac ail-leoli ei dacl a'i wialen yn ei drons.

'Good timing, bra!'

'Sori.'

'Hang on a sec,' a diflannodd Bryn ar ôl ei gariad, cyn ailymddangos ymhen rhyw funud wedi ymlacio'n llwyr. Erbyn hynny roedd Rod wedi berwi'r tecell, a gwnaeth baned iddyn nhw. Ymunodd Alis â nhw o'r diwedd, yn goch ei bochau, ond anghofiwyd am y digwyddiad wrth i'r sgwrs droi at fore cyntaf Rod yn Akuma.

'Sut aeth hi 'lly?' gofynnodd Alis wrth droi'r Canderel yn ei phaned.

Anadlodd Rod yn drwm, cyn dewis ei ateb un gair yn ofalus.

'Shit.'

'Pam? Beth ddigwyddodd?'

'Dim byd.'

'Uh?'

'Literally fuck all. Sa i 'di neud dim bore 'ma. Ac i fod yn onest, sa i'n meddwl bod unrhyw un yn disgwyl 'ngweld i chwaith...'

'Explain.'

'Ia. Esbonia.'

'Wel, Emlyn, y bos, roddodd y swydd i fi wythnos diwethaf, ond sa i'n credu bod e 'di dweud wrth neb i ddisgwyl fi heddiw.'

'Lle ma Emlyn 'lly?'

'Yn cyrraedd am dri. Dw i'n rhydd tan hynny. Awr ginio hir, apparently.'

'Oh,' meddai'r cariadon yn siomedig. Yn ddiarwybod i Rod, roedd y ddau wedi cytuno i adael eu hoglau, fel anifeiliaid gwyllt, ym mhob stafell cyn i Alis fynd am ei shifft yn yr Hannerffordd a Bryn i Fordthorne.

Wedi gorffen eu paneidiau, aeth Rod i'r lolfa i wylio'r teledu tra dychwelodd Bryn ac Alis i'r gwely. Cyn hir roedd yr holl dŷ yn crynu a Rod yn estyn am y bwtwm sain er mwyn ceisio boddi'r holl synau.

Dychwelodd i'r swyddfa am chwarter i dri mewn ymdrech i ddangos ei frwdfrydedd i Kate a gweddill y gweithwyr. Ac er nad oedd neb mewn gwirionedd yn cymryd unrhyw sylw ohono, roedd Rod yn falch iddo wneud gan fod Betsan erbyn hyn yn eistedd wrth ei desg, rhyw ddeg llath oddi wrtho, ac yn ei wynebu. Roedd ei phen wedi'i gladdu mewn papurach, sgripts a chytundebau, a phresenoldeb Rod heb wneud unrhyw argraff arni hi o gwbwl. Neu, o leiaf, dyna'r argraff a gafodd.

Ar ei ddesg yn aros amdano roedd cytundeb, felly aeth ati i'w ddarllen yn ofalus wrth ddisgwyl i Emlyn wneud ymddangosiad. Cytundeb safonol yn syth o'r ffolder templedi ar gyfrifiadur Kate, mae'n rhaid. Roedd popeth yn ddigon derbyniol ar wahân i un peth. Y cyflog. Nawr, bythefnos yn ôl, byddai pymtheg mil fel cyflog cychwynnol wedi gwneud Rod yn hapus tu hwnt. Ond, o gofio ymateb Emlyn i'r tâp a ddangosodd Rod iddo fe a'i frawd yr wythnos cynt, gwelodd gyfle i ofyn am gyflog ychydig bach yn uwch gan fod Emlyn mewn dyled iddo. Wel, efallai dim dyled – roedd wedi rhoi swydd iddo, wedi'r cyfan – ond roedd hi wastad yn werth gofyn am fwy o arian, rhag ofn.

Teimlodd rhyw wres anesboniadwy yn ei gofleidio, a chododd ei ben i edrych i gyfeiriad Betsan. Roedd hi'n syllu arno, ond edrychodd i ffwrdd ar unwaith pan sylwodd ei fod e'n edrych arni. Ond cyn i Rod gael cyfle i ddadansoddi'r digwyddiad, cwympodd cysgod hir drosto ac edrychodd i fyny i weld Emlyn Eilfyw-Jones yn ymgodi uwch ei ben.

'Rodney!' ebychodd yn ddigon uchel i'r swyddfa gyfan gael clywed ei enw llawn, cyn estyn ei law a gwenu'n dwymgalon arno. 'Croeso, croeso, croeso, a sori am y mess bore 'ma. Pethe braidd yn hectic os ti'n gwybod beth sy 'da fi, a communication breakdown bach, 'na gyd. Dim byd i boeni amdano. Byddwn ni'n dy roi di ar waith bore fory, ok? Rhan o dîm *Rhys Rhechu*. Gei di laff and a half gyda nhw. Ti 'di gweld y rhaglen? Na, wrth gwrs nag wyt ti, so ti'n saith oed. Anyway, ma nhw mas yn ffilmio ar hyn o bryd, felly falle bydde fe'n syniad i ti wylio cwpwl o raglenni cyn gorffen heddiw, a fe gei di gwrdd â'r tîm a dechrau go iawn yn y bore. Beth ti'n feddwl o hynny?'

'Grêt. Dim problem.'

'That's my boy! Geth.' Trodd Emlyn i siarad â'r runner oedd yn eistedd ar y ddesg nesaf at Rod. 'Dangos i Rod lle mae DVDs *Rhys Rhechu* yn cael eu cadw, 'nei di?' Sylwodd ar y cytundeb ar ddesg y gweithiwr newydd. 'Popeth yn iawn gyda'r contract?'

'Wel...' dechreuodd Rod, cyn closio at Emlyn ac ychwanegu'n dawel, 'O'n i moyn gair bach gyda chi am hwn.'

'Beth?'

'In private, falle?'

Edrychodd Emlyn ar ei oriawr. Roedd ar frys. Un dasg bwysig i'w chyflawni cyn mynd gyda Cariad i ddosbarth cyn-geni yn Ysbyty Llandochau am hanner awr wedi pump. Ond roedd Emlyn o hyd ar frys; byddai Rod yn dod i ddeall hynny'n ddigon cyflym. Dyn fel 'na oedd e, wedi'r cyfan.

'Dere 'te. Ma gen i bum munud i sbario.' Ac i ffwrdd â'r ddau i gyfeiriad ei swyddfa, gan adael Gethin yn rhyfeddu at hyfdra'r bachgen newydd. Chwarae teg iddo, roedd Gethin yn dal i'w chael hi'n anodd siarad ag Emlyn heb gecial fel broga, a hwn yn dangos y fath bendantrwydd a hyder yn ei gwmni.

Wedi cyrraedd swyddfa Emlyn a chau'r drws, gwahoddodd y bos ei brentis i eistedd. Ceisiodd Rod fynd yn syth at y pwynt, heb fawr o lwyddiant.

'Fi'n gwbod bod chi'n brysur... ond... uh... dim ond... uh... gair bach cloi fi moyn... am... wel...'

'Spit it out, Rod.'

'Ok... ie... Fi moyn mwy o arian... o ystyried y tâp a phopeth...'

Edrychodd Emlyn arno'n ofalus trwy lygaid ymholgar, a wnaeth i Rod wingo rhyw fymryn yn ei gadair. Oedd e'n mynd yn rhy bell fan hyn? Difarai ofyn, ond roedd hi'n rhy hwyr i droi 'nôl nawr.

'Faint?'

'Ugain yn lle pymtheg.'

Tynnodd Emlyn ei wynt trwy ei ddannedd, gan barhau i syllu ar Rod.

''Drych, Rod, fi'n hoffi ti, iawn, a fi'n ddiolchgar i ti 'fyd, ond fi 'di rhoi swydd i ti, felly paid cymryd y piss.'

Heb oedi, ac er mawr syndod iddo fe ei hun hyd yn oed, dywedodd Rod:

'Un deg naw 'te.'

Diflannodd pob awgrym o gyfeillgarwch o wyneb Emlyn, a chododd y panig yn Rod, gan lifo'n wyllt trwy ei wythiennau. Oedd e wedi camgyfrif pwysigrwydd y tâp? Ond wedi mudandod anghyfforddus a barodd yn llawer rhy hir, nodiodd Emlyn ac ateb.

'Un deg saith mil, dim ceiniog yn fwy.'

'Diolch,' medd Rod gan godi ar unwaith, cyn ysgwyd llaw Emlyn a gadael ei swyddfa.

Gwyliodd Emlyn e'n mynd yn llawn edmygedd. Gwenodd. Bydd hwn yn mynd yn bell, meddyliodd wrth godi'r ffôn i ofyn i Kate argraffu cytundeb wedi'i ddiwygio i Rod fel y gallai ei lofnodi yfory.

Wedi gwylio Rod yn dychwelyd at ei ddesg, cododd Emlyn y ffôn unwaith eto a galw rhif y Sianel. Atebwyd yr alwad gan ryw dderbynwraig ddiwyneb, a chyn hir roedd Emlyn yn sgwrsio â chynorthwyydd Steffan Grey ac yn trefnu cyfarfod â'r bastard y diwrnod canlynol.

Am y tro cyntaf ers misoedd, roedd Emlyn yn edrych ymlaen at ei weld. *Fe* fyddai'n rheoli'r sefyllfa a'u perthynas o nawr 'mlaen, diolch i Rodney Joyce a'i weledigaeth. Ystyriodd Emlyn ychwanegu mil bach at gyflog ei waredwr, ond penderfynodd beidio â gwneud. Roedd e'n ddiolchgar iawn, wrth reswm, ond nid oedd angen mynd dros ben llestri chwaith, rhag rhoi'r argraff anghywir iddo.

Roedd ei ffilm wedi'i golygu a'i hanfon at y Sianel ers rhyw bythefnos bellach – y peth olaf iddo'i wneud cyn cael wythnos o wyliau yn ddiweddar. Er nad oedd yn disgwyl cael clod amdani (gan gomisiynwyr y Sianel na chan y cyhoedd), nid oedd yn ei gweld fel y drychineb eithaf bellach chwaith. Eto, i Rod roedd y diolch am hynny, gan mai Emlyn oedd yn dala'r trymps i gyd yn awr.

Roedd y pŵer a deimlai yr eiliad hon yn estron iddo'r dyddiau hyn, ond gallai gofio adeg pan deimlai fel hyn yn ddyddiol. Roedd hi'n wefr braf a phleserus, ac roedd Emlyn yn bwriadu manteisio i'r eithaf ar ei sicrwydd newydd.

Wedi dod â'r alwad i ben gyda 'Ciao bella' bach coeglyd, gadawodd y swyddfa'n sioncach ei gam, cyn anelu'r Porsche am adref er mwyn mynd â Cariad i'r dosbarth cyn-geni, rhywbeth nad oedd yn edrych ymlaen ato mewn unrhyw ffordd.

Stryd Bedwas, Grangetown: Nos Lun

Agorodd Rod y drws i'w gartref newydd yn ofalus a phwyllog, gan gnocio ddwywaith a chanu'r gloch rhag ofn nad oedd Bryn ac Alis wedi mynd i'r gwaith a'u bod nhw'n rhydio'n wyllt yn y cyntedd neu'n griddfan ar y grisiau.

Yn ffodus, roedd y tŷ mewn lled-dywyllwch, a'r tawelwch yn ddigon o groeso. Unwaith eto, gwerthfawrogodd Rod y llonyddwch, cyn codi'r post a chamu i'r gegin dan arweiniad ei fola gwag.

Wrth chwilio am becyn o Super Noodles yn y cypyrddau, trodd ei feddyliau at ei ddiwrnod. Rhyfedd. Diddorol. Llwyddiannus. Dechrau da, yn gyffredinol, er y diffyg gwaith. Byddai yfory'n well fyth, gwyddai hynny, ac edrychai 'mlaen at fod yn rhan o dîm cynhyrchu go iawn. Breuddwyd yn cael ei gwireddu. Gwenodd wrth gofio gweld campau Bryn ac Alis amser cinio. Pam lai wir? Bydde fe'n gwneud yr un peth yn union petai'n cael hanner cyfle. Trin y tŷ fel campfa. Cylch hyfforddi nwydwyllt. Ond pryd câi e gyfle i ailadrodd campau'r wythnos cynt gyda Betsan? Dyna oedd y cwestiwn mawr. 'Byth' oedd yr ateb mwyaf tebygol. Yn enwedig o ystyried ei hagwedd yn y gwaith heddiw.

A wel, wfftiodd wrth ffeindio'i swper yn cuddio o dan hanner tunnell o reis basmati. Atgofion melys. Amser wanc.

Rhoddodd y nwdls i'r naill ochr a rhuthro i estyn gliniadur Bryn o stafell wely ei ffrind. Dihunodd y peiriant gan ddiolch i Danny Finch am beidio â dod â'i gyfrif band llydan i ben, gan ychwanegu decpunt at y rhent yn lle hynny

– er mwyn osgoi'r strach o sefydlu cyfrif newydd yn enw ei denantiaid.

Gan orwedd yn ôl ar ei wely bach, yn pwyso ar ei ben-elin chwith, aeth ati i agor tair tudalen – ei hoff dudalennau – a chroesawu'r Drindod Sanctaidd i'w stafell wely, sef Lindsay Marie, Brea Bennett a Lara Lee. Gyda sgrin y gliniadur yn goleuo'r stafell, aeth ati i wagio'i lwyth dros bapur tŷ bach oedd wedi'i leoli'n gelfydd yn gorchuddio'i fotwm bol, cyn sychu a golchi, dychwelyd y cyfrifiadur i stafell Bryn a mynd 'nôl at ei nwdls wedi ymlacio'n llwyr.

Wrth i'w swper ffrwtian yn y sosban, aeth o'r gegin i'r stafell ymolchi gerllaw er mwyn dechrau llenwi'r bath. Ffeindiodd hen botel Radox yn y cwpwrdd condoms, gan ei ychwanegu at lif y dŵr, cyn llenwi ei fol o flaen y Simpsons a rholio sbliff wrth aros i'r bath lenwi.

Cyn camu i mewn i'r baddon, golchodd y llestri er mwyn osgoi rhoi rheswm i Bryn ddechrau cwyno. Wedi'r cyfan, ei ffrind fyddai'n talu rhan helaeth y rhent, felly roedd Rod yn benderfynol o fod yn gyd-denant perffaith.

Ymhen dim roedd ei gorff yn y dŵr poeth a'r swigod yn goglais ei glustiau. Chwythodd nhw i ffwrdd o'i wyneb. Estynnodd y sbliff o'r blwch llwch oedd yn cydbwyso ar ochr y bath, tanio'r mwgyn a thynnu'n galed gan wylio'r mwg piws yn troelli'n araf tua'r nenfwd. Cyn hir, roedd y sbliff, ar ei hanner, yn gorwedd eto yn y blwch llwch, a Rod yn toddi yn y dŵr, yn ysgafn ei geilliau a'i sgyfaint yn llawn. Caeodd ei lygaid gan adael i'w feddyliau grwydro. Heb fawr syndod, Betsan ddaeth i'w gof yn gyntaf, ond nid arhosodd yno'n hir; dim ond yn ddigon hir i wneud i Rod ddyheu amdani fwy fyth. Croesawodd Emlyn nesaf, ei fos a'i fentor, ac ymhen dim roedd y ddau ohonyn nhw yn Cannes a Berlin, Toronto a Chaeredin, yn hob-nobio a hyrwyddo'u prosiect newydd – ffilm nodwedd o'r enw *City of Rod*. Agorodd Rod ei lygaid ar hynny, gan wneud nodyn yn ei gof o'r teitl, cyn i gnoc uchel ar y drws ffrynt ddod â'i orig heddychlon i ben.

Ceisiodd anwybyddu'r ymwelydd trwy lithro o dan y dŵr, ond pan gododd am anadl ymhen rhyw ugain eiliad roedd cloch y drws yn canu'n groch a'r ymwelydd yn amlwg yn awyddus i gael ateb.

Rhegodd Rod wrth godi, ac estyn ei dywel a'i lapio amdano, gan obeithio nad oedd unrhyw beth o'i le wrth i'r cnocio a'r canu swnio'n argyfyngus erbyn hyn. I'w feddwl llygredig e, ta beth.

Agorodd y drws a bu bron i'w galon ffrwydro o'i frest. Yn sefyll yno'n syllu arno'n fud roedd Betsan. Heb air, agorodd Rod y drws yn llawn a chamu o'r ffordd i'w gadael i mewn.

Roedd ganddo fil o gwestiynau i'w gofyn iddi, ond ni chafodd gyfle i yngan gair. Cyn gynted ag y caeodd y drws, roedd Betsan yn ei gusanu'n wyllt a rhwygodd ei dywel cyn penglinio o'i flaen gan fynd ati i sugno'i glochben a'i baladr nes bod ei goesau'n crynu dan law ei harbenigedd. Cododd cyn i Rod danio'i wn, ac wrth iddi ei arwain i fyny'r grisiau diolchodd Rod iddo gael wanc yn gynharach, neu byddai'r parti hwn wedi gorffen yn barod.

Roedd yn benderfynol o ofyn un cwestiwn o leiaf iddi cyn gadael. Ond gwaetha'r modd ni chafodd ei ddymuniad, oherwydd pan ddihunodd yn ddisymwth tua hanner nos roedd Betsan wedi diflannu. Wrth fynd i'r gegin i 'nôl gwydraid o ddŵr, diawlodd ei wely sengl, ond ym mêr ei esgyrn gwyddai na fyddai Betsan wedi aros dros nos hyd yn oed petai'n cysgu ar fatres brenhinol wedi'i wau o adenydd y tylwyth teg.

BBC, Llandaf

Gyda sigarét yn hongian o gornel ei geg a'r ffenest ar agor led y pen, gwyliodd Emlyn ei wraig yn cerdded fel hwyaden gloff i lawr y grisiau o flaen prif fynedfa'r Beeb, gan deimlo balchder pur mai ei faban bach e oedd yn gwneud iddi gamu mor gloff.

Cerddai Eve Myles a John Barrowman bob ochr iddi. Roedd bola'i wraig yn anferthol. Yn fwystfilaidd, yn gawraidd, gyda behemoth o fachgen yn cynnal perthynas barasitig â'i fam. Ond sylwodd Emlyn unwaith eto nad oedd gweddill ei chorff, heblaw am ei bronnau wrth gwrs, wedi newid rhyw lawer o ganlyniad i'r beichiogrwydd. Roedd hi fel afal ar ddwy goes, gwenodd Emlyn wrth godi o'r car er mwyn cyfarch ei wraig a'i chydweithwyr enwog.

'Haia Ems,' anadlodd Cariad yn drwm wrth gusanu boch ei gŵr. 'O, dw i'n falch dy fod ti yma, a ddim yn y maes parcio. Dw i'm yn meddwl y medrwn i fod wedi cyrraedd y car, sti.'

'Happy to be of service, ma'am,' atebodd Emlyn, er budd John yn bennaf, gan nad oedd e'n medru'r Gymraeg.

'Ti 'di cwarfod Eve, dwyt?' Nodiodd Emlyn a gwenu ar yr actores, gan weld ei bod hi wedi colli holl floneg ei beichiogrwydd erbyn hyn.

'Hi Eve, how's it going?'

'A dyma John. John, this is my husband, Emlyn...'

'John!' ebychodd Emlyn fel tasai'r actor yn hen, hen ffrind, cyn ysgwyd llaw Mr Barrowman braidd yn orawyddus. Roedd e wedi hen arfer â hynny, diolch i'w bersonoliaeth gyfeillgar a'i hoffter o gwrdd â'i ffans.

'Nice to meet you, Emlyn, but I've got to dash –

rehearsals for you know what,' ychwanegodd gan wincio ar y merched. Ond cyn iddo gael dianc yn llwyr, rhoddodd Emlyn ei gerdyn iddo.

'Give us a call sometime, John. We should put our heads together, see if we can make some magic.'

Edrychodd John ar Emlyn yn llawn dryswch, cyn darllen y garden yn sydyn a gweld nad gwallgofddyn oedd gŵr Cariad ond cyfarwyddwr a chynhyrchydd teledu. Er nad ydyn nhw'n rhy annhebyg mewn gwirionedd.

'I might just do that; see you tomorrow, ladies,' atebodd yr actor, cyn troi a ffoi heb unrhyw fwriad o godi'r ffôn. Nid ei fod yn anfoesgar nac yn anniolchgar, ond yn achos John erbyn hyn, pobol eraill oedd yn cysylltu â fe, gan nad oedd angen iddo gwrso am waith bellach.

'See if we can make some magic!' chwarddodd Cariad.

Cymerodd Emlyn fag ei wraig a'i osod yn y bŵt, agor y drws ac aros iddi gofleidio Eve, cyn ei helpu i mewn i'r car isel. Caeodd y drws a gwylio Eve yn cerdded tua'r maes parcio. Ond, yn lle dyheu ar ei hôl hi mewn ffordd giaidd fel y byddai'r hen Emlyn wedi gwneud, yr unig beth a aeth trwy ei feddwl wrth ei gwylio'n mynd oedd y gobeithiai y byddai corff Cariad yn dychwelyd i'w ffurf wreiddiol cyn gyflymed ag un Eve.

O Landaf i Lecwydd, ac o Lecwydd i Landochau, gyda Cariad yn cwyno'r holl ffordd fod angen car mwy o faint arnyn nhw – people carrier, neu o leiaf gar stad – cyn i Napoleon bach gyrraedd. Ac er nad oedd Emlyn yn hoff o glywed unrhyw un yn beirniadu'r Porsche, gwyddai ei bod hi'n siarad synnwyr, fel arfer, a ffeindiodd y geiriau eu marc rywle yn ddwfn ym mhen ei gŵr.

Pwysodd Cariad ar Emlyn wrth gerdded mewn tawelwch tuag at uned ferched yr ysbyty; y ddau ohonyn nhw'n cofio'r tro diwethaf iddyn nhw fod yma, ac yn ddiolchgar tu hwnt fod pethau wedi gwella cymaint ers y cyfnod tywyll hwnnw. Roedd yr anobaith llethol wedi hen ddiflannu, wedi'i gyfnewid am y pendantrwydd, y cyffro a'r brwdfrydedd dall sy'n perthyn i'r rheiny sy'n disgwyl bod yn rhieni am y tro cyntaf.

Yn araf bach, cerddodd y ddau ar hyd y coridorau, heb orfod gofyn am gyfarwyddiadau oddi wrth neb gan fod llinell hir o gyplau tebyg yn arwain y ffordd at y stafell ddosbarth − y ferch yn pwyso ar ei chymar, a'r cymar yn meddwl pam yn y byd bod rhaid iddo fe fod yno o gwbwl.

Wedi cyrraedd y stafell ac eistedd mewn cylch anniben, gwelodd Cariad hen ffrind ysgol iddi'n eistedd gyferbyn, bola mawr o'i blaen a phartner ofnus wrth ei hochr.

'Sôn am fyd bach!' ebychodd Cariad wrth ei gŵr, cyn codi ar ei thraed yn araf. Ond nid y byd oedd yn fach yn nhyb Emlyn, ond Cymru oedd yn bitw. Roedd fel pentref o'i chymharu â rhai gwledydd. Pentref yn llawn perthnasau, a llosgach yn rhemp ar lethrau'r cymoedd.

Aeth Emlyn ar ei hôl ac eisteddodd y ddau yn y cadeiriau gwag wrth eu hymyl, cyn i Cariad sgwrsio â'r ferch mewn acen Porthmadog gref, fel y byddai'n gwneud bob tro y byddai'n gweld rhywun o adref. Fel miloedd tebyg iddi, symudodd y ferch, Lisa oedd ei henw, i'r brifddinas ar ôl gorffen yn y brifysgol, cyn cwrdd â Dyfed oedd yn dod o Glwyd a setlo yn ardal Thornhill y ddinas. Sôn am fyw'r freuddwyd wlyb Gymreig gyfoes, meddyliodd Emlyn yn sinigaidd, ond cyn i Cariad gael cyfle i'w cyflwyno, dechreuodd y dosbarth. Diolch byth.

Y peth cyntaf y gofynnwyd i bawb ei wneud oedd cyflwyno'u hunain. Pam yn y byd bod angen gwneud rhywbeth o'r fath, ni allai Emlyn ddechrau dychmygu, ond doedd dim dewis ganddo.

Wedi'r cyflwyniadau – er na allai Emlyn gofio enw unrhyw un, ar wahân i Lisa a Dyfed – dechreuodd y fydwraig barablu. Am fronfwydo i ddechrau – oedd yn ymddangos ychydig bach yn gynamserol i Emlyn – cyn troi ei sylw at gewynnau, bioleg safon blwyddyn saith a nifer o bethau eraill nad oedd gan neb gwrywaidd yn y stafell unrhyw ddiddordeb ynddyn nhw.

Edrychodd Emlyn o gwmpas y cylch gan weld yr un ymateb ar wynebau pob cwpwl – difrifoldeb a dilysrwydd ar wyneb y merched a golwg bell, wedi hen ddiflasu, yn llygaid y dynion. Ond newidiodd hynny pan drodd y fydwraig at y teledu a chyflwyno fideo o enedigaeth gartref i'r dosbarth, a honno fel petai wedi cael ei ffilmio ym 1985.

Dangosodd y ffilm yn ddigon eglur i bawb holl erchylltra'r 'wyrth' o esgor ar faban. Y gwaed. Y sgrechen. Y boen. Y llanast. Y straen. Yr aros. Yr oedi. Y diflastod. Yr ansicrwydd. Y pryder. Ac er bod gan bawb rhyw syniad pa mor boenus yw'r digwyddiad i'r ferch, nid oedd neb yn y stafell, ar wahân i'r fydwraig wrth gwrs, yn sylweddoli pa mor erchyll oedd yr holl beth yn ymddangos.

Cofiodd Emlyn rywbeth a ddywedodd ei frawd wrtho rai blynyddoedd ynghynt, wedi i'w ail blentyn gyrraedd yn ddiogel. Dywedodd Euros mai gweld eich plentyn eich hun yn dod i'r byd yw un o'r profiadau mwyaf hudol a gewch chi. Eto, bod gweld plentyn rhywun arall yn cael ei eni yn artaith weledol, ac yn debygol o wneud i unrhyw ddyn chwydu.

Ac wrth edrych o gwmpas y stafell unwaith eto, roedd hi'n amlwg fod o leiaf hanner damcaniaeth Euros yn gywir, gan fod pob darpar riant yn syllu ar y sgrin mewn anghrediniaeth lwyr, ac yn gwingo mewn ymateb i bob sgrech.

Gyda gwên yn lledu ar ei wyneb, gwyliodd Emlyn un dyn bach yn troi'n wyrdd o flaen ei lygaid, cyn iddo godi ar ei draed a rhedeg o'r stafell ar frys. Gadawodd e ei wraig yn anadlu'n drwm ar ei phen ei hun ac yn edrych fel petai hithau hefyd ar fin ei ddilyn.

Ac er bod Emlyn ei hun yn teimlo braidd yn sâl wrth wylio'r ffilm, yn sicr ni fyddai e'n gadael y stafell a dangos ei wendid i bawb.

Ystyriodd Emlyn yr hyn oedd yn digwydd, gan ddod i'r casgliad ei bod hi'n rhyfedd fel mae'n bosib gwylio holl erchyllta pornograffaidd y we – o 'Mr Hands' y ceffyl nwydus i 'Dwy Ferch, Un Cwpan' a thu hwnt – heb deimlo'n sâl, tra bod gwylio babi'n dod i'r byd yn gwneud i rai ailflasu eu cinio.

'Ti'n edrych ymlaen at y diwrnod mawr ar ôl gwylio'r ffilm 'na neu beth?' gofynnodd Emlyn i Cariad wrth roi help llaw iddi i mewn i'r Porsche wedi i'r dosbarth ddod i ben.

'As if, Ems! Dw i'n dredio fo fwy nag erioed rŵan.'

Caeodd Emlyn y drws a chamu at ochr y gyrrwr. Llithrodd i mewn tu ôl i'r olwyn, a chyn iddo hyd yn oed danio'r injan teimlai law ei wraig yn mwytho'i goes a gwyddai ar unwaith beth oedd ar droed.

'Beth ti'n neud?' gofynnodd.

'Dwi'n horni, Ems.'

'Ar ôl gwylio'r horror film 'na?!'

Gwenodd Cariad arno. Gwên ddrwg. Gwên wybodus. Cododd ei sgwyddau wrth ateb.

'Yndw. Ti'n cwyno?' Symudodd ei llaw at ei ganol, gan deimlo'r cadernid cnawdol yn codi.

Gwenodd Emlyn yn ôl arni, heb ateb. Wedi'r cyfan, doedd e ddim eisiau dweud celwydd wrthi heno.

Ac felly gwnaeth y peth diplomataidd, synhwyrol, sef

gyrru gartref yn gwrando ar CD newydd Huw M, a ffwcio'i wraig o'r tu ôl yn galed a chyflym cyn mynd i gysgu. Fel gŵr da.

Akuma, Heol Penarth: Prynhawn Dydd Mawrth

Wedi bore cyffrous, roedd Rod bellach wrth ei ddesg, ei fola'n llawn ar ôl bwyta Brunch Baguette anferthol o'r fan fyrgers tu fas i Fordthorne a'i sgyfaint yn hapus ar ôl smocio sigarét fach slei ar ôl y wledd. Ond, er bod dau ddarn o'i anatomi yn fwy na bodlon, roedd ei ben yn llawn dryswch, heb sôn am ychydig o ddicter.

Gwibiodd y bore heibio mewn niwl o brysurdeb, wrth i Rod a gweddill tîm cynhyrchu *Rhys Rhechu* weithio'n ddiwyd yn y stiwdio fach ar y safle yn ffilmio darnau o'r bennod ddiweddaraf.

Mewn gwirionedd, doedd dim llawer gan Rod i'w wneud. Dim byd o bwys, ta beth, dim ond gwylio, dysgu a chyflawni unrhyw beth y gofynnwyd iddo'i wneud: cyrchu gwydryn o ddŵr i seren y sioe; llenwi bath â hylif melyn (oedd yn fwy anodd nag y byddai Rod byth wedi'i ddychmygu); a rhuthro i'r Asda cyfagos i brynu hwyaden blastig ar ôl i'r un wreiddiol dorri a dechrau suddo yn y 'cwstard'.

Ond roedd Rod wrth ei fodd. Roedd e wedi cyrraedd o'r diwedd, ac yn rhan o gynhyrchiad teledu go iawn. Gallai dicio'r blwch bach yn ei ben, nesaf at y geiriau 'gwireddu breuddwyd'. Rywffordd, roedd 'na gyffro ynghlwm wrth yr holl achlysur. Pwysau o fath, gan fod rhaid cwblhau'r ffilmio o fewn amser penodol cyn y gallai'r broses olygu ddechrau er mwyn paratoi'r rhaglen ar gyfer llygaid gwylwyr ifanc y Sianel.

Roedd pawb yn y tîm yn ddigon cyfeillgar, er bod y straen yn effeithio ar rai yn fwy nag eraill, gan arwain at leisiau croch a bochau cochion. Ond rhoddodd Gethin air o gyngor i Rod cyn dechrau. Dywedodd wrtho am beidio â chymryd unrhyw beth a gâi ei ddweud yn y stiwdio'n bersonol. Gwir pob gair, chwarae teg.

Datblygodd dryswch a dicter y diwrnod ben bore, pan welodd Rod Betsan ochr draw'r swyddfa wrth gyrraedd, yn brysur wrthi'n gwneud rhywbeth neu'i gilydd ac yn llawer rhy weithgar i gydnabod ei bresenoldeb, hyd yn oed pan gerddodd heibio iddo ac yntau'n eistedd wrth ei ddesg.

Bu bron iddo fynd draw ati ac edliw ei hanfoesgarwch iddi. Ond ni wnaeth, gan y byddai hynny'n siŵr o arwain at fwy o drafferth. Er, byddai'n rhaid iddo gael gair gyda hi maes o law – cyn i'w ben droi'n bowdwr a'i galon yn garreg.

Nid bod Rod yn disgwyl cwtsh na chusan ganddi. Dim byd o'r fath. Ond byddai 'bore da' neu hyd yn oed nod bach wedi gwneud y tro. Yn enwedig o gofio pa mor glòs oedden nhw lai na deuddeg awr ynghynt.

Roedd hi wedi gadael y swyddfa erbyn hyn, i ffilmio fideo newydd Cofi Bach a Tew Shady yng Nghasnewydd. Hen bryd 'fyd, meddyliodd Rod. Roedd albwm cynta'r rapwyr yn wefreiddiol – y peth gorau yn y genre yn yr iaith Gymraeg ers i'r Tystion fynd M.O.M.Y.F.G. Braf oedd clywed eu bod nhw 'nôl. Roedd Betsan wedi bod yn gweithio ar *P(l)op* ers rhyw dri mis bellach, ar ôl cael ei hadleoli o dîm cynhyrchu *Amser Stori* wedi iddi wneud rhywbeth anfaddeuol sef bod yn anfoesgar wrth Beti George pan ddaeth y ddarlledwraig i mewn i recordio cyfres o raglenni i Akuma. Nid oedd Rod wedi clywed y manylion i gyd, dim ond yr hyn ddywedodd Gethin wrtho, ond ymddangosai fod Betsan yn anfoesgar wrth bawb yn ddiwahân. Y gwir oedd ei bod hi'n falch iawn o gael symud, gan fod chwe mis yn gweithio ar *Amser Stori* yn ddigon i ddarbwyllo unrhyw un bod hunanladdiad yn opsiwn mwy deniadol na dod i'r gwaith.

Eto, doedd hynny ddim yn esgusodi ei hymddygiad o gwbwl. Byddai'n rhaid trafod y sefyllfa gyda hi. A hynny ar frys 'fyd. Roedd 'na gysylltiad corfforol, sbarc rhywiol digamsyniol rhyngddynt, ond nid oedd Rod yn hoff o deimlo fel ci bach i neb – gast hyd yn oed. Y gwir yw ei fod eisiau perthynas go iawn gyda hi, tebyg i un Bryn ac Alis, ac os nad oedd hynny'n bosib byddai'n rhaid dod â'r egin-berthynas i ben.

Gwelodd Rod o'r cloc bach ar waelod sgrin ei gyfrifiadur fod deg munud ganddo cyn i sesiwn stiwdio'r prynhawn ddechrau am ddau. Ystyriodd fynd am sigarét arall, cyn penderfynu peidio. Ac yna fe deimlodd rhyw ias yn rhwygo trwy ei isymwybod. Cyflymodd ei galon. Cododd y blew ar gefn ei freichiau. Rhewodd ei waed. A phan edrychodd i fyny, gwelodd y rheswm pam.

Pwy gerddai'n benderfynol heibio'r cyfrifiaduron, yn uniongyrchol am swyddfa Emlyn, ond Steffan Grey. Adwaenodd Rod e ar unwaith o'r ffilm, er bod e'n llawer mwy bygythiol yr olwg yn y cnawd na thrwy ffenest fach y camera. Nid ei fod yn ddyn mawr, cyhyrog, ond roedd rhyw rym yn perthyn iddo. Rhyw bŵer oedd yn amhosib ei weld, ond yn hawdd ei deimlo.

Ymlithrodd tuag at swyddfa Emlyn – ei symudiadau mor llyfn â sarff ar gylch sglefrio – ac yn reddfol, cododd Rod a'i ddilyn.

Beth yn y byd roedd e'n wneud fan hyn? Wedi dod i orffen yr hyn a ddechreuodd, efallai? Atseiniai'r cwestiynau ym mhen Rod wrth iddo agosáu at swyddfa ei fentor, ond pan gyrhaeddodd, nid ymosodiad oedd ar fin digwydd ond cyfarfod rhwng y ddau.

Daeth Rod i stop wrth y drws agored, a phan welodd Emlyn e'n sefyll yno, gwahoddodd e i mewn gyda winc fach slei na welodd Steff.

Wrth gwrs, roedd Rod wedi drysu'n lân unwaith eto, ond esboniodd amrannau Emlyn wrtho fod cynllun ar waith ac y dylai gadw draw.

'Sut wyt ti, Rod?' gofynnodd Emlyn, gan wenu'n braf ar ei waredwr. Trodd Steff yn y gadair i edrych ar Rod, ond pan welodd nad rhywun o bwys oedd yno trodd ei gefn arno heb air a dechrau chwarae gyda'i ffôn. 'Steff, dyma aelod newydda Akuma. Rodney Joyce. Cofia'r enw, achos ma'r boi 'ma'n mynd i fynd yn bell. Ma'r boi 'ma'n mynd i fod yn enwog.'

Yn araf bach, trodd Steff ac edrych ar Rod unwaith eto. Roedd yr olwg ar ei wyneb yn dweud 'As if!' a'r tywyllwch yn ei lygaid yn dweud 'Gad y stafell, small fry'.

'Chi moyn te neu goffi?' gofynnodd Rod, er mwyn sicrhau bwriad i'w ymweliad.

'Na,' meddai Steffan Grey.

'Dim diolch,' dywedodd Emlyn, gan wenu a wincio unwaith eto ar Rod.

'Beth yw pwrpas y cyfarfod 'ma, Emlyn? Fi'n ddyn prysur, fel ti'n gwybod. Cyfarfod pwysig am hanner awr 'di tri yn HQ. Ma pethe dal i fod braidd yn delicate lan 'na, fel ti'n siŵr o fod wedi clywed. Y brithgi o lywodraeth 'na yn San Steffan yn bygwth trosglwyddo'r cyfrifoldeb i'r fuckin Beeb! Over our dead bodies, gw boi!'

Nodiodd Emlyn ei ben yn araf wrth wrando ar Steffan yn pregethu, er y gwyddai na fyddai neb o'r Sianel yn aberthu'i hun dros gynnig y llywodraeth. Roedd y dyddiau hynny wedi hen ddiflannu.

'So, beth sy 'da ti?'

'Syrpréis,' atebodd Emlyn gyda gwên. Gallai weld o'r olwg ar wyneb Steff nad oedd yn disgwyl nac yn hoff o'r sefyllfa. Y dechrau perffaith, hynny yw.

'Iesu Grist!' ebychodd, gan wthio'i aeliau tua'r nenfwd. 'Gwell i hwn fod o bwys, Emlyn…'

'O, ydy, mae'n bwysig iawn,' atebodd Emlyn, cyn gwasgu 'PLAY' ar y gliniadur a gwahodd Steff i wylio'i hun yn serennu ar y sgrin.

Wrth i'r comisiynydd wylio'r ffilm, gwyliai Emlyn ei wyneb, gan deimlo pleser pur wrth ei weld yn gwingo. Wrth gwrs, ceisiodd Steffan beidio â dangos unrhyw emosiwn, ond roedd y ddau'n gwybod i ble roedd y cyffro'n eu harwain, a Steff yn siŵr o fod yn diawlo'i hun am fod mor amaturaidd â thynnu'r balaclafa cyn gadael lleoliad y drosedd.

Rhewodd y ffrâm olaf ar wyneb Steffan Grey yn eistedd yn y car, ac er bod ansawdd gweledol y ffilm a'r glaw yn ei gwneud hi'n anodd gweld pob manylyn, roedd nodweddion y comisiynydd yn ddigamsyniol.

Ni ddywedodd yr un ohonyn nhw air am gryn amser. Parhau i syllu ar y sgrin wnaeth Steff, yn ceisio ystyried beth y dylai wneud nesaf. Ceisiodd Emlyn ragweld yr hyn oedd i ddod, ond roedd wyneb Steff yn ei atgoffa o bencampwr poker.

'Beth ti moyn 'te?' gofynnodd Steffan o'r diwedd. Roedd wedi cloriannu'r holl opsiynau yn ei ben, a gwyddai ei fod wedi colli'r dydd ar yr achlysur hwn. Doedd dim gwadu mai fe ymosododd ar Emlyn, a'r unig beth y gallai wneud nawr oedd gobeithio na fyddai ei ofynion y tu hwnt iddo. Ond fe, Steff, fyddai'n gwenu yn y diwedd, roedd e'n sicr o hynny, hyd yn oed ar y foment hon â'i geilliau mewn feis ac Emlyn yn eu gwasgu.

'Dim byd afresymol,' dechreuodd Emlyn. 'Sy'n fwy na theg o dan yr amgylchiadau, ac o ystyried yr hyn ry'n ni newydd ei wylio.' Caeodd Emlyn y gliniadur. Trodd i edrych ar Steff, cyn siarad yn bwyllog. 'Dau beth bach, 'na gyd…'

'Paid gofyn i fi stopio darllediad y ffilm.'

'Paid becso, sa i'n mynd i. Fi'n derbyn bod bai arna i am safon y cynhyrchiad, a bod perffaith hawl gyda chi i'w ddarlledu.' Oedodd Emlyn cyn parhau, gan edrych ar y portread o'i fam ar y wal tu ôl i Steff am ychydig o ysbrydoliaeth. 'Dau beth bach dw i eisiau, Steff. Dau beth rwy'n sicr y byddi di'n gallu eu sortio. Un: sicrwydd na fydd unrhyw gyfresi eraill a gaiff eu cynhyrchu gan Akuma yn cael eu canslo heb reswm, a bod y cwmni'n cael chwarae teg wrth geisio am gytundebau yn y dyfodol.'

Nodiodd Steff. Byddai hynny'n ddigon hawdd, gan mai fe oedd pensaer anffawd Akuma dros y misoedd diwethaf.

'Ac yn ail, fi moyn i'r Sianel wneud U-turn llwyr o ran canslo *Amser Stori* a *Rhys Rhechu*…'

'Mae hynny'n amhosib.'

'Na, Steff, ma unrhyw beth yn bosib pan mae dy ddyfodol di yn y fantol.'

'Wyt ti'n fy mygwth i?'

'Ydw.' Gwenodd Emlyn. 'Os na wnei di sortio'r ddau gais digon rhesymol hyn i fi, bydda i'n dangos y ffilm hon i'r heddlu…'

'Ond bydd hynny'n dy ddifetha di yn ogystal â fi.'

'Sa i'n credu rywffordd,' atebodd Emlyn gan ddangos hyder dyn oedd wedi ystyried pob ongl ar y sefyllfa.

'Ond blacmêl yw hyn, Emlyn, ac mae hynny'n anghyfreithlon 'fyd.'

'Falle wir, ond o'i gymharu â'r hyn wnest ti, sa i'n poeni

rhyw lawer am hynny. Ac os eiff yr achos i'r llys, ti fydd y dihiryn – paid â meddwl yn wahanol am eiliad. Dw i jyst wedi gweld fy nghyfle i achub fy nghwmni, fy ngweithlu, fy nyfodol. 'Na i gyd 'nest ti oedd ymosod yn wyllt, yn ddireswm…'

'Yn ddireswm! 'Nest ti ffwcio 'ngwraig i a'i chael yn feichiog!'

'Ddim ar bwrpas, galla i sicrhau hynny i ti.' Gwenodd Emlyn eto. Roedd yn mwynhau hyn yn awr – Steff yn gwingo o'i flaen, yn amlwg wedi'i drechu, ond yn dal ei afael wrth flaenau ei fysedd. 'Un o'r prif wahaniaethau rhyngddo ti a fi, Steff, yw 'mod i'n hapus yn gweithio dros fi fy hun. Yn wir, fi'n ffynnu ar wneud. Tra bod ti'n gorfod gweithio i awdurdod uwch. Gwas bach fuest ti erioed, Steff, ond fydd neb eisiau dy gyflogi os ei di i'r carchar. Byddi di ar dy ben dy hun, heb obaith, heb ddyfodol. Tra bydda i'n dechrau eto, ailadeiladu ac ailgydio mewn bywyd.'

'Ok, ok,' dywedodd Steffan wrth godi a gwisgo'i siaced. 'Fe wna i 'y ngore.'

Ond doedd hynny ddim yn ddigon da.

'Na, Steff. Dim gwneud dy ore. Jyst gwneud. Ti'n deall?'

'Ydw,' atebodd Steffan, cyn gadael y swyddfa o dan gwmwl stormus, gan adael Emlyn yn torheulo o dan belydrau haul ei lwyddiant – ger y pwll nofio, yn yfed pina colada.

Caeodd Steffan ddrws y car yn glep tu ôl iddo, ac eistedd yn yr Aston Martin newydd sbon gan ffrwtian yn ffyrnig wrth i'w gorff cyfan grynu'n ddireol.

Er na fyddai gwrthdroi'r penderfyniadau i ganslo cyfresi *Rhys Rhechu* ac *Amser Stori* yn amhosib, byddai'n boen tin ac yn denu sylw diangen ato. Heb sôn am wneud iddo edrych braidd yn wirion o flaen uwch dîm rheoli'r Sianel.

Ac er bod y chwithdod ar lefel broffesiynol yn anochel bellach, y lefel bersonol oedd yn mynd â'i sylw yn awr. Nid oedd erioed wedi edrych yn gymaint o ffŵl o'r blaen, neu o leiaf nid oedd wedi teimlo fel un, ac eisoes roedd cynllun ar waith yn ei feddwl o ran sut i ddial ar ei hen ffrind.

The Cornwall, Grangetown: Prynhawn Dydd Sul

Taranodd y bloeddio o gegau'r dynion a oedd wedi ymgynnull yn y dafarn i wylio gêm arall o'r Uwch Gynghrair ar y sgrin fawr, gan ysgwyd Rod allan o'i syrthni dydd Sul.

Edrychodd o gwmpas cefn y Cornwall – bwrdd crwn llawn gwydrau, rhai'n wag, rhai ar eu hanner a rhai'n dal i fod yn llawn; sloganau Brains ar bosteri, 'It's Brains you want', 'Without SA, it just isn't W_LE_'; y tai bach cyfagos; wyneb ei sort of cariad; a Bryn ac Alis, fel arfer, yn cusanu'n gyhoeddus fel dau blentyn ysgol.

Bloeddiodd y cwestiynau yn ei ben, gan fynnu atebion er na allai Rod eu hateb. Pam yn y byd eu bod *nhw* yma? Pam yn y byd ydw *i* yma? A pham fuck ei bod *hi* yma?

Yn sydyn, wrth lowcio llond ceg o Bow, daeth yr ateb un gair yn eglur.

Rhyw.

Roedd hi mor syml â hynny.

Gwyddai Rod beth fyddai'n digwydd maes o law. Wedi gorffen ei beint nesaf, ei beint olaf, byddai'n codi a gadael heb fawr o ffws. Byddai Betsan yn dweud hwyl fawr swta, a Bryn ac Alis efallai yn datgysylltu am eiliad er mwyn mwmian ta-ta. Falle. Wedyn, ar ôl gwisgo'i got, byddai Rod yn gadael y dafarn ac yn anelu am adref. Ond, cyn cyrraedd drws ei gartref, neu efallai jyst wedi iddo'i gau ar ei ôl, byddai Betsan yn ymddangos o'r cysgodion a'r cylch dieflig yn dechrau eto.

Ond, na! Dim heddiw. Dim gobaith. Roedd Rod wedi cael digon ar fod yn gi bach mud, yn degan, yn wrthrych. Ac er bod y rhyw yn anhygoel ar adegau, roedd ei hunan-barch yn bloeddio am sylw, yn erfyn arno i fod yn ddyn.

Roedd yn rhaid i hyn ddod i stop. Ar unwaith. A'r unig beth oedd angen i Rod wneud nawr oedd ffeindio'i geilliau... nawr, ble roedd e wedi'u gadael nhw? Ym mag llaw Betsan, efallai?

Heb air, cododd Betsan a diflannu trwy ddrws y tŷ bach cyfagos. Gwyliodd Rod hi'n mynd, gan deimlo'r gwaed yn rhuo tuag at ei ganol. Rhegodd am fod mor wan. Ond anodd oedd gwadu ei reddfau. Nid oedd hi wedi gwneud unrhyw ymdrech i dacluso'i hun heddiw, ond doedd hynny ond yn ei gwneud yn fwy atyniadol rywffordd. Os gall merch edrych mor ddeniadol yn gwisgo legings du, bŵts UGG gwlanog, siwmper drwchus a dim colur ar ei hwyneb, dychmygwch fel y byddai'n edrych wedi ychydig o ymdrech. Neu yn hollol noeth.

Cododd ei beint a gwyliodd Bryn ac Alis am eiliad. Roedden nhw wedi cael hoe bellach, am funud neu ddwy o leiaf, a gwrandawodd Rod arnyn nhw'n trafod eu cynlluniau i weld ei gilydd yr wythnos nesa. Tristaodd Rod ar unwaith wrth sylwi bod gan ei ffrind gorau yr union beth roedd ei angen arno fe, sef perthynas 'normal' gyda merch 'normal'. Yn hytrach na pherthynas ryfedd gyda merch ryfedd.

Yfodd ei ddiod, ac wrth fynd ati i wagio hanner olaf peint olaf y penwythnos, rhuthrodd digwyddiadau'r wythnos flaenorol o flaen ei lygaid. Am wythnos! Gwych ar un llaw, o ran gwaith a chartref newydd, ond yn hollol ddryslyd a rhwystredig ar y llaw arall o ran Betsan. Roedd gweithio yn

Akuma yn well nag yr oedd Rod erioed wedi'i ddychmygu. Ar wahân i un person. Penderfynodd Rod ar ei fore cyntaf, wrth eistedd yno heb unrhyw beth i'w wneud, y byddai'n ymdrechu i fod y rhedwr gorau erioed i weithio i Akuma. Ac felly, yn lle cwyno o dan ei anal fel y lleill pan fyddai rhywun yn gofyn iddo wneud rhywbeth dibwys – mynd i'r siop i brynu ffags i Emlyn; gwneud coffi i ryw ymwelydd hunanbwysig; gwagio'r biniau; symud bocsys a pheiriannau – âi Rod ati i drin pob tasg fel tasai'n hollbwysig i'w ddyfodol e a dyfodol y cwmni. Gwelodd bron ar unwaith fod ei agwedd gadarnhaol yn plesio uwch-aelodau tîm cynhyrchu *Rhys Rhechu*, a gwnâi hynny Rod yn ei dro yn hapus. Teimlai fel rhan o'r tîm erbyn diwedd dydd Mawrth, ac erbyn dydd Iau roedd e wedi cyfrannu ei syniad cyntaf – dim byd mawr, dim ond awgrym o ran cerddoriaeth i'w defnyddio i gyd-fynd â golygfa benodol a ddenodd glod Angharad, pennaeth y cynhyrchiad. Roedd Rod wedi aros cyhyd am ei gyfle, roedd e'n benderfynol o fanteisio arno.

Roedd e wedi cysgu gyda Betsan bob yn ail noson ers nos Lun, yn ogystal â neithiwr. Er nad oedd hi wedi aros tan y bore ar yr un achlysur. Roedd yr atyniad corfforol yn ddiamheuol, ond nid oedd hynny'n ddigon i Rod. Ymddangosai mai dyna'r unig beth roedd Betsan ei eisiau oddi wrtho, yn enwedig o gofio nad oedd hi'n ei gydnabod yn y gweithle o gwbwl nac wedi cynnal yr un sgwrs o bwys ag e yn ystod eu hamser yng nghwmni ei gilydd.

'Fi off,' datganodd Rod, gan godi ar ei draed a gafael yn ei got.

'Later,' atebodd Bryn, cyn gorffen ei beint a chwilota yn ei boced am arian i brynu un arall.

'Ti ddim yn aros am Betsan?' gofynnodd Alis.

Cododd Rod ei sgwyddau. 'Beth yw'r pwynt?' dywedodd,

cyn brwydro trwy'r sgarmes denim a Stella, oedd yn dal i wylio'r gêm, am y brif fynedfa a'r awyr iach tu hwnt. Ystyriodd smocio rôl ar ei ffordd adref, ond penderfynodd beidio. Roedd eisoes wedi smocio deg, o leiaf, yn ystod y dydd. Ta beth, byddai sbliff yn y bath wedi swper yn llawer mwy pleserus, ac yn help i ymlacio cyn mynd i'r gwely'n gynnar a pharatoi ar gyfer wythnos arall o waith.

Gyda'i allwedd yn nhwll y clo, digwyddodd yr anochel. Teimlodd Rod hi tu ôl iddo, cyn iddi godi'i llaw a chyffwrdd yn ysgafn yn ei ysgwydd. Cyflymodd ei galon ar unwaith, wrth i'r blys ei gyfareddu.

Caeodd Rod ei lygaid ac anadlu'n ddwfn mewn ymgais i dawelu ei chwantau ac i ganfod y cryfder roedd arno'i angen nawr i wrthod Betsan a dod â'r ffars yma o berthynas i ben.

'Rod. Ti'n iawn?' gofynnodd Betsan mewn ymateb i'w ymddygiad rhyfedd.

Ysgydwodd Rod ei ben yn araf, cyn dod â'i dalcen i orffwyso ar bren cochfrown y drws.

'Be sy?'

Trodd Rod i'w hwynebu. Gwenodd Betsan arno wrth weld y boen tu ôl i'w lygaid. Ceisiodd Rod gofio a welsai hi'n gwenu o gwbwl yn ystod yr wythnos ddiwethaf. Methodd. Roedd hynny'n drasiedi o ystyried ei bod hi'n brydferthach wrth wenu. Nid bod ganddi ddannedd perffaith na dim. Yn wir, roedd ei gwên yn gam. Ond roedd hynny'n well na pherffeithrwydd. Rhywffordd.

Bydd yn gryf, erfyniodd Rod ar ei hun, gan chwilota eto am ei geilliau.

'Na!' llwyddodd i boeri, ond wnaeth hynny ddim byd ond drysu Betsan. Diflannodd y wên. Pasiodd trên ar y trac ar ddiwedd y cul-de-sac.

'Na beth?'

'Alla i ddim gwneud hyn.'

Trodd Rod ac agor y drws ar frys, cyn ceisio'i gau tu ôl iddo. Ond roedd Betsan yn rhy gyflym o lawer wrth osod ei throed rhwng y ffrâm a'r porth mewn chwinciad.

'Sa i'n deall. Gad fi mewn. Plis. 'Drych, mae dy gymdogion di'n edrych arnon ni.'

Ar ochr arall y stryd, gyferbyn â chartref Rod, safai dwy fenyw yn eu canol oed yn sgwrsio ar stepen y drws. Sgwrsio a syllu, hynny yw. Yn araf ac yn anfodlon, gadawodd Betsan i mewn. Anadlodd yn ddwfn wrth gau'r drws drachefn a'i ddilyn tua'r lolfa, gan lusgo'i draed a rhegi o dan ei wynt ar ei gymdogion busneslyd a'u rhan yn ei gwymp.

Heb aros am wahoddiad, eisteddodd Betsan ar hoff sedd Rod a syllu'n ddiffuant arno.

'Fi'n cael cuppa. Ti moyn un?' Hyd yn oed ar ôl wythnos o alw 'cuppa' yn 'baned' yn Akuma, at ddiben ffitio i mewn, roedd Rod yn methu dweud y gair heb deimlo fel ffugiwr.

'Pam lai. Fi'n meddwl bod angen sgwrs fach arnon ni. Nag wyt ti?'

Haleliwia!

Yn y gegin, wrth i'r tecell ferwi, aeth Rod trwy ei bethau yn ei ben. Roedd ganddo gymaint i'w ddweud wrthi, ond dim syniad ble i ddechrau. Roedd hyn yn llawer caletach nag unrhyw gyfweliad. Ac yn bwysicach 'fyd.

Pan ddychwelodd i'r lolfa, gyda phaned ym mhob llaw, clywodd nodau agoriadol un o'i hoff CDs yn treiddio o'r pedwar uchelseinydd yng nghorneli'r stafell.

'Dewis da! Dyma ti,' dywedodd Rod, gan basio'r mŵg blodeuog yn ofalus i Betsan.

'Dy CD di yw hwn?' gofynnodd hithau, wrth osod y mŵg ar y bwrdd coffi o'i blaen a thoddi i'r clustogau.

'Yep. Fi'n absolutely caru Eliot Wilder.'

'A fi! Do'n i ddim yn meddwl bod neb arall wedi clywed amdano fe.'

'Dim ond ti a fi, Betsan,' medd Rod gyda gwên, ac eistedd ar y soffa gyferbyn. Yn sydyn, roedd e'n mwynhau ei hun. Sut ddigwyddodd hynny? Ac wedyn gwawriodd arno mai dyma'r sgwrs gall gyntaf iddo fe a Betsan ei chael.

'Sen i ddim yn synnu. Sut glywes ti amda…?' Tawelodd ei geiriau. Diflannodd ei gwên. 'Sori. Mae angen i ni siarad…'

'A beth fydde ti'n galw…?'

'Sgwrs, Rod. Serious business. Dyna beth oeddet ti moyn, ie?'

'Wel, ie. Ond…'

'Beth?'

'Ond… ond… wel… dyma'r sgwrs, y chat gyntaf i ni gael. Ac edrych arnon ni, ma 'da ni Eliot Wilder in common!'

'O's. Ond beth sy ar dy feddwl di?'

'Dyna fe, in a nutshell.'

'Beth?'

'Wel… ni 'di bod yn… ti'n gwybod… trwy'r wythnos… ond so ni 'di siarad am ddim byd…'

'Odyn, ni wedi…'

'Dim byd o bwys, Betsan. Sa i'n gwybod dim amdanot ti. Pethe normal, anyway. O's brawd neu chwaer 'da ti? Beth yw gwaith dy rieni? Beth yw enw dy housemate? Ti'n gwybod. Fi moyn dod i dy nabod di, Betsan. Dim bod yn gi bach. Bitch hyd yn oed. Whistle and I'll come. Literally!'

Gwenodd Betsan, gan doddi calon Rod yn hollol ddiymdrech.

'Paid gwenu! A paid meddwl am funud nad ydw i'n dy

ffansïo di nac wedi mwynhau pob eiliad o bob... uhm...
sesiwn... ond fi moyn mwy na hynny. Fi moyn beth sydd
gan Bryn ac Alis. Fi moyn...'

''Drych, Rod. Fi'n... dy... ti'n gwybod...'

'Na, beth?'

'Fi'n... wel... ffansïo ti 'fyd... ond...'

There's always an 'ond'. Sipiodd Rod ei baned, gan
adael i'r ager godi a masgio'r siom oedd yn ei lygaid. Wedi
dechrau addawol i'r sgwrs, roedd pethau ar fin chwalu'n
ddarnau. Dyna oedd Rod yn ei ddisgwyl, ta beth...

'Wel, fi newydd ddod â perthynas long-term...
ish... i ben. Tua tri mis yn ôl. Wedi bod 'da fe ers dros
flwyddyn...'

'Sori.'

'Paid bod yn sofft! Dales i fe'n ffwcio o gwmpas tu ôl i
'nghefen i, a gorffennes i 'da fe'n streit. Ro'n ni fod symud
miwn 'da'n gilydd, ac ro'n i'n lwcus 'mod i 'di ffindo
mas pan 'nes i, neu bydde pethe wedi bod yn llawer mwy
cymhleth. Ie... ble o'n i?'

'Ond.'

'Ie, diolch. Ond... ym... ie, 'na ni, y pwynt yw, dw i
ddim yn edrych am unrhyw beth serious a heavy ar hyn o
bryd. Dim fel Alis a Bryn, ta beth. Ma nhw'n troi arna i
wrth gario 'mlaen fel ma nhw...'

'A fi. 'Nes i hyd yn oed eu dal nhw'n ffwcio yn y gegin
wythnos diwetha.'

'Afiach! Dim ond bach o hwyl dw i am ar hyn o bryd,
Rod. Dim disgwyliade. Dim pwyse. Hwyl... jyst hwyl.'

'Fi'n deall yn iawn, a sa i moyn unrhyw beth heavy
chwaith... jyst...'

Oedodd Rod gan edrych ar Betsan. Gwenodd arno, gan
annog iddo barhau.

'Jyst… wel… perthynas fel hyn…'

'Fel hyn?'

'Ie. Sit down a sgwrs. Cuppa. Smôc. Gwylio ffilm falle. Bwyta swper gyda'n gilydd o bryd i'w gilydd. Mynd am dro. Dala dwylo hyd yn oed. Dod i nabod ein gilydd yn iawn. Gweld os ni'n compatible. Ti'n gwybod…'

'Odw.'

'O! Un peth arall. Pwysig iawn.'

'Beth?'

'Byse helô yn y gwaith yn neis o bryd i'w gilydd.'

Gwridodd Betsan ac edrych ar y wal.

'Sori,' meddai. 'Galla i esbon…'

'Sdim angen esbon…'

'Oes.'

'Nac oes. Look, ma gen i syniad reit dda o pam ti 'di bod mor weird yn y gwaith… ond sa i'n disgwyl sws, cwtsh na hyd yn oed high five. Jyst cydnabyddiaeth. Nod bach. Gwên. Fi'n gwybod mai dim ond runner ydw i, ond fi'n gobeithio… na, fi'n bwriadu camu 'mlaen. In it for the long haul, and all that…'

'Dyna pam ti'n meddwl… yn… gwaith…?' Brwydrodd Betsan i ganfod y geiriau, ond roedd wedi'i synnu gan ddehongliad Rod.

'Wel, ie… o'n i'n…'

'Dim 'na beth yw e o gwbwl.'

'Beth 'te?'

Gwridodd Betsan ar unwaith, gan sylwi bod y gwir yn waeth na'r honiad. Roedd hi wedi cerdded i mewn i'r fagl; yn wir, roedd hi wedi gwibio i mewn iddi.

'Come on, spit it out!'

'Na. No way. Mae'n rhy embarrassing!'

'Fi'n credu 'mod i'n haeddu esboniad, Betsan. Yn enwedig o gofio sut…'

'Ocê, ocê.' Anadlodd yn drwm a chaeodd ei llygaid cyn dechrau. 'Ti'n… fi'n… fi'n arfer mynd am… wel… ti'n…'

'Jesus, Betsan, beth?'

'Ti'n rhy ifanc, Rod.'

Llenwodd y tawelwch y stafell yn llwyr. Syllodd Rod arni gyda gwên fach yn dawnsio ar gorneli'i geg.

'Ga i ofyn un peth i ti?' gofynnodd ar ôl saib hir, anghyfforddus braidd.

'Unrhyw beth.'

'Pryd ges ti dy eni?'

'Wyth deg wyth.'

'Dyddiad geni?'

'Pedwerydd o Awst.'

Gwenodd Rod a nodio'i ben yn hollwybodus.

'Ti moyn gwybod pryd ges i 'ngeni?'

'Dim nawr,' dywedodd Betsan, gan wybod beth oedd yn dod.

'Fourth of the first eighty eight,' medd Rod gan ei hanwybyddu.

'So?'

'So?'

'So what?'

'So what, fi'n hŷn na ti, ya nutter!'

'Ond ti'n dala'n rhy ifanc.'

'A ti'n rhy mental!'

'Ti'n gwbod beth fi'n feddwl.'

'Wel… sort of… falle… ydw. Ond ma fe'n dal yn mental.'

'Na, dyw e…'

'Ydy, ma fe, actually. Yn hollol mental. Achos falle, jyst falle, bod ti'n mynd i golli allan ar rywbeth hollol amazing gyda rhywun hollol amazing yr un oed â ti achos bo ti'n

credu popeth ti'n darllen yn *Cosmo* neu *Company* neu...
arghhhhh... *Cunt* magazine...'

Tawelodd Rod gan boeni bod ei bregeth a'i floeddio
wedi dychryn Betsan, ond pan ddiflannodd y niwl coch
gwelodd fod hithau'n gwenu arno gyda dim byd tebyg i ofn
na phryder yn agos ati.

'*Cunt* magazine?'

'Ie. Neu *Heat*. Beth bynnag. Ond ma 'mhwynt i'n dal yn
valid. Ac anyway, beth sydd gen ti i golli?'

Gwenodd Betsan gan edmygu ei resymeg, ac wedi
meddwl roedd ei dyn hŷn diwethaf wedi torri'i chalon, wedi
chwalu ei hunanhyder ac wedi ymddwyn fel plentyn ar fwy
nag un achlysur.

'Beth ti'n feddwl 'te?' gofynnodd Rod pan gafodd lond
bol ar y mudandod.

'O beth?'

'Yr indecent proposal.'

'Dod i nabod ein gilydd, cymryd pethe'n ara a gweld beth
ddigwyddiff proposal?'

'Ie.'

Tawelodd Betsan ac edrych yn ddwys ar y bwrdd o'i
blaen, fel tasai'n rhoi ystyriaeth ddifrifol i'r holl beth. Ond
mewn gwirionedd, dim ond chwarae gêm fach gyda Rod
oedd hi.

'Sa i'n gwybod, Rod... mae hi braidd yn gynnar...'

'Oh,' daeth yr ateb, heb fod Rod yn gallu cuddio'i
siom.

Cododd Betsan ei phen a gwenu arno.

'Fuckin bitch!' chwarddodd Rod.

'Beth alwest ti fi?' gwaeddodd Betsan gan ffugio atgasedd
a neidio amdano ar y soffa.

'Glywes ti fi'n iawn,' atebodd Rod, ond erbyn hynny

roedd Betsan wedi'i gaethiwo i'r fan a'r lle trwy osod ei phengliniau ar y naill ochr i'w gorff, ac yn ei gusanu'n nwydus gan roi'r ateb perffaith i'w holl gwestiynau.

'Dere,' cododd Betsan gan geisio tynnu Rod tuag at y stafell wely.

'No way,' atebodd Rod.

'Beth?'

'Later. Falle. Os ti'n lwcus. Ond dim nawr. Dim ar ôl ein sgwrs ni. Heno, ni'n mynd i aros fan hyn, gwrando ar CDs, smocio cwpwl o sbliffs, yfed te, dod i nabod ein gilydd a chael cwtsh bach o flaen y tân...'

'Cwtsh?'

'Ie.'

Gwenodd Betsan, cyn aileistedd ar y soffa wrth ochr Rod a phwyso arno er mwyn iddo gydio ynddi.

'Neis iawn,' dywedodd hithau. Ond ddywedodd Rod 'run gair, dim ond eistedd yno'n mwytho'i gwallt euraid gyda gwên anferth ar ei wyneb.

Wedi gwneud bron yn union fel yr awgrymodd Rod, sef gwrando ar CDs, smocio cwpwl o sbliffs, adrodd straeon, yfed te a siocled poeth, a dod i adnabod ei gilydd, aeth hi'n hwyr a hynny'n hollol ddiymdrech.

Roedd gwres y tân yn pylu, a nerth y cariadon hefyd. Ond ddim i'r fath raddau fel na wnaethon nhw ymgymryd â sesiwn hoenus o fabolgampau rhywiol cyn cwympo i gysgu ar wely bach Rod, yn gawlach o chwys, hylifau anhysbys eraill, boddhad a bodlonrwydd.

A phan ddihunodd Rod am chwarter i saith y bore canlynol, gwenodd ar ei sort of cariad, oedd, yn ddiarwybod iddo fe, wedi bod yn ei wylio'n cysgu'n dawel ers iddi hi agor ei llygaid ei hun rhyw ddeg munud ynghynt.

Casa Eilfyw-Jones: Bore Dydd Llun

Dihunodd Cariad wedi noson arall o gwsg aflonydd. Nid oedd hi'n gallu cofio'r tro diwethaf i Napoleon bach beidio â'i hatal rhag cysgu, ond man a man dod i arfer â'r sefyllfa, dyna oedd ei safbwynt hi. Wedi'r cyfan, roedd misoedd, os nad blynyddoedd, o nosweithiau di-gwsg o'u blaenau – wel, o'i blaen hi.

Fel y gwnâi bob bore, edrychodd ar y cloc digidol wrth ochr y gwely er mwyn sicrhau nad oedd hi'n mynd i fod yn hwyr i'r gwaith. Roedd hi'n chwarter i wyth. Dim problem. Ac wedyn cofiodd mai dyma'i hwythnos olaf cyn gadael am ei chyfnod mamolaeth. Gwenodd a throi ar ei chefn, ac ar y gair ciciodd y bychan ei 'fore da', a mwythodd Cariad ei bola'n dyner mewn ymateb. Roedd y babi erbyn hyn yn enfawr, a'i draed a'i ddwylo'n gwthio bron yn barhaus yn erbyn waliau ei chroth, fel petai'n ymdrechu i ddianc fis cyn pryd. Roedd ei gallu i gofio manylion, yn enwedig yn y byrdymor, ar chwâl ers amser, a byddai gadael y gwaith yn gwneud byd o les iddi, gan fod ei phen ar fin byrstio ar ddiwedd y dydd bellach. Weithiau cyn amser cinio, hyd yn oed.

Caeodd ei llygaid i gael 'pum munud bach arall', ond doedd Napoleon ddim yn mynd i roi llonydd iddi heddiw. Cyn iddi gael cyfle i godi a mynd i'r gawod, cerddodd Emlyn i mewn i'r stafell wely yn cario hambwrdd trwm yr olwg ac yn gwisgo ffedog a brynodd e iddi o fwyty llysieuol Demuths yng Nghaerfaddon pan aethon nhw yno i ddathlu ei phen-blwydd rhyw ddwy neu dair blynedd yn ôl.

'Hia babes, sut ti'n teimlo?'

'Hia Ems. Be 'di hyn?'

Cyn ateb, trodd Emlyn ei gefn ar y reddf i'w hateb yn goeglyd.

'Brecwast. Eistedd lan a rho un o'r pilows ar draws dy goese.'

Gwnaeth Cariad fel y gorchmynnodd ei gŵr, a gosododd yntau'r wledd o'i blaen.

'Ha! Ti braidd yn gallu cyrraedd dy fwyd!' chwarddodd Emlyn, cyn eistedd wrth ei hochr a dechrau mwytho'i bol yn dyner.

'Mmmmmm,' oedd ymateb cyntefig Cariad i'w brecwast, cyn i'r gallu i siarad ddiflannu yn gyfan gwbwl wrth iddi fochio'r miwsli Bircher, yr iogwrt naturiol, y mêl a'r hadau tostiedig. Wedyn, llyncodd ei sudd oren ffres ar ei ben a throi ei sylw at ei thost, oedd wedi'i orchuddio â llwyth o fenyn a cheuled lemwn.

Rhwbiai Emlyn ei bola'n ysgafn trwy gydol y brecwast, ac er bod hynny braidd yn blagus ar ôl rhyw funud neu ddwy, ni ddywedodd Cariad air gan nad oedd hi am i'r foment ddod i ben. Roedd gweld y balchder a'r brwdfrydedd yn llifo o'i gŵr yn hyfryd, yn enwedig ar ôl anawsterau'r misoedd diwethaf. Effeithiodd y digwyddiadau yn Akuma arno'n fawr, gydag iselder yn bygwth yn aml ac Emlyn yn dal i weld eisiau ei fam. Ond ers y cyfarfod gyda Steff yr wythnos cynt roedd Emlyn wedi cael adfywiad ac roedd yn debycach i'r Emlyn a gyfarfu hi ddegawd ynghynt, o'i gymharu â'r dyn blin a fu'n ŵr iddi yn ystod y gaeaf eleni.

Caeodd ei llygaid a gadael i'r bwyd setlo.

'Hei! Paid mynd 'nôl i gysgu nawr. Gei di wneud hynny wythnos nesa, ond dim heddiw.'

Gwenodd Cariad arno eto, a phwysodd Emlyn ati er mwyn rhoi cusan hir iddi. Ystyriodd Cariad fynd am ei falog, ond o dan y ffedog roedd Emlyn wedi gwisgo'n barod i'r gwaith, felly penderfynodd beidio.

'Reit, fi off,' dywedodd gan godi. 'Wela i di heno. Ti ffansi takeaway o'r Summer Palace i swper?'

Meddyliodd Cariad am eiliad, cyn dod i gasgliad.

'Ti'n gwybod be dwi wir yn ffansïo? Sgod a sglods o Top Gun neu Younger's.'

'Mmm. A fi, nawr bo ti 'di crybwyll y peth. Grêt, fe wna i bigo fe lan ar y ffordd adre o'r gwaith. Ok?'

'Iawn. Wela i di heno.'

'Iawn,' ac wedi cusan arall, cododd Emlyn yr hambwrdd a'i throi hi am y gegin, gan adael Cariad yn y gwely, yn dal i fwytho'i bola.

Akuma Cyf.: Prynhawn Dydd Llun

Wedi i bawb yn y swyddfa dderbyn e-bost oddi wrth Emlyn ben bore, yn galw cyfarfod staff brys am dri o'r gloch, dechreuodd Rod glywed y sibrydion. Yn ôl y clecs, y tro diwethaf i gyfarfod o'r fath gael ei drefnu, newyddion drwg oedd gan Emlyn i'w rannu. Canslo cyfresi oedd hi ar yr achlysur hwnnw, a thoriadau o ran defnyddio gweithwyr llawrydd hefyd. Felly disgwyl y gwaethaf roedd pawb.

Ond, nid oedd pethau'n ddrwg i gyd. Ddim o bell ffordd. Y rheswm, yn syml, oedd fod Betsan wedi dechrau ei cydnabod yn y gwaith. Dim mewn ffordd dros ben llestri, ond mewn ffordd broffesiynol a chyfeillgar – gwellhad mawr o'i gymharu â'i hagwedd yr wythnos cynt.

Wedi dihuno ym mreichiau ei gilydd ben bore, a dechrau'r dydd trwy ymweld â'r gampfa gydgnawdol, aeth Betsan adref i gael cawod a gwisgo, gan adael Rod yn ei ŵn nos carpiog yn hapus ei fyd ac yn methu credu ei lwc. Os mai dyma oedd 'mynd yn araf' gyda merch, nid oedd Rod yn credu y gallai oroesi mynd yn gynt mewn unrhyw ffordd.

Cyrhaeddodd y swyddfa rhyw bum munud cyn naw, a

mynd yn syth i'r stiwdio lle roedd y tîm yn saethu *Rhys Rhechu* eto heddiw. Pan ddychwelodd i'r swyddfa tua un ar ddeg, gwenodd Betsan arno a defnyddio'i hamrannau'n awgrymog, cyn diflannu i Edit 1 heb air.

A dyna pryd y gwelodd aelodau'r tîm cynhyrchu e-bost Emlyn, gyda'r sibrydion yn dilyn bron ar unwaith. Beth nawr? Beth fyddwn ni'n ei golli nesaf? Roedd pawb yn poeni, a gwelodd Rod ochr ansicr y diwydiant am y tro cyntaf.

Daeth yn amlwg iddo fod gan nifer fach o bobol bwerus ym mhencadlys y Sianel y gallu i ddifetha dyfodol cwmnïau cynhyrchu fel Akuma, heb sôn am fywydau a dyfodol y bobol a weithiai i'r cwmnïau hynny.

Ond, yn wahanol i'w gydweithwyr, nid oedd Rod yn poeni rhyw lawer am y cyfarfod, gan ei fod e'n cofio'r winc fach roddodd Emlyn iddo cyn cyfarfod â Steffan Grey yr wythnos cynt.

Am bum munud i dri, ymgasglodd pawb yn y swyddfa cynllun agored, gan aros i Emlyn ddod allan o'i swyddfa i'w hannerch. Roedd y sibrydion yn dal i fod ar flaen tafodau'r staff, ond eistedd yn dawel wnaeth Rod, a gwenu ar Betsan pan ddaliodd ei llygad. Gwenodd hithau yn ôl, gan godi'i galon fwy byth.

Daeth Emlyn allan o'i swyddfa yn cario llythyr. Nid oedd yn gwisgo'i siaced ac roedd botwm uchaf ei grys wedi datod a'i dei'n llac am ei wddf. Nid oedd hynny'n arwydd da. Tawelodd y gynulleidfa ar unwaith, gan syllu ar y bos yn bryderus.

Cododd Emlyn ei law er mwyn i bawb gael gweld y llythyr. Oedodd cyn dechrau ar ei araith, gan wneud i holl staff Akuma Cyf. gyd-anadlu.

Yna, lledodd gwên ar ei wyneb, gan synnu pawb, heb sôn am eu drysu.

''Na i ddim eich cadw chi'n hir, bobol, fi'n gwybod bod pawb yn brysur. A ta beth, newyddion da sydd gen i heddiw. Cyrhaeddodd y llythyr hwn bore 'ma, wrth Rhian Phillips, comisiynydd rhaglenni plant y Sianel...'

Ymatebodd rhan o'r gynulleidfa gyda 'Bŵŵŵ' uchel a babïaidd braidd wrth glywed enw'r comisiynydd, gan wneud i Emlyn wenu.

'Arhoswch funud! Fyddwch chi ddim yn bŵian pan glywch chi beth sydd ganddi hi i'w ddweud.' Trodd Emlyn at y llythyr, a'i ddarllen. 'Annwyl Mr Eilfyw-Jones, blah blah blah... ah, dyma ni... wedi rhoi ystyriaeth bellach i'r mater o wrthod comisiynu cyfresi newydd *Amser Stori* a *Rhys Rhechu*, sydd yn cael eu cynhyrchu gan Akuma Cyf., mae'n bleser gennyf ddatgan ein bod wedi ailystyried ein penderfyniad gwreiddiol ac yn falch o rannu gyda chi ein bwriad o gomisiynu cyfres newydd o *Amser Stori* a *Rhys Rhechu*. I drafod y mater ymhellach, cysylltwch â fi yn uniongyrchol ar blah blah blah... a dyna chi. Dim mwy o esboniad na hynny am nawr, jyst mater o ffaith, newid meddwl, a newyddion da i ni i gyd.'

Wedi i'r mudandod llethol yn dilyn y datganiad droi'n fonllef orffwyll, tawelodd y cyffro'n araf wrth i bawb droi'n ôl at eu gwaith. Ond, cyn i neb ddiflannu, mynnodd Emlyn sylw ei staff unwaith yn rhagor.

'Un peth arall, bobol. Os oes gennych chi unrhyw syniad neu syniadau y credwch sydd â'r potensial i wneud rhaglen neu gyfres deledu, neu efallai ffilm ddogfen neu nodwedd, anfonwch e-bost ata i, neu rhowch gnoc ar fy nrws i gael sgwrs. Fi'n awyddus iawn i ddatblygu rhywbeth newydd, felly peidiwch ag oedi. Ok?'

Gwasgarodd y gweithwyr yn araf yn ôl at eu desgiau, camerâu, meicroffonau, dyletswyddau ac ati. Ond oedodd Rod am eiliad wrth i wahoddiad Emlyn angori yn ei ben.

A oedd ei ffilmiau fe'n ddigon da i'w dangos? Ac os felly, a fyddai gan Emlyn ddiddordeb?

Ond, ffilmiau uniaith Saesneg oedd ganddo, felly ni fyddai modd eu darlledu nhw ar y Sianel. Ac ar ben hynny, teimlai Rod fod Emlyn wedi gwneud digon ar ei ran yn ddiweddar, ac nid oedd eisiau gwneud iddo deimlo'n ddyledus nac o dan bwysau i'w werthfawrogi. Felly, am y tro, byddai Rod yn eistedd arnyn nhw, gyda'r bwriad o'u gwylio nhw i gyd unwaith eto yn y dyfodol agos er mwyn eu gwerthuso nhw. Ac wedyn, pwy a ŵyr? Roedd drws Emlyn ar agor. Yn ôl pob tebyg.

Wrth adael ei swyddfa a cherdded ymysg ei weithwyr tuag at y dderbynddesg a'r byd tu draw i'r fynedfa, teimlai Emlyn rhyw wefr wrthgyferbyniol yn ei erlid.

Ar y naill law, gallai deimlo bwrlwm newydd yn y swyddfa – gobaith a rhyddhad, pendantrwydd a brwdfrydedd, ond ar y llaw arall roedd rhyw deimlad annifyr yn llechu yng nghorneli ei isymwybod, yn aros am gyfle i'w gornelu a'i golbio.

Wrth gwrs, roedd wedi gweld cynnydd digamsyniol yn y paranoia ers iddo daflu ei dabledi i'r bin yr wythnos cynt, ar ôl y cyfarfod â Steff fel mae'n digwydd. Difarai wneud hynny'n awr, gan y byddai dwy dabled hud wedi gwneud byd o les i'w ben. Efallai iddo fod ychydig yn fyrbwyll, meddyliodd, wrth ffarwelio â Kate ar y dderbynfa. Darbwyllodd ei hun i wneud apwyntiad i weld ei feddyg cyn gynted â bo modd er mwyn cael mwy o dabledi. Wedi'r cyfan, roedd hi'n well cael stôr ohonyn nhw a pheidio â'u defnyddio na bod arno eu hangen fel hyn ac yn gorfod goroesi hebddynt.

Cerddodd heibio'i gar a chroesi Heol Penarth, gan gamu trwy'r traffig oedd yn symud yn araf tua'r ddinas ar un ochr ac yn hedfan am y Fro i'r cyfeiriad arall. Camodd i mewn i stafell arddangos Fordthorne ac anelu'n syth am ddesg Al Simpson, y gwerthwr oedd bellach yn gyfarwydd i Emlyn, diolch i'r cyfarfod a gawsant yr wythnos cynt.

'Mr Jones, good to see you again.' Tywynnodd y wên a bu bron i'r dannedd gwynion ddallu Emlyn.

'Hello there, Al, as promised, I've come to pay the deposit.'

'Take a seat,' dywedodd y gwerthwr gyda winc. 'And let's get down to business.'

Yn ôl ei frawd, roedd hi'n arferiad y dyddiau hyn i'r darpar dad brynu 'anrheg esgor' i'w wraig neu'i bartner. Nawr, nid oedd Emlyn o reidrwydd yn cytuno â hyn, ond gwelodd gyfle i wneud dau beth, sef gwireddu dymuniad Cariad o gael car mwy o faint iddyn nhw fel teulu i'w ddefnyddio wedi dyfodiad Napoleon bach, a llenwi ei gyfrif Brownie Points i'r eithaf gydag un weithred fach. Os ydych chi'n ystyried talu wyth mil am Ford Fusion dwy flwydd oed yn 'weithred fach', hynny yw.

Wedi cwblhau'r gwaith papur angenrheidiol a sgwennu siec i dalu'r blaendal, ysgydwodd Emlyn ac Al ddwylo, gyda'r ddau'n gwenu am resymau tra gwahanol.

'I'll see you Friday then. About 4pm.'

'We'll give it a good valeting before then, inside and out. Give it that new car smell.'

'That would be great. Thanks a lot, Al.'

'No. Thank *you*, Mr Jones.'

Uh-ah-Uh-ah-Uh-ah!

Pwysai Rod a Betsan yn erbyn wal noeth y stafell wely fach yn smocio sbliff ôl-gyfathrachol, gan wrando ar Bryn ac Alis yn mynd amdani drws nesaf, fel babwniaid rheibus yn ystod y tymor paru.

Uh-ah-Uh-ah-Uh-ah!

Roedd Alis yn swnio fel buwch gloff yn cael ei dwfrfyrddio, a Bryn fel Chewbacca gorgynhyrfus yn gwylio Leia a Han yn defnyddio R2D2 at ddibenion gwyrdroëdig trwy dwll cudd ar y Millennium Falcon.

Uh-ah-Uh-ah-Uh-ah!

'Odyn ni'n gwneud y fath sŵn?' gofynnodd Betsan wrth chwythu mwg tuag at y ffenest gil-agored, a phasio'r mwgyn 'nôl i Rod. Wrth iddi wneud, ymddangosodd un o'i bronnau pan lithrodd y dŵfe, gan fynnu sylw ei chariad ac achosi iddo ollwng y sbliff i'w gôl.

'Fuck-fuck-fuck-fuck-fuck!' ebychodd hwnnw, wrth frysio i ailafael ynddi cyn iddi wneud gormod o ddifrod i'r gwely neu i'w gorff.

Cododd y cetyn at ei geg a thynnu arno'n galed, nes bod ei sgyfaint yn dynwared stafell stêm mewn clwb cadw'n heini.

Uh-ah-Uh-ah-Uh-ah!

'Jyst rhag ofn, 'na i stwffio hosan yn dy geg cyn mynd amdani'r tro nesaf. Ok?'

'Cyn belled â'i bod hi'n lân!' daeth yr ateb heb oedi. Gwenodd Rod ar ei gariad. Roedd hi mor ffraeth. Mor hyderus. Ni allai gredu pa mor hawdd oedd popeth erbyn hyn, na pha mor hapus roedd e'n teimlo. Ac er nad oedd eisiau ystyried y 'gair mawr', nid oedd modd gwadu ei deimladau chwaith.

'Here we go,' medd Rod, wrth i'r synau ymchwyddo a milwyr gwynion Bryn yn mynd i'r gad.

Ie! Ie! Fel 'na. Ie!

Rhoddodd Betsan ddau fys yn ei chlustiau a chau ei llygaid, ond doedd dim gobaith osgoi clywed yr uchafbwynt trwy waliau tenau'r tŷ teras, heb sôn am ddileu'r delweddau cysylltiedig o'u dychymyg.

Fiiiii'n-doooooooooooooood!

Daeth y gadlef.

Ie-ie-ie-fel-'na-ie-ie-ie'n-ga-le-taaaaaaach!

Ac ymhen dim roedd popeth ar ben. Diolch byth.

'Ahh!' medd Betsan, gan gymryd ei bysedd allan o'i chlustiau. ''Na welliant.'

'Go ni nawr, ie?'

'Ras gyfnewid.'

'Tag teams.'

'Chewbacca a'r heffar yn erbyn Cassandra a Rodney!'

'Ti'n debycach i Del Boy, os ti'n gofyn i fi. Neu hyd yn oed Uncle Albert!'

'Ca' dy ben. Fi yw Cassandra. Neu Marlene!'

'Fi yw Boycie 'te?'

'Na, ti yw Rodney. Sdim dewis 'da ti. Mae e 'di sgrifennu ar dy dystysgrif geni di!'

'Fair enough. Albert.'

'Hei, Rod, pwy yw hwn?' gofynnodd Betsan, ac edrychodd Rod arni yn lled-dywyllwch y stafell, gan wybod ar unwaith beth oedd ei gêm. Roedd ganddi synnwyr digrifwch hollol dywyll a hollol annisgwyl hefyd, yn enwedig o gofio na chredai fod ganddi un o gwbwl rhyw fis ynghynt.

Crychodd Betsan ei hwyneb mewn ystum holocostaidd o erchyllra – edrychai fel croesiad rhwng dioddefwr cerebral palsy a broga pryderus oedd wedi anghofio sut i gau ei lygaid.

Syllodd Rod arni gan wenu, wrth feddwl am ateb.

'Sa i'n gwybod. Pete Burns yn bwyta bwyd ci? Neu'n cael epileptic fit?'

'Na. Rhywbeth lot gwath na 'ny!'

'Simon Weston cyn iddo wisgo'i make-up yn y bore?'

'Ti'n sick!'

'Derek Brockway ar fore dydd Sul?'

'Paid! Fi'n absoliwtli caru Derek, gyda llaw. Felly ca' dy ben!' Gwnaeth Betsan yr wyneb unwaith eto.

Syllodd Rod arni, gan esgus ei fod yn meddwl yn ddwys, cyn clicio'i fysedd – EUREKA!

'Fi'n gwybod nawr. Ti yw e, cyn i'r gwynt newid cyfeiriad a dy adael yn edrych fel rwyt ti heddiw.'

Daeth golwg ddifrifol i feddiannu wyneb Betsan wrth iddi gogio'i bod hi'n flin. Ond yn anffodus iddi, dim ond gwneud iddi edrych yn fwy rhywiol fyth wnaeth hynny yn llygaid Rod. Teimlodd adfywiad calonogol o dan y dŵfe, a chyn i Betsan gael cyfle i yngan gair arall, toddodd Rod y rhew gwneuthuriedig.

'Ti moyn gweld y gwyneb 'na eto mewn… oh… sa i'n gwybod… rhyw dair munud falle?'

Gwenodd Betsan a gadael i orchudd cotwm y gwely gwympo unwaith eto, gan ddangos ei bronnau i Rod a'i bryfocio'n ddiymdrech. Cododd ei haeliau fel dwy enfys fach flewog uwchben ei llygaid glas.

'Tair munud! Beth, ti'n bwriadu treblu dy personal best, wyt ti?'

Pwdodd Rod ar unwaith. Ddim go iawn, wrth gwrs, ond roedd y gêmau bach yma'n gwneud cymaint i'w closio nhw fel cwpwl. Wedi'r cyfan, mae'r cwpwl sy'n chwerthin gyda'i gilydd yn aros gyda'i gilydd. Yn ôl y sôn.

Cododd o'r gwely gan sefyll yno o'i blaen, yn dangos ei lawn ogoniant iddi, yn y gobaith y byddai hynny'n ei hysgogi i weithredu yn y ffordd arferol. Ond dechreuodd Betsan chwerthin yn afreolus – dim yr ymateb roedd Rod yn ei ddisgwyl. Yn gobeithio amdano.

'Beth?'

Pwyntiodd Betsan ei hateb wrth i'r miri ei meddiannu yn llwyr. Gorweddodd 'nôl ar y gwely, gan dynnu'r dŵfe yn dynn amdani. Edrychodd Rod i'r cyfeiriad roedd ei mynegfys newydd bwyntio ato a gwenodd wrth weld ei silwét yn dawnsio ar y wal yng ngolau isel y lamp fach wrth ochr y gwely.

'Ti'n meddwl bod hwnna'n ddoniol, wyt ti?' gofynnodd Rod yn rhethregol, cyn codi dillad ei gariad oedd yn bentwr blêr ar y llawr a'u taflu nhw ar ben y wardrob yng nghornel y stafell.

'Hilarious, Rodney!'

'Fi'n gwybod,' medd Rod, cyn llithro yn ôl i'r gwely a chrychu ei wyneb fel acordion.

'Wedi i ni fennu ti fod edrych fel 'na,' medd Betsan. Gosododd ei dwylaw ar fochau ei din a'i dynnu'n araf i mewn iddi, gan ganu grwndi gwerthfawrogol wrth wneud, cyn iddyn nhw fynd ati i gwblhau'r weithred mewn lled-dawelwch parchus, heb watwar sŵn buarth fferm fel y ddau yn y stafell nesa.

Stryd Bedwas, Grangetown: Bore Dydd Gwener

Agorodd Rod ei lygaid mewn ymateb i sŵn ei gariad yn stryffaglan i estyn ei dillad o ben y wardrob ger y drws. Gwyliodd ei thin perffaith yn dyrchafael o flaen ei lygaid gan werthfawrogi dau beth – yr olygfa, a'i lwc.

Gafaelodd yn y botel Brecon Carreg oedd ar y bwrdd bach wrth ochr y gwely a chodi ar un ben-elin er mwyn yfed ohoni. Edrychodd ar ei ffôn i weld yr amser – 07:23. Byddai Betsan yn gwneud hyn bron bob tro y byddai'n aros, yn enwedig ar fore gwaith. Codai'n gynnar er mwyn mynd adref am gawod ac i ymbincio cyn mynd i Akuma. Digon teg, mewn gwirionedd, ond byddai Rod wedi hoffi cwtsh fach heddiw, ac efallai rhywbeth arall hefyd, ond byddai'n rhaid iddo setlo am Weetabix a choffi. Unwaith eto. Er nad oedd yn cwyno, cofiwch; roedd e'n gwerthfawrogi'r hyn oedd ganddo, a hynny'n fawr.

'Beth yw rhain?' gofynnodd Betsan, gan droi ei phen dros ei hysgwydd i edrych ar Rod.

'Beth?'

'Y tapie 'ma. Ma 'na lwyth o dapie lan fan hyn.'

'Uhm… tapiau…' medd Rod, heb wybod yn iawn beth i'w ddweud na faint o esboniad roedd Betsan ei eisiau.

'Ha-ha! Tria 'to, Mr Joyce.'

'Jyst ffilms, 'na gyd.'

'Ffilms. Ie. O'n i'n ame.' Diferodd y coegni o'i geiriau, gan adael minlliw ar ei gwefusau a'i gên. 'Ffilms o beth, Rod?'

Greddf gyntaf Betsan oedd bod ei chariad yn berf a'r ffilmiau'n cynrychioli casgliad personol o'i goncwestau cnawdol, ond wedi darllen ambell deitl daeth i'r casgliad cywir nad dyna oedd y gwir.

'Ely Boyz Massacre. Drunkie Leighton v Spungie

Raymond,' darllenodd ddau o'r teitlau, cyn i bryder newydd ei meddiannu. 'Beth yn y byd yw'r rhain, Rod?'

Erbyn hyn roedd Rod yn eistedd i fyny yn y gwely, ac yn ddigon effro i esbonio.

'Ffilmiau o Ely. O Drelái. 'Na gyd. Dim byd da, though, jyst fi a 'nghamera…'

'Ond ma 'na lwyth o'nyn nhw.'

'Oes. O'n i braidd yn obsessed…'

'I ddweud y lleiaf.'

'Ie, wel. Gwell na'r alternatives pan ti'n dod o ble dw i'n dod.'

'Sef?'

'Crack. Smack. Lladrata. Ymuno â gang.'

'So… gad i fi ddeall hyn… yn lle bod yn rhan o gang 'da dy ffrindie… ti wedi bod yn eu ffilmio nhw'n gwneud y pethe 'ma yn lle 'ny?'

'Pretty much.'

'Bydd rhaid i fi weld rhain.'

'Pam?'

'Lot o resyme. Gad fi weld… chwilfrydedd…'

'Beth?'

'Curiosity.'

'Miaaaaw!'

'Ha-ha. Ymmmm…'

'That's it?'

'Ie. Ac er mwyn ca'l gwbod mwy am dy gefndir, I suppose. O ble rwyt ti'n dod yn iawn. Ti'n gwbod…'

'Wel, bydd y tapiau yna'n rhoi rhyw syniad i ti. Ond dim y darlun cyfan, so to speak.'

'Sdim ots am 'ny – the more sensational, the better os ti'n gofyn i fi!'

'So nhw'n dda iawn though.'

'Ond dim ti sy'n penderfynu 'ny, Rod.'

''Na beth ma Bryn yn 'i ddweud hefyd.'

'Beth, dyw mo Bryn ddim wedi ca'l gweld rhain 'fyd?'

'Sneb wedi'u gweld nhw.'

'Hyd yn hyn…'

BBC, Llandaf: Prynhawn Dydd Gwener

Pwysodd Emlyn ar ochr y Porsche yn aros am ei wraig, gan smocio Marlboro Light a mwynhau haul cynnes diwedd y dydd. Roedd y tywydd mwyn, heb os, yn annisgwyl. Annisgwyl ac i'w groesawu, wrth gwrs. Wedi gaeaf Arctig ar adegau, roedd teimlo gwefrau cynta'r gwanwyn yn goglais ei groen yn bleser llwyr ac, mewn ffordd, yn adlewyrchu'r ffordd roedd y rhod wedi troi'n ddiweddar. Wedi tywyllwch a phryder y misoedd cynt, roedd yr haul yn tywynnu arno nawr, a'i fywyd personol a phroffesiynol yn blaguro unwaith eto.

Nodiodd ei ben i gyfarch wyneb arall cyfarwydd ond dienw, y pumed tro iddo wneud hynny ers cynnau'r mwgyn rhyw dair munud ynghynt. Roedd hi'n ddiwedd y dydd i nifer o weithwyr y Beeb – y gweinyddwyr, yr ymchwilwyr, y cyfrifwyr ac yn y blaen, curiad calon y gorfforaeth sy'n gwneud y swyddi di-fflach er mwyn gadael i'r enwogion hawlio'r holl sylw.

Roedd ei siwt lwyd o sidan Eidalaidd yn hongian yn berffaith o'i ysgwyddau, yn brawf o feistrolaeth ei deiliwr, a theimlai Emlyn yn well heddiw nag y gwnaethai ers talwm. Roedd y paranoia diweddar hyd yn oed wedi pylu. Ond roedd y diolch am hynny'n mynd i Mr Hayles, ei fferyllydd, mae'n siŵr. Roedd Emlyn wedi dechrau cymryd ei dawelyddion yn rheolaidd unwaith eto, ond heb ddychwelyd at y tabledi gwrthiselder. Ta waeth, roedd bywyd yn braf gan fod

Akuma'n ffynnu eto, a'r diwrnod mawr yn agosáu. Roedd ei freuddwydion am gyfarwyddo ffilmiau wedi cael eu rhoi i'r naill ochr am nawr, ac roedd Emlyn yn hapus i fod yn berchennog llwyddiannus ar gwmni cynhyrchu, heb fod angen profi dim i neb bellach, yn enwedig iddo fe'i hun. Roedd wedi dod i'r casgliad ei fod yn foi reit llwyddiannus o'i gymharu â llawer ac roedd hynny'n fwy na digon am nawr.

Chwifiodd Anti Bet, un o hen ffrindiau ei fam, arno wrth iddi adael y Beeb ar ddiwedd diwrnod arall o sgwrsio gwag, ond ni stopiodd i ddweud helô. Roedd hi ar frys, os oedd ei hystumiau i'w credu.

Gwenodd Emlyn wrth ddychmygu'r dyfodol oedd yn ei ddisgwyl e a Cariad. Gwelodd dŷ llawn plantos a'r holl anhrefn oedd yn gysylltiedig â hwy. Teganau ym mhobman – ar y silffoedd, o dan draed, yn y bath. Lluniau lliwgar ar ddrws yr oergell ac ar hysbysfwrdd corc yn yr heulfan. Siglen bren yn yr ardd. Tŷ bach twt. Ceffyl siglo. Printiau cynfas o'r teulu hapus yn hongian ym mhob stafell. Y freuddwyd dosbarth canol yn ei chyfanrwydd. Ond yn hytrach na'i ddiflasu, roedd Emlyn yn barod i gofleidio hynny'n awr, fel Euros ei frawd a'i rieni gynt. Crwydrodd meddyliau Emlyn at ei fam am hanner eiliad – ei habsenoldeb hi oedd yr unig gwmwl du yn y ffurfafen las odidog. Ond ni chafodd gyfle i bendroni am ei golled, oherwydd clywodd lais cyfarwydd yn ei gyfarch.

'Prynhawn da, Mr Jones. Chi'n edrych fel rhywbeth mas o *Miami Vice* fan hyn.'

Gwenodd Emlyn yn falch wrth syllu ar Huw Stephens tu ôl i'w Aviators ymylon arian. Oedd, roedd rhyw awgrym o Don Johnson yn perthyn iddo heddiw. Yn ogystal â'r sbectolau haul, roedd ei wallt newydd gael ei dorri – cheeky mullet os liciwch chi – diolch i Siobhan, ffrind Cariad yn y gwaith ac un o steilwyr gwallt *Doctor Who*.

'Sut hwyl, Mr Stephens? Ti'n edrych yn smart iawn dy hunan heddiw, os ga i ddweud.'

Gwenodd Huw arno, ei ddannedd fel meini hirion cam yn y nyth o farf oedd yn eu hamgylchynu. Roedd golwg y cyflwynydd yn jôc barhaus rhwng y ddau ohonyn nhw, ac Emlyn hyd yn oed wedi ceisio'i berswadio, heb lwyddiant, i wneud mwy o ymdrech pan ymunodd y ddau Huw ag Akuma i ffilmio'r gyfres *P(l)op*.

Ar un lefel, gallai Emlyn werthfawrogi dillad cŵl, diymdrech y cyflwynydd, yn ogystal â'i ddadl mai DJ ar y radio oedd e. Ond byddai Emlyn o hyd yn ei atgoffa pan alwai yn Akuma ei fod yn bersonoliaeth deledu hefyd ac y dylsai wisgo fel un o bryd i'w gilydd, yn hytrach nag fel ffermwr ar y ffordd i'r mart. Wrth gwrs, roedd Emlyn hefyd yn ddigon doeth i wrando ar aelodau staff Akuma, yn ogystal â chydnabod bod y rhan fwyaf ohonyn nhw'n gwisgo fel cardotwyr bellach, yn hytrach nag fel ditectif yn adran buteiniaid dinas fwyaf enwog talaith Florida.

'Ti'n nabod Magi?' gofynnodd Huw, gan droi at wyneb arall cyfarwydd oedd yn sefyll wrth ei ochr yn gwisgo pâr o sbectolau haul a fyddai wedi llenwi Sunnie Mann â balchder pur.

'Hi Magi, neis cwrdd â ti.' Estynnodd Emlyn ei law iddi wrth i Huw droi ei sylw at ei ffôn. 'Ydyn ni 'di cwrdd yn rhywle o'r blaen?'

'Do,' dechreuodd Magi'n bwyllog, gan geisio cofio. 'Sa i'n cofio ble yn gwmws – rhyw ddigwyddiad neu'i gilydd. 'Nes i gyfweliad â chi yn y BAFTAs fi'n credu. Neu…'

'Ti'n iawn 'fyd.' Cofiodd Emlyn wedyn pwy oedd hi. Magi Dodd of Glyn Wise fame. 'Fi'n ffan mawr o dy raglen di cofia.' Llifodd y celwydd o'i geg mor rhydd â chwrw o gasgen lawn.

'Diolch yn fawr,' daeth yr ateb, wrth i fochau'r gyflwynwraig wrido rhyw fymryn, gan ei gwneud hi'n fwy godidog fyth. Godi-Dodd, a dweud y gwir.

'Ai dyna ble ti'n mynd nawr?'

'Be?'

'I recordio rhaglen.'

'O, ie. Sort of. Ma'r rhaglen yn mynd allan yn fyw, bob tro. Bron. Ond fi'n neud cwpwl o eitemau pre-record, 'na gyd.'

'A fi 'fyd.' Ymunodd Huw yn y sgwrs unwaith eto, ar ôl gorffen bodio neges destun at rywun neu drydar ar ei iPhone. 'Well i ni fynd, Mag, ni'n hwyr fel ma hi…'

'Tan yr wythnos nesaf 'te, Mr Stephens.'

'Bon soir, Mr Jones.'

'Neis cwrdd â ti, Magi,' oedd geiriau olaf Emlyn, ac atebodd Ms Dodd gyda gwên. Yna gwyliodd Emlyn y ddau gyflwynydd yn esgyn y grisiau at brif fynedfa'r Beeb, gan werthfawrogi tin dynn Magi, oedd yn gynnes glyd heddiw o dan orchudd denim tywyll ei jîns.

Neis iawn, meddyliodd, gan wneud nodyn meddyliol i'w gwahodd i Akuma i weld fyddai ganddi ddiddordeb mewn cyflwyno rhyw gyfres neu'i gilydd i'r cwmni. Manylion i ddilyn, wrth gwrs.

Trodd ei feddyliau at Cariad wedyn. Byddai'r hen Emlyn wedi gwneud mwy na meddwl am drefnu cyfarfod â Magi Dodd, ac roedd hynny'n brawf fod ei ymrwymiad i'w wraig yn absoliwt bellach. Ni allai aros i weld ei hwyneb wrth iddi gyrraedd adref a gweld yr hyn oedd yn aros amdani. Doedd hi'n amau dim. Ond doedd hynny ddim yn syndod. Yr unig beth oedd ar ei meddwl y dyddiau hyn oedd bwyta, cysgu a ffwcio, felly roedd cuddio'r syrpréis wedi bod yn hawdd. A dweud y gwir, fe allai Emlyn fod wedi cuddio pethau llawer gwaeth oddi wrthi. Yr hen Emlyn, hynny yw. Nid Emlyn 2.0.

Cafodd lonydd i orffen ei fwg, ac wrth sodli'r stwmpyn ar y concrid llwyd-ddu gwelodd hi'n dod, yn cerdded fel pengwin gordew, gyda sach o datws o dan ei chardigan. Croesodd Emlyn y ffordd ar unwaith gan frasgamu i fyny'r grisiau i gwrdd â hi. Gwenodd yn dwymgalon gan gymryd y pedwar bag oedd ganddi – cynnwys ei desg, mae'n siŵr – ond gwelodd ar unwaith fod rhywbeth o'i le. Yn reddfol, ni ofynnodd beth oedd yn bod. Gallai hynny aros tan bod y ddau ohonyn nhw yn y car. Aeth Emlyn ati i lwytho'r bagiau i gefn y Porsche, cyn dychwelyd i helpu Cariad i lawr y grisiau, ar draws y ffordd ac i mewn i'r car. Cwynodd a rhegodd hi wrth wneud, a gwnaeth hynny i Emlyn wenu, ond erbyn iddo ymuno â hi yn y car roedd y dagrau yn llifo i lawr bochau ei wraig.

'Beth sy'n bod?'

'Jyst dos!'

Ac fel bachgen da, dyna'n union wnaeth Emlyn, gan yrru'r tri chan llath i'w cartref gyda beichiadau ei wraig yn drac sain torcalonnus i'r daith.

Yn araf bach, llithrodd y Porsche i mewn i'r dreif, ond ni welodd Cariad ei syrpréis gan fod ei phen yn ei phlu a'r dagrau yn creu niwl trwchus o flaen ei llygaid.

Diffoddodd Emlyn yr injan a throdd i edrych arni. Rhoddodd ei law ar ei choes yn dyner.

'Beth sy'n bod, Car? Beth sy 'di digwydd?'

'D-d-d-im,' daeth yr ateb ceclyd o'r tu ôl i'w dwylo.

'Dim! Ti'n siŵr?'

'Dim byd o bwys. Mae o'n wirion. Hormons…'

'Ah, hormons. Deall nawr.' Gwenodd Emlyn, a gwelodd Cariad e'n gwneud.

'Paid cymryd y piss, Ems!'

'Sa i'n gwneud dim byd o'r fath. Jyst... wel... dwed wrtha i be...'

'Edrych!' ebychodd Cariad, gan estyn dwy amlen o'i bag llaw. Agorodd Emlyn y ddwy ohonyn nhw, a darllen y cyfarchion.

'A?' gofynnodd, heb syniad o darddle dagrau ei wraig – nid oedd y cardiau yn cynnwys unrhyw beth tramgwyddus na thrahaus, dim ond yr arferol. Pob lwc, cariad mawr ac yn y blaen – yr hyn a ddylai fod mewn carden i rywun wrth adael gwaith.

Roedd un o'r cardiau oddi wrth griw cynhyrchu *Doctor Who*, gydag o leiaf bum person ar hugain wedi sgwennu arni, tra bod y llall oddi wrth Eve yn unig, gyda nodyn hir yn dymuno'r gorau iddi dros yr wythnosau i ddod.

'A? *A*?'

'Ie. Sa i'n deall. Beth yw'r broblem?'

'That's it, Ems! Dyna ni! Dyna fo!'

'Dyna *beth*?'

'Yn union!'

'Sori, Car, ti 'di colli fi nawr.'

'Dau gardyn, Ems. Dau ffycin gardyn ar ôl dros chwe mlynedd o slafio.'

Meddyliodd Emlyn yn ofalus cyn gofyn y cwestiwn nesaf.

'Beth o ti'n ddisgwyl 'te?'

'Wel... wel... mi fydda bloda wedi bod yn neis... neu vouchers Mothercare... neu... neu...'

'Ond, Cariad, surely ar ôl i'r babi gyrraedd bydd pobol yn prynu anrhegion i ti. Ac anyway, so ti'n gadael gwaith am byth, wyt ti, dim ond dros dro. Am flwyddyn, fan pella…'

Tawelodd Cariad wrth iddi ystyried geiriau ei gŵr. Chwarae teg iddo, roedd e'n gallu siarad synnwyr o bryd i'w gilydd. A bron ar unwaith, gwellodd hwyliau Cariad wrth i'r cymylau du ledu i ddatgelu enfys lachar ar y gorwel pell.

Gafaelodd yn ei law a'i chodi at ei cheg, cyn ei chusanu.

'Diolch, Ems. Ti'n seren. Be faswn i'n wneud hebddat ti, dwed?'

Plygodd Emlyn ati a'i chusanu ar ei gwefusau, cyn estyn hances sidan gydag 'EEJ' wedi'i frodio mewn aur mewn un cornel o'i boced a mynd ati i sychu'r dagrau o fochau ei wraig.

Wrth iddo wneud, gwelodd Cariad y car dieithr wedi'i barcio ar y dreif.

'Car pwy 'di hwnna?' gofynnodd yn amheus. 'Dim ymwelwyr. Plis. Dim heno.'

Gwenodd Emlyn wrth glywed ei chwyno, ac fe gamddehonglodd Cariad yr ystum yn llwyr.

'Pwy, Ems? Come on. Dwed wrtha i.'

Gwenodd Emlyn eto, cyn datgelu'r gwir.

'Dim ymwelwyr, paid becso. Ond syrpréis…'

'CAR PWY YDI O?' gwaeddodd Cariad arno'r tro hwn.

Hormons, mae'n siŵr, meddyliodd Emlyn cyn parhau.

'Dy gar di yw e, Car. Dy gar di.'

'Be?'

'Ti'n fyddar a goremosiynol heddiw, wyt ti?'

'Be?'

A gyda hynny, gafaelodd Emlyn yn yr allweddi a'u dal o flaen wyneb ei wraig.

'Ti o ddifri?'

'Wel wrth gwrs 'mod i. Dere.'

Allan o'r Porsche ag Emlyn er mwyn helpu ei wraig o'r car, cyn ei thywys at y Ford Fusion a gadael iddi ei agor ei hun ac eistedd tu ôl i'r olwyn.

'Dyna ffycin welliant!' ebychodd wrth lithro i mewn heb unrhyw drafferth.

'Edrych tu ôl i ti,' awgrymodd Emlyn, a goleuodd wyneb Cariad fel llusern bapur wedi'i throchi mewn paraffin wrth weld beth oedd yn y sedd gefn – sef sêt baban BabyBjörn wedi'i ffitio gan un o arbenigwyr Eddershaws.

'O, Ems, dw i ddim yn gwybod be i'w ddweud...'

'Sdim eisiau dweud dim, Car. Dim eto ta beth... Dim nes i ti weld beth sydd yn y bŵt.'

Ac allan â hi'n araf ond yn llawn cyffro, cyn i Emlyn agor y bŵt iddi gan ddatgelu trydedd ran ei hanrheg esgor, sef bygi Phil & Teds tair olwyn, yn yr union liw roedd hi eisiau.

Wrth weld y bygi, trodd Cariad a chofleidio'i gŵr, wrth i ddagrau llawenydd rolio i lawr ei bochau yn awr.

'Sut oeddat ti'n gwybod?'

'Fi yn gwrando arnot ti, ti'n gwybod... weithiau, ta beth.'

Tynnodd ei gŵr tuag ati unwaith eto, gan ei gusanu'n galed ar ei geg. Shit, meddyliodd Emlyn pan sylwodd beth oedd ar fin digwydd. Yna caeodd Cariad fŵt a drysau ei char newydd a'i gloi gyda bîp a fflach, cyn arwain ei gŵr tua'r tŷ. Er ei chwantau corfforol a'r blys oedd yn codi trwy ei chorff, roedd ei bola hefyd yn mynnu ei sylw, felly llusgodd Emlyn tua'r gegin er mwyn chwilota am Super Noodles i'w bwyta ar ôl y weithred.

'Rho'r tecall 'mlaen, wnei di?'

'Te neu goffi?' gofynnodd Emlyn wrth wneud, yn y gobaith bod ei greddfau cnawdol wedi diflannu am nawr.

'Super Noodles. Dwi'n marw am rywbeth sbeisi. Indian ella. Neu…'

'Thai?'

'Mmmm! Ia. Thai green curry.'

'Pam nad ewn ni i'r Lolfa Thai heno 'te? A' i ffonio nawr…' Trodd Emlyn gyda'r bwriad o ddiflannu i'r swyddfa i bori ar y we am y manylion cyswllt, ond nid oedd Cariad wedi gorffen gyda fe eto.

Tynnodd e tuag ati gan ei gusanu'n wyllt a mwytho'i goc trwy ddefnydd tenau ei drowsus. Caledodd Emlyn bron ar unwaith, gan ildio i'r anochel.

'Pam nag y'n ni'n aros tan ar ôl dod 'nôl o gael swper?' gofynnodd Emlyn yn obeithiol, ond roedd Cariad eisiau ei goc ar unwaith. A ta beth, byddai hi wedi bwyta gormod ac wedi blino gormod i wneud unrhyw beth ar ôl dychwelyd o'r bwyty.

Wrth i'r tecell ferwi, rhyddhaodd Cariad bidyn ei gŵr o'i gawell, cyn troi o gwmpas yn yr unfan a chodi ei sgert dros ei chluniau, diosg ei nics ar lawr a thynnu ei gŵr yn ddwfn iddi o'r tu ôl.

Stryd Bedwas, Grangetown: Nos Wener

'God, ti mor sexist, Bryn!'

'Na, na, na, Al. Ti'n wrong. I'm not sexist at all.'

'Wyt, Brynley, ti yn! Dwyt ti ddim 'di clywad am gyfleoedd cyfartal?'

Cymerodd hi gwpwl o eiliadau i Bryn gyfieithu geiriau olaf ei gariad i'r Saesneg. Yna atebodd.

'It's got nothing to do with cyfleoedd cyfartal, Alis!'

'Be 'di dy bwynt di 'ta?'

Roedd Alis tu hwnt i fod yn flin bellach, a'r sefyllfa swreal wedi codi o'i chwant byrhoedlog i smygu bong yng nghwmni'r bois.

'Look, Al, just… ti'n gwybod… it's not ladylike i smocio bong… that's all…'

'A 'di hynny ddim yn sexist yn dy farn di?'

'Dim o gwbwl. And I speak from experience…'

'Pa fath o brofiad?'

'Fi 'di gweld lot o ferched yn cael whiteys ar ôl smocio bong, that's all. It's not a pretty sight, Alis. Skin up, by all means, ond plis paid smocio Bertha.'

Cododd Alis ei bys canol ar Bryn, cyn gafael yn y bong oedd yn sefyll yn ei lawn ogoniant ar y bwrdd coffi yng nghanol y lolfa glyd. Ysgydwodd Bryn ei ben, gan edrych i gyfeiriad Betsan, oedd wedi cwrlio fel cath ar y soffa gyferbyn, gyda llond gwydr o Chardonnay rhad yn ei llaw.

'Paid edrych arna i, Bryn. Sa i moyn gwbod,' atebodd hithau.

'Fair enough. Ond you have been warned, ok, Alis?'

'Ffwcio chdi, John McCririck!'

Wedi dadsgriwio'r côn o'r bibell a gwagio'r llwch o'i ganol, aeth Alis ati i'w ail-lenwi at hanner ffordd o'r fowlen fach llawn cymysgedd brown tywyll, jyst fel y gwelsai Bryn a Rod yn ei wneud ddegau o weithiau yn ystod yr wythnosau diwethaf. Nid oedd hi wedi smocio fawr ddim cyn cwrdd â Bryn. Ond roedd hi wrth ei bodd yn rhannu sbliff fach gyda'i chariad ar ôl sesiwn ar y pop, neu yn y gwely. Roedd Bertha, wrth gwrs, yn fwystfil tra gwahanol; gwyddai hynny o weld yr hyn fyddai un côn yn ei wneud i lygaid y bechgyn. Yn wir, doedd hi ddim wedi ystyried sugno'r paladr persbecs o ddifrif, tan i Bryn ddatgan ei safbwynt rhywiaethol rhyw funud neu ddwy ynghynt.

'Reit, here we go. Pedwar tâp. O'n i'n meddwl gwneud lucky dip i ddechrau, ond fi 'di dewis rhai sydd â rhyw fath o gysylltiad, character arc if you like…' Ymddangosodd Rod yn nrws y lolfa gyda'i warfag dros un ysgwydd.

'Ga i weld pa rai ddewisest di?' gofynnodd Betsan, gan godi i eistedd a gosod ei gwin ar y bwrdd coffi o'i blaen.

Estynnodd Rod i grombil y bag cyn pasio'r tapiau i Betsan, camu at y teledu a mynd ati i gysylltu'r camera yn ei gefn er mwyn cael gwylio'r ffilmiau ar y sgrin fawr.

'Pwy yw McKardz?' gofynnodd Betsan, gan wneud i Rod a Bryn edrych ar ei gilydd cyn chwerthin ar ei chamgymeriad.

'Em-Cee-Kardz,' esboniodd Rod wedi i'r chwerthin bylu. 'Cymeriad lleol o Drelái…'

'Local idiot, more like,' ychwanegodd Bryn.

'A?'

'A fi 'di bod yn 'i ddilyn e ers peth amser nawr…'

'Pam?'

'Fe oedd arweinydd yr Ely Boyz, gang o wiggers o Grand Avenue.'

'Wiggers?'

'Ie, ti'n gwybod. Bechgyn gwyn sy'n meddwl eu bod nhw'n ddu.'

'Na, do'n i ddim yn gwybod.'

'Na, pam fyset ti? Anyway, roedd Kardz yn yr ysgol 'da ni…'

'Few years yn ifancach though.'

'Aye, dwy flynedd efallai. Rhywbeth fel 'na. Roedd e'n knobhead llwyr yn yr ysgol, ac fe welon ni fe'n datblygu i fod yn full-blown bell-end dros y blynyddoedd diwetha…'

'A fe yw seren dy ffilms di?'

'Fe *oedd* seren lot o fy ffilms, ie.'

'Oedd?'

'Ie. Fi'n siŵr bod teitl y tâp olaf yna'n esbonio popeth.'

Edrychodd Betsan ar deitlau'r tapiau – 'MC Kardz *American History X*', 'MC Kardz v Pakistan', 'Ely Boyz Massacre' ac 'MC Kardz RIP'.

'Ma fe 'di marw?'

'Well spotted, Sherlock!'

'Ca' dy ben, Bryn!'

'Ti'n dal heb smocio hwnna eto, Al?' Roedd Alis yn syllu ar Bertha, gan ailystyried doethineb yr hyn roedd hi ar fin ei wneud, ond roedd agwedd ei chariad tuag ati'n ei hysgogi i fynd amdani a delio â'r canlyniadau ore y gallai. Beth oedd y peth gwaetha alle ddigwydd, ta beth?

'Ydy. Nath e farw cwpwl o wythnose yn ôl. Falle mis. Ni ffeindiodd y corff…'

'No way!'

'Way.'

'Sut nath e farw?'

'Patience, Betsan. All will be revealed shortly. Ond rhaid dechrau gyda "MC Kardz *American History X*".'

Ac wrth i Rod fynd ati i roi'r tâp yn y camera a sicrhau bod popeth yn gweithio'n iawn, cododd Alis Bertha at ei cheg, cyn cynnau'r gymysgedd yn y côn a thynnu'n ddwfn wrth i'r dŵr ffrwtian yn y bylb ac i'r côn danio fel pen-ôl magïen mewn ogof dywyll.

'Shoooooooooot!' gwaeddodd Bryn pan oedd tu mewn y bong yn llawn mwg porffor, a phan dynnodd Alis ei bawd oddi ar y gwynt-dwll, yn unol â thechneg y bechgyn, saethodd y mwg i fyny'r simne ac i lawr i'w sgyfaint, gan wneud iddi beswch fel claf bronciol ac estyn am ei seidr.

Cymerodd Bryn Bertha oddi wrthi a'i gosod i'r naill ochr, gan fynd ati i fwytho'i chefn yn dyner.

'You're supposed to cadw'r mwg lawr am at least ten seconds.'

Ond er i Alis hylldremio arno trwy'r niwl dagreuol a ddilynodd y pesychu, ynganodd hi'r un gair. Roedd y stafell bellach yn troelli'n wyllt, a geiriau a delweddau'r posteri ar y wal yn groesair seicedelig o flaen ei llygaid. Caeodd nhw ar unwaith, ond roedd hynny'n gamgymeriad mawr. Gwelodd Bryn beth oedd yn digwydd, a helpodd hi i orwedd ar y soffa, gan estyn dŵr o'r gegin a'i helpu i yfed o'r gwydr.

'It'll pass mewn munud, Al. Jyst hang in there a try not to chunder ar y llawr.'

'Dyma ti, Bryn,' medd Betsan gan godi'r bin Ikea plastig oedd tu ôl i'r soffa lle roedd hi'n ymlacio.

'Nice one, Betsan,' diolchodd Bryn, gan osod y bin ar y llawr wrth ben ei gariad.

'Mae'r stafell yn troi...' mwmiodd Alis, gan gau ei llygaid eto.

'Na, Al. It's your pen that's spinning.'

'O. Ia...' A dyna'r peth olaf a ddaeth o'i cheg am dros awr, boed yn air neu'n gyfog.

'Rhaid cofio bod rhain yn rough iawn,' medd Rod wrth wasgu 'PLAY' ar y camera a gwylio'r delweddau cyntaf yn dawnsio ar y sgrin.

'Ydy hi'n ok, Bryn?' gofynnodd Betsan yn llawn pryder am ei ffrind.

'Aye, she'll be fine. And I did warn her, didn't I?'

'Does dim gwadu 'ny, Bryn.'

Ac yna trodd y tri oedd yn dal yn ymwybodol yn y stafell eu sylw at y sgrin, lle gwelwyd golygfa o'r awyr wedi'i fframio'n berffaith a degau o bobol yn sefyll ac yn gwthio'i gilydd mewn cylch yn y maes parcio.

'Ble rwyt ti wedi'i saethu fe?' gofynnodd Betsan wrth i ddau ffigwr gamu o'r dorf a llygadu ei gilydd yng nghanol y cylch dynol.

'Fi ar ben y changing rooms. Roedd rhaid ceisio bod yn incognito wrth ffilmio lot o'r tapiau gan fod y cynnwys o hyd yn violent ac incriminating. Maes parcio Ely Racecourse yw hwn. A dyma ddechrau'r beef rhwng yr Ely Boyz a gang o Gaerau. Dyna Kardz yn y canol...'

'Yr un yn y puffa jacket?'

'Yup.'

Gwyliodd Betsan yn gegagored wrth i'r ymladdwyr fynd am yddfau ei gilydd mor ffyrnig â dau lew yn brwydro dros gelain llamfwch.

'Roedd 'na "no weapons rule" bryd hynny...'

'Not any more,' ychwanegodd Bryn.

Roedd yr ymladd yn filain a gwaith camera Rod yn feistrolgar. Digwyddai'r cyffro reit oddi tano, ac felly roedd y manylion yn erchyll ac yn codi cyfog ar Betsan. Canolbwyntiai'r camera ar yr ymladdwyr, ond oherwydd agosatrwydd y dorf roedd wynebau'r gwylwyr yn adrodd stori hefyd.

'Beth yw ystyr y teitl 'te?'

'Ti heb weld *American History X*?'

'Na. Beth yw hi, ffilm?'

'Ie, Edward Norton...'

'And Furlong.'

'Ie, ac Edward Furlong.' Stopiodd Rod y tâp yn awr, cyn cyrraedd yr uchafbwynt. 'Mae 'na olygfa enwog iawn yn y ffilm lle mae Edward Norton yn chwalu pen rhyw foi ar ochr y pafin...'

'A dyna beth sy'n digwydd yn…'

'Ie.'

'Tro fe off, sa i moyn gweld 'ny. Fi 'di gweld digon…'

'No way!' ebychodd Bryn, oedd wrthi'n llwytho côn i'w hunan ac yn mwynhau'r trais a gipiodd ei ffrind â'i gamera.

Cododd Rod ei sgwyddau ar Betsan, ac fe gododd hithau i fynd i'r tŷ bach er mwyn gadael i Bryn wylio gweddill y ffilm. Ac wrth eistedd yno yn nhawelwch y toiled teiliedig, roedd ymateb y bechgyn o'r lolfa yn ddigon i'w darbwyllo ei bod wedi gwneud y peth iawn.

Dychwelodd mewn pryd i weld Rod yn mewnbynnu'r ail dâp i'r camera.

'Beth yw teitl hwn?'

'MC Kardz v Pakistan.'

'Was this when he…?'

'Yup,' atebodd Rod, gan ysgwyd ei ben.

A dyna'n union roedd Betsan yn ei wneud o fewn cwpwl o funudau wrth iddyn nhw wylio MC Kardz yn taflu Molotov cocktail cartref trwy ffenest siop gornel yn Nhrelái, gan ddenu'r gang o fechgyn Asiaidd allan i'r stryd am stid. Rhagodfa ddieflig, heb os. Ac effeithiol iawn, chwarae teg.

'Sut roeddet ti'n gwybod bod e'n mynd i ddigwydd?'

'Contacts. The word on the street…' medd Rod yn gynllwyngar.

'And his brawd's a drug dealer sy'n clywed lot o whispers.'

Yn ffodus, roedd Rod wedi dweud wrth Betsan am ei deulu trychinebus a doedd gosodiad Bryn ddim yn syndod iddi.

'Aye, mae junkies yn lico siarad…'

'Hel clecs, in your language, I believe,' medd Bryn, gan wneud i Betsan wenu.

'Pam nag yw e 'di cael 'i 'restio? Ei dowlu mewn i'r carchar?'

'Mae'n siŵr ei fod e wedi cael 'i arestio… Ond sdim byd yn stico, a so'r heddlu really'n arsed chwaith…'

'Ely's a no-go zone for a lot of them.'

Ysgydwodd Betsan ei phen unwaith eto. Ni allai gredu yr hyn roedd ei llygaid yn ei weld na'i chlustiau'n ei glywed. Roedd ffilmiau Rod yn dangos byd arall iddi – pegwn y de i'w magwraeth. Gwawriodd arni'n araf bach bod ei chariad yn ddyn talentog iawn, heb sôn am fod yn ddewr a diymhongar.

'Ma'r ddau dâp ola'n reit newydd. Dyma un o fy personal faves i…' Cyflwynodd Rod hanes yr ornest oedd ar fin digwydd i Betsan: y brwydro parhaus rhwng criw Kardz a chriw Caerau; ei safle ffilmio tu ôl i'r berth; a'r gawod o iwrin a gafodd am ei ddyfalbarhad. Unwaith eto, gwerthfawrogai Betsan y gwaith camera, yn enwedig pan ymddangosodd criw Caerau o'r cysgodion, fel ellyll o uffern yn dod i hawlio eneidiau yr Ely Boyz. Ac eto, bu'n rhaid i Betsan droi ei chefn ar y brwydro oherwydd natur giaidd y clatshio, yr arfau cartref a'r trais, oedd yn ymddangos mor naturiol i'r milwyr ifanc hyn.

'Ac yn olaf,' medd Rod wrth wasgu 'PLAY' ar y camera am y tro olaf heno, "MC Kardz RIP".' A gwyliodd y triawd mewn tawelwch llethol wrth i Betsan weld celain gyntaf ei bywyd.

'Pwy yw hwnna?' gofynnodd pan welodd Steve yn chwydu i'r afon yng nghefn y ffrâm.

'That's my dad,' cyfaddefodd Bryn. 'Another lightweight. I'm surrounded by them…'

'Glywis i hynna,' sibrydodd Alis tu ôl i'w llygaid caeedig.

'Sheeeee's alive!' ebychodd Bryn yn goeglyd. 'Ti moyn un arall, Al?' Ond ateb gyda'i bys canol wnaeth Alis y tro hwn, wrth i'r tri arall droi'n ôl at ddiwedd bywyd MC Kardz.

'Ydyn nhw 'di ffeindio pwy wnaeth?'

'Na...'

'Ongoing investigation. Rod's one of the main suspects...'

'Beth?!'

'Paid gwrando arno fe, Betsan. Jyst banter rhwng un o'r drug squad officers sy'n gwylio tŷ 'mrawd a fi, 'na gyd.'

'O, a mae hynny'n hollol iawn, odi e?!'

Cododd Rod ei sgwyddau eto.

Byddai'r ddelwedd olaf yn aros gyda Betsan am weddill ei hoes – shot dynn o wyneb a gwddf MC Kardz cyn iddo ddiflannu o'r sgrin. Wedi i'r bechgyn ymgymryd â rownd arall yng nghwmni Big Bertha, trodd Betsan y sgwrs at amcanion Rod o ran ei lyfrgell o ffilmiau.

'A beth rwyt ti'n mynd i neud â nhw, Mr Spielberg?'

'Sa i'n gwybod, sa i 'di meddwl am y peth really...'

'You gotta do something with 'em, Rod.'

'Beth?'

'Dangos nhw i Emlyn, i ddechre.'

'Really?'

'Pam lai? Ma nhw'n wych, Rod...'

'Really?'

'O ddifrif. Shots da. Naratif. Prif gymeriad. Ac mae gen ti lwyth o stwff arall lan stâr, on'd oes e?'

'Oes, ond...'

'Ond nothin, bra. Listen to what the lady says...'

'Diolch, Bryn. O ddifri nawr, Rod. *Rhaid* i ti neud rhywbeth â nhw, neu beth oedd y pwynt eu saethu nhw?'

Cododd Rod ei sgwyddau, gan wneud Betsan yn gandryll.

Beth oedd yn bod ar y boi? Ble roedd ei uchelgais? Tase hi hanner mor dalentog â fe, byddai hi'n gwneud pob ymdrech i hyrwyddo a gorffen y ffilmiau, gan ddechrau gydag Emlyn.

Gwelodd Rod y siom a'r dicter yn brwydro am oruchafiaeth ar ei hwyneb.

'Ti'n iawn, Bets,' cyfaddefodd, gan waredu'r wep o'i hwyneb. Roedd pob menyw yn hoff o glywed y geiriau hynny, rhyw gadarnhad o'r hyn roedden nhw oll eisoes yn ei amau. ''Na i gael gair 'da fe dydd Llun...'

Y Lolfa Thai, Yr Eglwys Newydd

Syllodd Emlyn ar ei wraig yn eistedd gyferbyn â fe'n bwyta, gan ryfeddu at ei harchwaeth ac yn methu deall ble yn y byd roedd e i gyd yn mynd. Roedd hi eisoes wedi claddu'r rhan helaeth o dri chwrs bach i ddechrau – y Poa Pia, sef crempogau llysiau crychlyd gyda llysiau cymysg a vermicelli; y Pak Tord, neu lysiau cymysg mewn bater tempura; a'r Tao Hoo Tord, hynny yw, caul ffa crychlyd a physgnau'r ddaear a'r cyfan wedi'i weini gyda llond casgen o saws plwm. Wrth gwrs, roedd Emlyn i fod rhannu'r dysglau blasus hyn gyda hi, ond rhyw lond ceg o'r tri gafodd e. Roedd y ddau Stella a gawsai cyn gadael y tŷ a'r botel o sauvignon blanc drud o Seland Newydd roedd e wrthi'n ei gorffen yn pwyso ar ei stwmog gan dagu'r chwant am fwyd.

Wrth i Cariad stwffio'r grempogen olaf i mewn i'w cheg a dechrau cnoi, gwyliodd Emlyn y saws plwm yn byrlymu o ochrau ei cheg a llithro i lawr ochrau ei gên. Rholiodd ei llygaid mewn llesmair llwyr, ac er bod y saws o'r geg yn atgoffa Emlyn o ffilmiau fampirod, dynwared golygfa enwocaf *When Harry Met Sally* wnaeth hi ar lafar.

Yna sylwodd ar y blwch bach mewn lledr roedd Emlyn wedi llwyddo i'w osod o'i blaen ar y bwrdd yn gudd a chelfydd wrth iddi ymestyn ei chorff crwn-drwm ar ôl gorffen ei chwrs cyntaf.

'Be 'di hwn?'

'Dim syniad.'

'O, Ems, be wyt ti'n neud? Difetha fi 'de.'

'Ie.'

'As if bod y car a'r bygi a phopeth ddim yn ddigon.'

'As if,' medd Emlyn gyda gwên fawr ar ei wyneb yn awr. Dyma'r pièce de résistance go iawn. Yr eisin ar y gacen. Y money shot. Roedd wedi bwriadu rhoi'r anrheg iddi ar ôl i'r baban gyrraedd, ond wedi gweld ei hymateb i'r car ac ati, penderfynodd ei roi iddi heno, rhag ofn y byddai unrhyw gymhlethdodau gyda'r geni.

'Go on, agor e.'

A dyna'n union a wnaeth Cariad. Pefriodd ei llygaid pan welodd ei gynnwys a cheisiodd ddweud rhywbeth, ond nid oedd ei thafod yn medru traethu.

'Ti'n 'i hoffi?' gofynnodd Emlyn braidd yn ddiangen. Nodiodd Cariad gan barhau i syllu. Yna gafaelodd yn yr anrheg a'i gwthio ar fys modrwy ei llaw dde, cyn codi ei llaw a pharhau i syllu ar y diamwnt mwyaf a welsai erioed.

'Rhaid bod hwn wedi costio ffortiwn,' llwyddodd i ddweud o'r diwedd.

'Dim really,' daeth yr ateb. 'Dwy o hen fodrwyon Mam yw hi. Un o aur Cymreig, a'r llall o aur gwyn. Fi'n credu. Ro'dd hi'n gwisgo'r ddwy ohonyn nhw ar yr un bys, ti'n cofio? Y fodrwy o aur gwyn oedd ei modrwy dyweddïo, a'r llall – gyda'r deimwnt – oedd ei modrwy briodas. Ro'n nhw bach yn hen ffash, o'n i'n meddwl. I ti, ta beth, so 'nes i gomisiynu rhyw foi lawr yn Castle Arcade i ddylunio a chreu un mwy cyfoes i ti. Anrheg esgor, os lici di…'

'Anrheg be?'

'Esgor. Pushing present. Ti'n gwybod...'

'Talu iawn am yr holl boen dw i ar fin mynd trwyddo.'

'Ie. Ond hefyd am yr holl boen dw i 'di achosi i ti yn y gorffennol...'

'Ems, does dim angan i chdi...'

'Oes, Cariad. Ond dim byd heavy. Jyst 'mod i'n flin am dy frifo di. Fi 'di bod yn fastard hunanol dros y blynydde, ond sa i erioed 'di bod mor hapus ag ydw i nawr. A dw i'n addo na wna i neud unrhyw beth i dy frifo di 'to. 'Na ni.'

'Diolch, Ems. Dw i'n hapus hefyd. Yn ysu am gael cwrdd â hwn,' meddai gan bwyntio at ei bola. 'Yn ysu am gael dweud ta-ta wrth y bymp hefyd. Dw i'n teimlo fel caseg, ti'n gwybod.'

'Ti'n siŵr?'

'Pam?'

'Achos ti'n edrych mwy fel eliffant.'

'Hei!'

'Jôc! Jôc! C'mon. Ti tu hwnt i unrhyw gymhariaeth erbyn hyn...'

'Hmm, ydy hynny'n beth da, dwed?'

Gyda'r cwpwl yn chwerthin yng nghwmni ei gilydd, daeth gweinyddes draw i glirio'r bwrdd, cyn i Richard, hen ffrind ysgol i Emlyn a pherchennog y bwyty, ddod draw am sgwrs. Wedi i Cariad glodfori'r bwyd ymhell bell tu hwnt i'r cymylau, esgusododd ei hun a cherdded fel Babar am y tŷ bach, 'er mwyn gwneud lle i'r cwrs nesaf...'.

'Too much information, Cariad,' atebodd Emlyn wrth iddo fe a Richard chwerthin ar ei ffraethineb.

'Faint sydd i fynd?' gofynnodd Richard gan ystumio at Cariad â'i ben.

'Pythefnos tan D-day, ond pwy a ŵyr. Ni ar standby o fory 'mlaen...,' medd Emlyn, gan arllwys gweddillion y gwin i'w wydr.

'Un arall?'

'Plis. Ma fe'n llifo heno.'

'Wel, manteisia ar dy gyfle, achos bydd y cyfleoedd yn prinhau ar ôl i'r babi gyrraedd.'

'Sut ma dy rai di?'

'Daniel yn ddeg mis nesaf, ac Alaw newydd gael ei saith. Ond y gwir yw sa i'n gweld rhyw lawer ohonyn nhw yn ystod yr wythnos – ni'n bodoli mewn time zones gwahanol. Gyda'r sefyllfa economaidd fel ma hi, fi 'di gorfod cael gwared ar lot o staff a gwneud y gwaith fy hunan. Ond fi sydd in charge trwy'r dydd ar y penwythnosau. Dan yn chwarae rygbi tag i Cric, ac Alaw yn dawnsio bale a gwneud gymnasteg.'

'Daddy day care, ife?'

'Ie, rhywbeth fel 'na. Ac er ei fod e'n gallu bod yn waith caled, fi'n edrych 'mlaen at yr amser yn eu cwmni bob wythnos.'

Byddai Emlyn wedi diflasu'n llwyr ar y sgwrs hon lai na blwyddyn ynghynt, ond bellach roedd siarad â thadau profiadol megis Richard fel trafod y cread gyda'r Meseia ei hun. Neu L Ron Hubbard. Neu o leiaf David Icke.

'Wel, fi jyst yn gobeithio aiff popeth yn iawn gyda'r geni.'

'Fi'n siŵr bydd e, Emlyn. A gyda llaw, o'n i wir yn flin i glywed am dy fam.'

'Sa i 'di dy weld ti ers 'ny?'

'Naddo. Ac o'n i methu dod i'r angladd...'

'Diolch, Rich. Ro'dd hi'n sâl iawn erbyn y diwedd. Y gwir yw roedd hi'n fendith iddi gael mynd gan fod y clef...'

Tawelodd llais Emlyn a methodd orffen y frawddeg, wrth i'r cwmwl tywyll nad oedd byth ymhell hofran uwch ei ben unwaith eto. Roedd hi'n wir bod ei fam fel sgerbwd byw yn ystod ei hwythnosau olaf, ond roedd hynny hyd yn oed yn well na'r gwagle anferthol roedd ei marwolaeth wedi'i adael yn ei galon. O am gael ei gweld unwaith eto. O am gael clywed ei llais. O am gael...

Rhoddodd Richard ei law ar ysgwydd Emlyn. Gwyddai yntau'n union sut roedd e'n teimlo, gan iddo golli ei dad mewn amgylchiadau tebyg rhyw dair blynedd ynghynt. Roedd y clefyd – yr 'C' fawr – yn cyffwrdd â phawb y dyddiau hyn. Doedd dim ffordd o'i osgoi, a dim dianc rhag y canlyniadau.

Galwodd un o'r gweinyddesau ar Richard i fynd at y til i ddelio â rhyw fân argyfwng.

'Wela i di cyn bo chi'n mynd, iawn Emlyn?'

'Diolch, Rich. Ma'r bwyd yn ffantastig gyda llaw...'

Dychwelodd Cariad bron ar unwaith, gan eistedd mewn pryd i groesawu'r prif gyrsiau. Gwelodd fod rhywbeth o'i le ar Emlyn, ond roedd y bwyd yn arogli mor dda, felly anwybyddodd ei gŵr a mynd ati i lwytho'i phlât: Tao Hoo Pad Khing, caul ffa wedi'i dro-ffrio gyda sinsir, madarch a sibols; y reis jasmin; a'r Pad Thai, nwdls, wyau, egin ffa, sibols a physgnau y ddaear. Roedd hi eisoes yn palu i mewn i'r pryd cyn i Emlyn godi ei lwy er mwyn dechrau trosglwyddo i'w blât y Gaeng Phed, sef cyrri cyw iâr coch tanllyd gyda blagurod bambw ac wylysiau ffa a chymysgedd o dshilis coch a llysiau blas ffres, wedi'i goginio mewn llaeth y gneuen goco yn ogystal â'r reis a'r nwdls.

Ystyriodd Cariad ofyn iddo beth oedd yn bod ond roedd ei cheg mor llawn a'r bwyd mor flasus fel nad oedd modd oedi am eiliad i siarad.

'Sauvignon blanc for Meester Jones.' Mynnodd llais llygoden y weinyddes sylw Emlyn, a nodiodd ei gydnabyddiaeth yn fud gan fod ei geg yntau'n llawn bellach hefyd. Arllwysodd y weinyddes lond gwydryn iddo. 'Compliments of the house,' meddai, cyn troi ar ei sawdl a chamu at fwrdd cyfagos i gymryd archeb arall. Trodd Emlyn at y til ym mhen pella'r stafell, lle safai Richard. Cododd ei wydryn mewn diolch, a gwenodd Richard arno cyn parhau â'i waith.

Bwytaodd y darpar rieni weddill y pryd mewn tawelwch. Roedd y bwyd yn fendigedig, fel arfer, a'r cyfuniadau blas yn gynnil a thrawiadol ar yr un pryd. Ond nid dyna'r prif reswm am y mudandod, ond yn hytrach ddistawrwydd Emlyn.

Wedi clirio'i phlât a thorri gwynt yn dawel, aeth Cariad ati i geisio cynhesu'r awyrgylch rhyw fymryn, ond ni allai fod wedi dewis pwnc gwaeth i gychwyn.

''Nes i ddweud bod Mam a Dad yn bwriadu dod lawr yn syth ar ôl i'r babi gael ei eni?'

Trywanodd geiriau Cariad ei galon. Plygodd Emlyn ei ben fel petai'n gweddïo. Ond nid dyna oedd e'n wneud.

'Be sy, Ems?' gofynnodd Cariad, gan ymestyn ar draws y bwrdd er mwyn dal llaw ei gŵr.

Cododd Emlyn ei ben yn araf a gwelodd Cariad y deigryn unig yn llithro'n araf i lawr ei foch. Gwyddai ar unwaith beth oedd o'i le, ond cadarnhaodd Emlyn ei hamheuon.

'Jyst… Mam… ti'n gwybod…'

Nodiodd Cariad ei phen. Torrodd ei chalon. Roedd hi wedi gobeithio y byddai Emlyn wedi concro'r galar erbyn hyn, ond roedd y creithiau mor agos at yr wyneb heddiw ag oedden nhw flwyddyn yn ôl. Gwyddai na fu'n cymryd ei dabledi gwrthiselder, ond roedd ei weld yn crio mewn man mor gyhoeddus yn ei darbwyllo efallai fod angen iddo ddechrau eu llowcio nhw unwaith eto.

'Sori, Ems, do'n i ddim yn meddwl…'

'Paid bod yn sori. Sdim angen. Fi jyst yn gweld ei heisiau hi…'

'Dwi'n gwybod.'

NA, DWYT TI DDIM! sgrechiodd Emlyn yn ei isymwybod. Cwestiynodd pam nad mam Cariad fu farw flwyddyn yn ôl, yn hytrach na'i fam e. Yna daeth yr euogrwydd ar gefn ei geffyl gwyn, gan achosi i'r dagrau lifo fwy fyth.

Estynnodd Emlyn ei hances boced, cyn sychu ei fochau a gwagio'r gwin i lawr ei gorn gwddwg.

'Mae'n weird…'

'Be?'

'Po agosa ry'n ni'n mynd at y diwrnod mawr, mwya i gyd dw i'n gweld ei heisiau hi.'

'Dydi hynny ddim yn weird, Ems. Mae'n hollol naturiol.'

'Bydde hi wrth ei bodd, Car.'

'Dwi'n gwybod. Hogyn arall.'

'My boys,' sibrydodd Emlyn, gan ddynwared ei fam.

'Ti'n meddwl dylsa ti… ti'n gwybod…?' awgrymodd Cariad yn ansicr.

'Beth?'

'Dechrau cymryd dy anti-depressants eto,' sibrydodd.

'Falle,' atebodd Emlyn, cyn codi ar ei draed yn sigledig, diolch i'r gwin a'r galar. 'Fi'n mynd am ffag.'

'Ti isho pwdin?'

'Ydw. Dewis di. Rhywbeth ysgafn. Ac Irish coffee.'

Gwenodd Cariad arno'n dyner ac yn llawn tosturi wrth ei wylio'n gadael, ei ysgwyddau'n isel a'i gamau'n ansicr am unwaith. Roedd ei gŵr yn llawn gwrthgyferbyniadau. Yn galed a chïaidd ar adegau, ond yn emosiynol ac addfwyn bryd arall. Syllodd unwaith eto ar ei modrwy. Roedd hi'n hyfryd… ar wahân i un peth bach. Byddai hi'n cario rhan o'i fam i bobman gyda hi o hyn ymlaen, a sut y gwnâi hynny iddi deimlo? Braidd yn rhyfedd, rhaid cyfaddef, er rhaid cofio bod ei bola bron â byrstio â genynnau teulu'r Eilfyw-Jones, felly roedd hi'n rhy hwyr o bell ffordd i ailfeddwl mewn gwirionedd.

Safai Emlyn ar y stryd fawr o flaen y bwyty'n smocio'i sigarét ac yn gwylio yfwyr yr Eglwys Newydd yn smocio o flaen y Maltsters drws nesaf. Roedd ei feddwl yn llawn atgofion ond roedd yn benderfynol o edrych tua'r dyfodol hefyd, gan na fyddai ei fam eisiau i'w marwolaeth effeithio arno fel hyn. Wrth gwrs, roedd galaru yn beth arferol a naturiol, a phawb yn delio â'r sefyllfa mewn ffyrdd gwahanol, ond roedd blwyddyn wedi mynd heibio bellach ac Emlyn yn dal i grio'n gyhoeddus.

Roedd Cariad yn iawn; byddai ailddechrau ar y tabledi gwrthiselder yn syniad da. Fel ateb byrdymor, ta beth.

Tagodd ei stwmpyn yn y blwch llwch llwyd oedd wedi'i sgriwio i'r wal ar flaen y bwyty, cyn anelu am dŷ bach y Lolfa er mwyn trochi ei wyneb mewn ymgais i waredu'r cochni o'i lygaid.

Roedd y tŷ bach yn fach – un iwrinal, un sinc, un ffenest, un sychwr dwylo ac un cuddygl cachu – ac yn wag pan gyrhaeddodd, ond pan blygodd Emlyn ei ben tua'r sinc a chodi'r dŵr at ei wyneb clywodd chwerthin yn atseinio oddi ar y waliau hufen-wyn. Cododd ei ben ar unwaith ac edrych dros ei ysgwydd, ond er mor eglur y chwerthin, nid oedd yr un enaid byw i'w weld yno. Trodd ei sylw at y ffenest oedd yn gil-agored, gan ddod i'r casgliad mai lleisiau o'r stryd tu allan oedd yr hyn a glywsai. Plygodd eto a thasgu dŵr dros ei fochau, ond pan gaeodd ei lygaid clywodd y sŵn unwaith eto. Ond, yn hytrach nag un llais fel y tro cyntaf, roedd dau neu dri o bobol yn chwerthin yn awr. Trodd a chamu at y ffenest, y dŵr yn rhaeadru oddi ar ei wyneb. Agorodd hi i'r eithaf gan ddisgwyl gweld grŵp o bobol ifanc yn sefyll ar y stryd islaw, ond golygfa o'r maes parcio oedd gan y tŷ bach hwn, a doedd neb ar gyfyl y lle. Rhedodd y dŵr unwaith eto, cyn plygu a'i daflu dros ei wyneb. Y tro hwn, ni chlywodd unrhyw chwerthin. Y tro hwn, clywodd rywbeth llawer gwaeth. Sgrech merch yn llawn poen ac artaith. Wedyn tawelwch. Yna, un gair yn atseinio oddi ar y porslen: 'Dadi.' Gwibiodd ias ar hyd ei asgwrn cefn a stryffaglodd i sychu ei wyneb ar dywel papur cyn cefnu ar y stafell a dychwelyd at ei wraig, oedd yn aros amdano, ei bochau'n llawn danteithion melys a'r fodrwy yn sgleinio ar ei llaw dde yng ngolau isel y bwyty.

Akuma Cyf., Heol Penarth: Prynhawn Dydd Llun

Wrth smocio sigarét unig o dan y gysgodfan wydr oedd wedi'i lleoli wrth ochr Akuma, edrychodd Rod ar ei ffôn lôn am y canfed tro'r diwrnod hwnnw, ond yr un oedd yn ei ddisgwyl â'r achlysuron blaenorol, sef dim byd o bwys. Hynny yw, dim neges, dim smic, dim sôn am Betsan. Roedd hi wedi bod yn absennol o'r gwaith ers y dydd Mercher cynt, a'r unig esboniad a gawsai Rod oddi wrth Kate yn y dderbynfa oedd ei bod hi'n sâl. Ystyriodd anfon neges arall ati, ond roedd eisoes wedi anfon o leiaf ddeg o negeseuon ati yn ystod y deuddydd diwethaf.

Yr hyn a gythruddai Rod fwy nag unrhyw beth arall oedd na chawsai unrhyw rybudd y byddai ei gariad – achos dyna beth oedd hi erbyn hyn – yn llithro 'nôl i'w hymgnawdoliad cychwynnol. Roedd pethau'n mynd mor dda rhyngddynt a'r sgwrs o hyd yn llifo, a hen ddigon ganddyn nhw'n gyffredin, er eu magwraeth dra gwahanol, lot o chwerthin heb sôn am y tân gwyllt nwydus yn y gwely.

Gadawodd hi Stryd Bedwas nos Fawrth diwethaf tua naw o'r gloch yn cwyno o ben tost a thymheredd uchel, ac ers hynny, tawelwch. Dim gair. Dim hyd yn oed cydnabyddiaeth ei bod hi ar dir y byw. Er, gwyddai Rod ei bod hi o leiaf yn dal i anadlu gan iddo ofyn i Alis am ei salwch a chael ateb rhyfedd, gochelgar ac amwys oddi wrthi. Daeth Rod i'r casgliad bod rhywbeth mawr iawn o'i le – dyn arall ar y sîn, mae'n siŵr, yn lle bachgen fel Rod. Galwodd heibio nos Sadwrn, ac er ei fod yn sicr ei bod hi gartref gan fod y teledu ymlaen, ni chafodd ateb. Gobaith Rod oedd y byddai wedi'i gweld yn y gwaith heddiw, ond beth fyddai wedi dweud wrthi petai hi yno? Roedd e'n grac, yn gandryll, ond eto'n poeni am ei chyflwr a'i salwch.

Limbo oedd y cyflwr mwyaf creulon ohonyn nhw i gyd, meddyliodd. Roedd yr ansicrwydd yn artaith lwyr. Ac wrth ddychwelyd at ei ddesg yn drwm ei galon, penderfynodd y byddai'n mynd i'w thŷ hi unwaith eto heno, ac na fyddai'n gadael tan y byddai o leiaf yn cael rhyw fath o ateb ganddi. Roedd rhaid dod â hyn i ben. Roedd rhaid cau pen y mwdwl er mwyn gallu symud ymlaen.

Cymerodd hi bythefnos union i Emlyn wylio holl dapiau Rod. Trosglwyddodd y ffilmiau i DVD, a gwyliodd nhw yn y swyddfa pan fyddai hanner awr ganddo i'w sbario. Gwyliodd nhw ar ei gyfrifiadur wrth fwyta'i frecwast, dros amser cinio, ac eto gyda'r hwyr yng nghwmni ei wraig. Gwyliodd rai gyda'i frawd – Euros yn gwenu wrth wylio'r anhrefn arferol, ac Emlyn yn deall am y tro cyntaf realaeth yr hyn roedd ei frawd yn ei wneud i ennill bywoliaeth. Gwyliodd yr olaf ohonyn nhw neithiwr, Cariad ar y soffa yn bochio bocs o Quality Street ac yntau'n eistedd ar y gadair agosaf at y teledu yn gwylio'r sgrin mor gegagored â phlentyn blwydd yn syllu ar *Silwen*. Gwyliodd Emlyn y tapiau mewn trefn gronolegol, ac felly'r tâp olaf iddo'i weld oedd canfod corff MC Kardz yn afon Elái. Roedd naratif pendant yn perthyn i'r holl ffilmiau, ac MC Kardz oedd canolbwynt rhan helaeth o'r cyffro. Dechreuodd y ffilm ffurfio ym mhen Emlyn ar unwaith, a doedd dim gwadu'r ffaith nad oedd wedi bod mor gyffrous â hyn yn ei waith ers amser maith. Ers dechrau sgwennu a datblygu ei ffilm am Elvis Jones rhyw ddwy flynedd yn ôl, o leiaf.

Roedd ffilmiau Rod yn arw ac yn gignoeth, ond roedd hynny'n gweddu i'r cynnwys yn berffaith. Wedi'r cyfan, bywyd go iawn roedd Rod wedi'i gipio â'i gamera, dim rhyw fersiwn ffug fel yr ymdrechodd Emlyn ei wneud yn ei ffilm e. Roedd mwy o ddrama mewn hanner awr o ffilmiau Rod nag mewn tair cyfres o *Casualty*. Roedd y torcalon yn ddilys, y ddrama ddynol yn ddiamheuol, a'r trais a'r anhrefn yn ddidwyll ac o ddifrif. Pan welai Emlyn waed, gallai ei flasu. Pan daflwyd y bom petrol at y siop gornel, gallai ei arogli, a phan bisiodd Kardz ar Rod, gallai deimlo'r iwrin yn llifo dros ei dalcen.

Drama ddogfen oedd yr hyn a ddaeth gyntaf i feddwl Emlyn wrth wylio'r ffilmiau. Byddai angen sgriptio a golygu craff, wrth reswm, ond roedd yn bendant y byddai modd troi'r deunydd crai yn gampwaith. Roedd stadau fel Trelái yn bodoli ym mhob tref a dinas ym Mhrydain, ac oherwydd hynny byddai'n hawdd i bobl uniaethu â'r cynnwys. Byddai Channel 4 yn siŵr o ddangos diddordeb. Ond breuddwydiodd Emlyn am ei dangos hi yn Cannes, Venice, Berlin… cyn penderfynu galw Rod i mewn am gyfarfod.

Wrth wylio Rod yn agosáu o ben pella'r swyddfa, teimlodd Emlyn yr hyder a'r hapusrwydd yn llifo trwy ei gorff. Dychwelodd at ei dabledi gwrthiselder y bore Sadwrn ar ôl iddo fe a Cariad ymweld â'r Lolfa Thai rai wythnosau ynghynt. Roedd y byd yn gytbwys unwaith eto, ac unrhyw awgrym o baranoia wedi hen ddiflannu. Heddiw oedd dyddiad geni disgwyliedig Napoleon bach, ond esboniodd Cariad wrtho nad oedd pwynt cyffroi gormod, a hynny am ddau reswm:

1) nid oedd hi'n teimlo unrhyw boenau na chyfangiadau eto;

2) bod 58% o fabis cyntaf yn aros yn y groth am dymor llawn cyn esgor; naw mis a phythefnos, hynny yw.
Roedd yr ystadegyn yn synnu Emlyn, ond hefyd wedi tawelu ei feddwl rhyw fymryn.

Eisteddodd Rod gyferbyn ag Emlyn. Roedd ei fos yn gwenu fel ynfytyn ar fws arbennig, ei beneliniau ar y ddesg o'i flaen a chytundeb yn gorwedd ar yr MDF oedd yn eu gwahanu. Ar ei liniadur, gallai Rod weld delwedd wedi'i rhewi – wyneb MC Kardz ar ôl iddo fe a Bryn dynnu'r gelain o'r Elái.

'Fi 'di gorffen gwylio dy ffilmiau, Rod,' dechreuodd Emlyn, heb wneud unrhyw ymdrech i guddio'i gyffro. 'Ac, i fod yn blunt, ma nhw'n fuckin ffantastig.'

'Diolch,' medd Rod, gan synnu braidd.

'Dyma'n union beth o'n i'n edrych amdano. Prosiect newydd. Hollol wahanol. Ti 'di fy adfywio i, Rod, wir nawr…'

Cochodd Rod wrth glywed y geiriau. Roedd hyn braidd yn embarrassing bellach.

''Drych, mae gen i gynlluniau mawr ar gyfer y ffilmiau 'ma. Fi'n bwriadu – os wyt ti'n cytuno, wrth gwrs – cysylltu ag ambell unigolyn fi'n nabod fydd falle'n gallu ein helpu ni i gael arian datblygu ar gyfer troi dy ffilmiau di'n ffilm go iawn. Asiantaethau. Pobol yr arian. Ti'n gwybod…'

Na, doedd Rod ddim 'yn gwybod'.

'Wrth gwrs, ti sy'n berchen ar yr hawlfraint ac mae angen i ti ddarllen hwn…' – llithrodd Emlyn y cytundeb ar draws y ddesg – '… a'i arwyddo cyn y gallwn ni symud ymlaen.' Estynnodd Emlyn feiro o'r tŵr plastig du oedd ar ei ddesg, ac er i Rod afael ynddi, ni lofnododd y papur. Gwelodd Emlyn yr oedi, a chydnabyddodd ei gam ar unwaith. 'Sori, sori, fuckin hell, Rod, dere â'r beiro 'na 'nôl i fi. Sdim angen i ti arwyddo fe nawr. Cer â'r cytundeb adre gyda ti. Darllen drosto fe, a'i ddychwelyd e i fi cyn gynted â bo modd os wyt ti'n hapus 'da fe. Sori. Ond fi mor excited, fyddet ti ddim yn credu…'

Roedd Rod yn ei gredu. Heb os. Roedd Emlyn yn ymddwyn yn rhyfedd iawn. Mewn ffordd neis.

'Beth yw pwrpas yr arian datblygu 'ma?'

'Wel, it does exactly what it says on the tin. Yn syml, mae 'na amryw o bobol a sefydliadau mas 'na sy'n cynnig arian i ddatblygu syniadau gwreiddiol er mwyn gweld oes modd gwneud ffilm neu gyfres deledu ohonyn nhw. Does dim sicrwydd, wrth gwrs, ond y gwahaniaeth yn yr achos hwn yw bod 'da ni lot fwy na dim ond syniad, mae deunydd crai gwych gyda ni fan hyn, felly ni un cam ar y blaen yn barod. Fi moyn defnyddio dy ffilmiau di ond ychwanegu atyn nhw er mwyn creu naratif cryfach. A dyma beth sydd angen i ni ddatblygu. MC Kardz yw'r canolbwynt, wrth gwrs, ond fi moyn i Drelái – yr ardal ei hun, hynny yw – fod yn gymeriad yn y ffilm…'

Gwyliodd Rod geg ei fos yn symud ond ni ddeallodd rhyw lawer o'r hyn roedd e'n ei ddweud. Byddai'n darllen y cytundeb, wrth gwrs, ac yn siŵr o'i lofnodi, gan adael i Emlyn arwain y ffordd trwy'r dryswch ariannol wrth ei ddatblygu. Y gwir yw nad oedd syniad 'da Rod sut roedd mynd ati i droi'r deunydd crai – fel y galwodd Emlyn ei ffilmiau – yn gynnyrch gorffenedig, ac felly byddai'n ymddiried ynddo'n llwyr. Byddai'n brofiad da, hyd yn oed os na fyddai'r ffilm yn llwyddiant.

'Chi'n meddwl bydd y Sianel yn fodlon cefnogi rhywbeth fel hyn? I mean, sdim Cymraeg...'

Chwarddodd Emlyn, gan dawelu Rod ar unwaith. Ac ar ôl i'r miri bylu, esboniodd.

'Fuck y Sianel, Rodney! Sa i'n mynd â hon yn agos at y bastards 'na. Bydden nhw ond yn gwneud llanast o bopeth, fel arfer. O na. Fi'n gweld ein ffilm ni ar Channel 4, neu hyd yn oed mewn sinemâu. O ddifri nawr, ma aur pur 'da ni fan hyn...'

Credai Rod fod Emlyn ar fin ei cholli hi, neu falle'i fod eisoes wedi gwneud. Wrth gwrs, roedd cael ei glodfori fel hyn yn bleser llwyr i'r ego, ond roedd hi'n anodd credu gair oedd yn dod o geg Emlyn ar hyn o bryd.

Gwenodd Rod a dechrau codi.

'Un peth bach arall, Rod...'

Eisteddodd Rod unwaith eto. Agorodd Emlyn un o ddroriau ei ddesg gan afael mewn cytundeb arall a'i basio at ei brentis. Syllodd Rod ar y papur heb ddeall yn iawn beth oedd yn digwydd.

'Cytundeb newydd i ti. Llongyfarchiadau! Ti 'di cael dyrchafiad...'

'Dyrchafiad?'

'Ie. Ti nawr yn gyfarwyddwr dan hyfforddiant. Da iawn ti.'

'Ymmm… sut… beth mae hynny'n ei olygu?'

Gwenodd Emlyn. 'Dim lot mewn gwirionedd. Dim eto ta beth. Ond mae'r cytundeb yma'n mynd law yn llaw â'r un arall fi newydd ei roi i ti. Ti'n gweld, os gewn ni arian i ddatblygu'r ffilm, wedyn byddi di a fi'n gweithio ar y cyd. Partners. Fi fel cynhyrchydd a ti fel cyfarwyddwr. Fel y brodyr Coen, os lici di. A sgriptwyr, wrth gwrs. Byddwn ni'n dîm. Ti a fi. Ta beth, bydd hynny'n digwydd yn y dyfodol agos gobeithio, ond yn y cyfamser mae'n golygu codiad cyflog bach i ti ar unwaith a newid yn y cynhyrchiad ti'n gweithio arno. Fi'n siŵr bod ti 'di cael llond bol ar *Rhys Rhechu* erbyn hyn…'

'Dim o gwbwl,' atebodd Rod ar unwaith, heb sylwi mai sylw gwag ddaeth o geg Emlyn, yn hytrach na datganiad oedd yn haeddu ateb. 'Fi wrth fy modd yn…'

'Rod, sdim angen…'

'Ond fi wir yn gwerthf…'

'Fi'n gwybod, fi'n gwybod,' gwenodd Emlyn yn gynnes. Roedd e wedi gwirioni'n llwyr gyda Rod erbyn hyn – y toes perffaith iddo'i fowldio a'i fanipiwleiddio, yn y ffordd orau bosib, wrth gwrs – a gwelai ddyfodol disglair iddo fe. Iddyn nhw. 'Ond ma cyfle wedi codi gyda thîm *P(l)op*. Dylse hynny fod ychydig bach yn fwy cyffrous na gweithio ar *Rhys Rhechu*. Ti'n gweld, mae 'na swydd wag sydd angen ei llenwi. Yn y byrdymor, anyway…'

'Swydd pwy?' gofynnodd Rod, er y gwyddai'r ateb cyn gwneud.

'Betsan. Ma hi bant am wythnos arall o leiaf. Pythefnos falle. Sneb yn rhyw siŵr iawn. Salwch unclassified. Women's problems, mae'n siŵr. Gwell peidio gofyn gormod o gwestiynau, ti'n gwbod shwt ma pethe…'

Gadawodd Rod swyddfa Akuma ar ddiwedd y dydd gyda'r bwriad o fynd yn syth i dŷ Betsan yn y gobaith o'i gweld a dod at wraidd y sefyllfa, ond ni chyrhaeddodd Sloper Road hyd yn oed cyn i'r ffôn ganu yn ei boced. Gafaelodd ynddi gyda'i galon ar ras, ond nid Betsan oedd yno.

'Uncle Steve, you ok?'

'Alright Rod, son, I'm fine, but you might want to head up to your dad's house right now…'

'Why, what's happenin?'

'No idea, but there're cops everywhere.'

Tŷ Rod, Cymric Close, Trelái

Trodd y tacsi oedd wedi cario Rod o Heol Penarth i Drelái oddi ar Grand Avenue a gwelodd ar unwaith fod rhywbeth mawr o'i le. Roedd y stryd yn llawn pobol – cymysgedd o heddlu mewn lifrai, ditectifs mewn siwtiau a chotiau hir, a phreswylwyr lleol o bob oed wedi dod i wylio'r ddrama. Canolbwynt y cyffro oedd cartref ei dad a'i frawd.

Talodd y gyrrwr a cherdded tua'r dorf, gan gyrraedd ffin y cwnstabliaid oedd yn cadw'r cyhoedd yn ôl o'r lleoliad mewn pryd i weld Dave yn cael ei arwain o'r tŷ gan DC Ellis – ei ddwylo wedi'u cloi tu ôl i'w gefn, ei ben yn ei blu a'i lygaid ar y llawr yn osgoi'r dorf. Gwthiodd DC Ellis ei frawd tua'r car gyda llaw drom, cyn ei stwffio i mewn i'r cefn a chau'r drws yn glep.

'Ditectif Jones,' gwaeddodd Rod pan welodd Euros yn dod allan trwy ddrws ei gartref. Daeth y ditectif ato heb oedi. Clywodd DC Ellis ei lais a syllodd i'w gyfeiriad, ac er bod Rod yn syllu'n ôl, ei frawd oedd ei darged, dim y ditectif ifanc. Ond nid oedd Ellis yn gwybod hynny, ac felly dechreuodd gerdded draw at Rod i 'gael gair'.

'You can accompany the suspect to the station, Ellis,

get the ball rolling right away...' gorchmynnodd Euros pan welodd ei bartner penboeth yn anelu'n syth at Rod. I ffwrdd aeth Ellis heb gwyno a gwên fach slei o dan ei drwyn. Gobeithiai Rod na fyddai ei frawd yn cael ei drin yn annheg oherwydd ei berthynas e ag Ellis.

'Ble mae Dad?' gofynnodd Rod wrth wylio'r car oedd yn cario'i frawd yn gadael yr olygfa'n araf, gan ledu'r cynulliad oedd yn dal i sefyll ar y stryd o flaen y tŷ. Roedd Dave yn syllu ar y llawr tu ôl i sedd y gyrrwr mewn ymdrech i guddio, neu o leiaf i gladdu, ei gywilydd. Trawai'r dorf eu dyrnau ar do'r cerbyd, gan godi eu lleisiau i gefnogi Dave, er nad oedd yn haeddu unrhyw beth o'r fath. Byddai'r stad yn lle gwell hebddo, er y byddai rhywun yn cymryd ei le o fewn diwrnod neu ddau. Ac yn y cyfamser roedd digon o opsiynau eraill yn Nhreláì i leddfu chwantau'r jyncis lleol.

'Dere gyda fi,' medd DS Jones, gan arwain Rod o'r cyffro. Wrth gerdded ar ôl Euros i gyfeiriad y car llwyd oedd yn aros amdanyn nhw ar gornel Grand Avenue, trodd Rod o gwmpas i edrych ar ei gartref mewn pryd i weld tri ditectif yn gadael y tŷ yn cario sachau plastig tryloyw yn llawn cyffuriau ac arian parod.

Gyrrodd DS Jones y car allan o Drelái, trwy draffig trwm Western Avenue cyn cyrraedd cyfnewidfa Gabalfa ac Ysbyty'r Mynydd Bychan tu hwnt, gan esbonio ar y daith iddyn nhw ffeindio'i dad yn bentwr anymwybodol ar ei wely wrth arestio Dave. Roedd chŵd ar y llawr a chachu ar y waliau ond bellach roedd e yn yr ysbyty, ei stwmog yn wag a'r hen ddyn yn dal i fod mewn trwmgwsg.

Gyda diolch, gadawodd Rod y ditectif wrth brif fynedfa'r ysbyty cyn canfod pa ward oedd yn gofalu am ei dad gan y fenyw surbwch a eisteddai tu ôl i'r dderbynddesg.

Cerddodd y coridorau gan geisio dilyn ei chyfarwyddiadau mewn adeilad a oedd fel drysfa aml-lawr anferth.

O'r diwedd daeth at ochr gwely ei dad, gan sefyll wrth ei droed a syllu ar yr hen ddyn truenus oedd yn gorwedd o'i flaen. Treiddiai golau hwyr yr haul trwy ffenestri'r ward ar lawr uchaf yr adeilad, gan droi croen ei dad yn fwy melyn byth. Roedd e mor welw ac mor llonydd, bu bron i Rod afael yn ei arddwrn er mwyn gwirio curiad ei galon. Daeth nyrs draw i weld oedd popeth yn iawn, ac esboniodd wrth Rod y byddai ei dad yn siŵr o ddihuno mewn munud – awr fan bellaf – felly eisteddodd Rod wrth ei ochr ac aros. Tawelodd agwedd ddidaro'r nyrs unrhyw ofidiau oedd ganddo. Gyda'i gwallt gwrach-ddu'n gwrthgyferbynnu'n llwyr â lliw ei lifrai gwyn, roedd hi'n fwy Lladinaidd na Salma Hayek, a thristwch llethol yn llechu tu ôl i'w llygaid. Roedd yr erchyll bellach yn gyffredin i'r nyrs yma, ac unrhyw emosiwn wedi'i gladdu'n ddwfn ynddi.

Edrychodd ar ei ffôn symudol. Dim byd. Yn ôl y disgwyl. Ond roedd Betsan wedi'i gwthio o frig cynghrair pryderon Rod bellach, gyda'i dad ar y blaen a'i frawd yn ail. Wrth aros i'w dad ailymuno â'r byd, gwyliodd Rod yr haul yn machlud mewn arddangosfa anhygoel, amryliw dros y ddinas. Wedyn, ar ôl iddi nosi, trodd ei sylw at weddill preswylwyr y ward. Roedd y lle mor druenus, a'r dynion oll ar y ffordd tuag at yr anadl olaf.

Daeth Rod i'r casgliad mai ei dad oedd un o'r rhai ffodus. O leiaf doedd e ddim ar declyn anadlu fel y cleifion a orweddai gerllaw. Dechreuodd ei feddyliau grwydro a chyn hir roedd Rod yn gobeithio y byddai'r profiad hwn yn gweithredu fel y cam cyntaf at sobrwydd a bywyd gwell i'w dad. Cofiodd y dyddiau da pan oedd yn blentyn. Ei rieni'n gwenu a chwerthin yng nghwmni ei gilydd a fe a'i frawd yn hapus tu hwnt. Doedd ei dad ddim yn hen o bell ffordd, rhyw bum deg pump ar y mwyaf, a phe bai'n gwneud yr ymdrech, efallai byddai Rod a fe'n gallu datblygu perthynas unwaith eto. Wrth gwrs, roedd Rod yn fwy na pharod i'w helpu mewn unrhyw ffordd. Roedd e'n gweld eisiau ei dad ac yn teimlo braidd yn euog am ei esgeuluso ers marwolaeth ei fam.

Ac yna agorodd ei lygaid.

Cododd Rod ar unwaith a dechrau sibrwd, 'Hey, Dad, it's me, Rod. You're in hospital. Stomach pump. Nothing to worry about. You were found unconscious. But you're ok now. Everything's gonna be ok...'

Rholiodd llygaid ei dad yn eu socedi cyn i'r hen ddyn ddychwelyd at ei freuddwydion, lle arhosodd am awr arall, cyn dihuno'n araf bach, gan besychu a phoeri. Roedd wedi drysu'n llwyr i ddechrau, ac yn sychedig tu hwnt. Helpodd Rod fe i yfed hanner peint o ddŵr, gan gynnal ei ben ag un llaw a chodi'r gwydr plastig at ei geg â'r llall. Yna, caeodd ei lygaid a chysgu am ddeg munud arall, gan chwyrnu fel baedd dros y ward gyfan, cyn dod at ei hun, a hynny bron ar unwaith.

Agorodd ei lygaid yn llydan.

Syllodd o gwmpas y ward.

Eisteddodd i fyny.

Crebachodd ei wyneb mewn mwgwd o boen.

Cododd ei law at ei ben.

'Fuck me sideways, Rodney, get me a fuckin nurse, would you, son? Gonna need some industrial strength pain-killers to take care of this hangover.' Gwenodd wrth ddweud hyn, a gwyddai Rod ar unwaith nad oedd gobaith iddo newid mewn unrhyw ffordd.

Ar ôl i'r nyrs ei helpu i lyncu dwy dabled i ladd y boen,

gwyliodd y ddau hi'n gadael, cyn i'w dad sibrwd yng nghlust Rod fel na fyddai neb yn clywed ei gais.

'Rod, I need a favour…' Syllodd ei fab arno'n ddiemosiwn. Gwyddai beth roedd ar fin ei ofyn iddo ond nid oedd unrhyw fwriad ganddo i gytuno.

'What, Dad? Name it.'

'That's my boy. Run down the offy for me, would you? There's one in Birchgrove. Definitely a Spar anyway. Get us a bottle of vodka. Cheapest they got. Then transfer the vod into a water bottle and bring it back here, there's a good lad…'

Gwenodd Rod ar ei gais, cyn gafael yn ei ddwylo'n dyner a phlygu i lawr er mwyn cusanu ei dalcen chwyslyd.

'No problem, Dad. I'll be back in a bit,' dywedodd.

Gadawodd y gwely, y ward a'r ysbyty, a throi ei gefn ar ei dad am y tro olaf.

Casa Eilfyw-Jones, Llandaf: Nos Lun

Gwyliai Emlyn y teledu gyda chenfigen bur yn ffrwtian yn ei stwmog. Roedd y gyfres ddrama roedd e a Cariad yn ei gwylio yn dda. Yn dda iawn. Ac roedd hynny'n ddigon i wneud i Emlyn gasáu pwy bynnag oedd yn gyfrifol amdani. Unwaith eto, trodd ei feddyliau at ffilmiau Rod. Os byddai'n methu eu troi nhw'n aur pur, byddai'n rhoi'r gorau i geisio cyflawni creadigaeth artistig fel cynhyrchydd-gyfarwyddwr ac yn bodloni ar gynhyrchu rhaglenni plant ac adloniant ysgafn am weddill ei yrfa.

Gorffennodd y ddrama gyda golygfa gyffrous, llawn tyndra a dirgelwch gan roi rhagflas o'r hyn oedd i ddod yn y bennod nesaf. Wrth i'r enwau lithro i fyny'r sgrin, diffoddodd Emlyn y teledu a throi i edrych ar ei wraig, oedd yn gorwedd fel walrws yng nghornel pella'r soffa siâp-L, wedi'i hamgylchynu â phapurau Quality Streets, Toblerone ar ei hanner a gwydryn tal yn dal gwin gwyn a dŵr soda.

'Unrhyw beth?' gofynnodd Emlyn gan godi.

'Na, Emlyn! Am y canfed tro heno.'

'Dim 'na beth o'n i'n feddwl, Car. Ti moyn unrhyw beth o'r gegin? Fi'n mynd i gal G&T bach cyn mynd i'r gwely.'

'Ga i botel dŵr poeth, plis? Ac orange Club. W! A bag bach o cola bottles hefyd.'

'Unrhyw beth arall? Do's bosib bo ti ddim yn llawn eto.'

'Cau hi a dos, Mr Jones. Dwi'n cario dy fab fan hyn, neu wyt ti 'di anghofio hynny?'

Gwenodd Emlyn a gadael y lolfa, gan gamu trwy'r cyntedd llydan at y gegin. Aeth yn syth at y cwpwrdd gwirodydd wrth y peiriant golchi llestri, a rhegi wrth frwydro i'w agor ar ôl anghofio iddo osod bachau diogelwch ar bob cwpwrdd. Cariad oedd wedi mynnu ei fod yn gwneud, er na fyddai'r babi'n gallu symud heb help am fisoedd lawer. Ond roedd hi eisiau i bopeth fod yn barod cyn iddo gyrraedd – un fel 'na oedd hi – ac felly roedd Emlyn wedi bod yn brysur iawn dros y misoedd diwethaf. Roedd y feithrinfa wedi bod yn barod ers amser; bag ysbyty Cariad yn aros amdani wrth y drws ffrynt ers dyddiau; peiriant ager yn y gegin yn barod ar gyfer y poteli, y dwmis a'r pwmp bronnau; cyflenwad mis o badiau bron a chewynnau yn y cwpwrdd; llond wardrob o ddillad; a hyd yn oed dwy glwyd ddiogelwch yn eu lle – un ar waelod y grisiau a'r llall ar y landing. Yn wir, yr unig beth oedd ar goll oedd babi.

Estynnodd Emlyn lond gwydryn o iâ o'r rhewgell, cyn ychwanegu mesur hael o gin ato. Yna, wedi adio'r tonig a'i gymysgu, llenwodd y tecell a gadael y gegin er mwyn estyn potel dŵr poeth Cariad o'r stafell wely. Cyrhaeddodd y stafell mewn pryd i glywed y ddau gi'n dechrau cyfarth yn wyllt yn yr iwtiliti yng nghefn y tŷ. Cydiodd yn y botel dŵr poeth a brasgamu i lawr i'r gegin er mwyn eu tawelu. Roedd hyn yn rhyfedd iawn, mewn gwirionedd, gan fod y ddau mor hen ac yn cysgu'n braf yn eu basgedi trwy'r nos yn ddidrafferth y dyddiau hyn.

Agorodd Emlyn y drws a synnu gweld Tref a Meg allan o'u gwlâu ac yn sefyll wrth y drws cefn yn cyfarth a chrafu fel cŵn o'u co. Aeth Emlyn yn syth atyn nhw, plygu a cheisio'u tawelu a'u tynnu'n ôl i'w basgedi, ond roedd y ddau'n benderfynol o aros lle roedden nhw. Agorodd Emlyn y drws i'r ardd, gan feddwl y byddai ychydig o awyr iach efallai'n helpu, a gwyliodd wrth i'r ddau gi anelu'n syth am y ffens gefn, yn cyfarth a grymial fel Serberws a Scrappy Doo.

Dilynodd Emlyn nhw, gan ddifaru peidio â gwisgo sgidiau call pan deimlodd y lleithder o dan sodlau ei sliperi wrth iddo droedio ar hyd y lawnt. Roedd hi wedi bod yn bwrw ers rhyw awr, ond ei draed gwlyb oedd y lleiaf o'i broblemau. Cyfarwyddodd ei lygaid â'r gwyll mewn pryd i weld y prysgwydd tu ôl i'r ffens yn ysgwyd a ffigwr tywyll yn diflannu i'r dryswch i lawr at drac y trên gan adael dim byd ond arswyd ar ei ôl.

Syllodd Emlyn.

Clywodd y chwerthin yn atseinio o'i gwmpas.

Carlamodd ei galon.

Yna daeth y sgrech ac yn olaf y gair unig – 'Dadi'.

Rhewodd ei waed.

Tawelodd y cŵn.

Trodd Emlyn a llusgo'i draed yn ôl tua'r tŷ gan fwriadu llyncu Elavil arall yn ogystal â'r gin, er y gwyddai na fyddai tunnell o'r tabledi'n help i ddileu'r hunllef hon.

North Clive Street, Grangetown

Wedi dal bws o'r Waun i'r dref a cherdded o'r CBD i Grangetown, safodd Rod tu allan i dŷ Betsan a chnocio ar y drws gan wybod bod rhywun adref heno. Gallai glywed y teledu tu draw, a phan blygodd wrth y twll llythyrau ac edrych i mewn, gwelodd wallt melyn ei gariad yn codi uwchben cefn y soffa. Er hynny, nid oedd hi'n fodlon agor y drws iddo, dim hyd yn oed pan waeddodd arni a phledio arni i'w agor.

Roedd ei hymddygiad yn ei wylltio, a'r diffyg parch yn torri ei galon. Pa hawl oedd ganddi i'w drin fel hyn? Yn enwedig ar ôl datblygiadau'r ddeufis diwethaf. Roedd eu perthynas wedi newid o fod yn chwerthinllyd i fod yn berffaith ac yn ôl unwaith eto... Oedd, roedd Rod yn ei charu – wel, yn ddigon agos, ta beth – ond roedd rhaid iddo wybod beth oedd yn mynd 'mlaen yn ei phen. Ni fyddai modd symud ymlaen heb wneud hynny.

Troediodd y palmant hyd at ddiwedd y stryd gan gyfri'r tai teras wrth fynd. Wedyn, aeth i lawr yr ali gefn dywyll, gan gyfri'r tai nes cyrraedd tŷ Betsan. Aeth dros y wal heb unrhyw drafferth, ac ymhen dim roedd yn edrych trwy ffenest y gegin ac yn gallu gweld Betsan yn gorweddian ar y soffa o flaen y teledu yn ei gŵn nos.

Cnociodd yn ysgafn er mwyn ceisio peidio â rhoi gormod o fraw iddi. Edrychodd i'w gyfeiriad a gwelodd Rod y dagrau yn ysgathru ei bochau. Roedd y bagiau o dan ei llygaid mor dywyll ac yn llawn ysbwriel emosiynol. Gwenodd Rod arni a chododd Betsan yn ansicr er mwyn agor y drws cefn.

Roedd hi'n beichio crio erbyn iddi gyrraedd y gegin, a Rod yn poeni bod rhywbeth mawr o'i le. Falle bod hi 'di colli rhiant neu chwaer neu ffrind da? Ond doedd hynny ddim yn esbonio pam ei bod hi 'di bod yn ei anwybyddu ers bron i wythnos.

Agorodd Betsan y drws cyn cofleidio Rod heb rybudd. Doedd e ddim yn disgwyl y math hyn o groeso, ond daliodd hi'n dynn, gan arogli'i phersawr personol. Roedd hi wedi cael cawod heno, ac roedd y TRESemmé a'r cnau coco yn goglais ei ddwyffroen ac yn ei atgoffa o'r hyn roedd wedi'i golli.

Arhosodd y cwpwl ar y trothwy fel hyn am beth amser, Betsan yn crio, Rod yn ei chofleidio, tan iddi dawelu. Yna, gafaelodd yn llaw Rod a'i arwain i'r lolfa, lle diffoddodd y teledu ac eisteddodd y ddau ar y soffa, ochr yn ochr.

Roedd Rod wedi drysu'n llwyr bellach. Beth yn y byd oedd yn digwydd? Ond, yn ffodus, nid oedd yn rhaid aros yn hir am yr ateb.

'Ti moyn diod?'

'Dim diolch. Fi moyn ateb i...'

'Fi'n feichiog.' Torrodd Betsan ar ei draws, gan esbonio popeth ar unwaith. Oedodd Rod, gan syllu arni mewn tawelwch. Yna gwenodd yn gynnes a'i thynnu ato, gan gusanu ei phen a'i bochau a sychu ei dagrau yn dyner.

'Ti ddim yn grac?' gofynnodd iddo, gan fod ei ymateb wedi'i synnu'n llwyr.

'Na, fi jyst yn falch bod ti'n ok. O'n i'n meddwl bod rhywbeth mawr o'i le – dy fam neu dy dad wedi marw. Neu hyd yn oed dy chwaer. Neu falle bod canser arnot ti. Neu AIDS. Rhywbeth mawr...'

'Ma hwn yn fawr, Rod! Major.'

'Wel... ydy... wrth gwrs. Ond so fe'n newyddion gwael, yw e?'

'Wel... ydy... neu o'dd e, ta beth. Do'n i ddim yn disgwyl...'

'I fi ymateb fel hyn?'

'Ie... ti'n weird,' gwenodd am y tro cyntaf ers dyddiau. 'Ti fod yn grac. Pissed off. Ti fod dweud wrtha i gael gwared ar y babi, ac wedyn gadael y tŷ a diflannu am byth.'

'Ha! Ro'n i'n pissed off, cyn clywed y news. Ro'n i eisie dy stranglo di am fy anwybyddu i, ar ôl popeth ni 'di bod trwyddo...'

'Fi'n sori, ond o'n i'n... ofnus... petrified... ofni'r dyfodol... ofni'r presennol... ofni dy ymateb di... ofni bywyd yn gyffredinol... sori...'

'Paid ymddiheuro. Sdim angen. Ond jyst addo i fi, os bydd rhywbeth fel hyn yn digwydd 'to, byddi di'n siarad â fi am y peth, yn lle 'nghau i mas...'

'Fi ddim yn gwybod os fi moyn...'

'Cadw'r babi? That's cŵl. Jyst cadwa fi in the loop. 'Na i dy gefnogi di either way. Fi'n...' Roedd geiriau ei chariad fel eli aloe-feraidd yn eneinio'i phryderon, ond torrodd Betsan ar ei draws cyn clywed ei ddatganiad.

'Ti ddim yn ofnus?'

'Na. Sdim byd i...'

'Fi'n ffycin petrified, Rod,' dywedodd Betsan gyda gwên. 'Sa i'n gwybod beth i neud.'

'Wel, fi'n dod o rywle lle mae cael plentyn yn ddau ddeg dau yn eich gwneud yn rhieni hen. Hen iawn. Fi'n adnabod digon o ferched sydd â thri o blant cyn cyrraedd ein hoedran ni. A ni mewn lot gwell sefyllfa na nhw...'

Ystyriodd Betsan resymeg a doethineb ei eiriau, gan sylwi bod Rod yn llawer mwy na'r bachgen y credodd iddi gwrdd ag e bron ddeufis ynghynt. Roedd ei ymateb yn profi iddi fod ei chariad yn fwy o ddyn na nifer o rai dwywaith ei oed.

'Ma'r ddau ohonon ni mewn swyddi sefydlog i ddechrau,

sy'n wahanol iawn i'r rhan fwyaf o ferched beichiog Trelái. Ti ar permanent contract hefyd, sy'n golygu maternity pay llawn ac ati. Ni'n annibynnol ac yn byw mewn tai clyd a chynnes. Wrth gwrs, byddai'n rhaid i ni ailfeddwl y trefniadau os wyt ti'n penderfynu cadw'r babi...' Mwythodd Rod ei bola'n dyner wrth yngan y geiriau hyn. Gwenodd eto, cyn cusanu Betsan ar ei boch hallt.

Arhosodd Rod gyda Betsan y noson honno, ond ni siaradodd yr un o'r ddau am ffawd y ffetws. Yn hytrach, fe ailafaelon nhw ar eu perthynas trwy falu cachu, cofleidio a chusanu, heb sôn am drafod sefyllfa ffilmiau Rod a'i gytundeb gydag Emlyn.

Roedd Rod yn ddidwyll pan ddywedodd y byddai'n cefnogi penderfyniad Betsan, beth bynnag oedd hwnnw. Ac er nad oedd Betsan yn gwybod eto a fyddai'n cadw'r babi, gwyddai y byddai'n gwneud ei gorau glas i gadw Rod am weddill ei bywyd.

CYNTAF-ANEDIG

'Depression is so insidious...
it's impossible to ever see the end.
The fog is like a cage without a key.'
Elizabeth Wurtzel

Akuma Cyf., Heol Penarth: Nos Fercher

Ddwy noson ar ôl y digwyddiad yn yr ardd gefn, cododd Emlyn y ffôn oddi ar ei ddesg er mwyn cysylltu â'i wraig. Roedd hi'n tynnu am saith o'r gloch a'r swyddfa'n wag, ar wahân i Karim y swyddog diogelwch, oedd eisoes yn stoned gachu wrth y dderbynfa, heb fod yn ffit i ofalu am becyn o Pringles heb sôn am swyddfa llawn offer drud. Cododd Cariad y ffôn ar yr ail ganiad. Rhaid ei bod hi'n gorwedd ar y soffa gyda'r ffôn heb gordyn wrth ei hochr, dyfalodd Emlyn. Nid oedd wedi datgelu wrth ei wraig beth wnaeth i'r cŵn gyfarth echnos, felly roedd Cariad yn hollol ddi-glem ynglŷn â'r sefyllfa, ac Emlyn yn poeni am yr holl beth ar ben ei hun bach heb rannu ei bryderon â neb. Ar wahân i Euros, hynny yw. Er nad oedd hwnnw wedi bod fawr o help chwaith. Awgrymodd y dylai Emlyn ffonio'r heddlu er mwyn iddyn nhw wneud adroddiad am y digwyddiad, ond nid oedd wedi cael cyfle i wneud hynny eto. Byddai'n gwneud cyn gadael y swyddfa heno.

'Iawn babes? Unrhyw symudiadau?'

'Hia Ems. Dim byd mawr, jyst cwpwl o twinges. Ond ella mai gwynt oedd hynny. Dwi'm yn siŵr, a deud gwir. Dwi 'di bwyta lot o pickled onions heddiw...'

'Gwynt mae'n siŵr 'te. 'Drych, bydda i adre mewn rhyw hanner awr, iawn? Ti moyn i fi bigo unrhyw beth lan i ti ar y ffordd?'

'Wwwww, gad fi weld. Ma angen llefrith arnon ni...'

'Bara?'

'Na, da ni'n ocê am rŵan. Ond dw i'n ffansïo Wispa a phecyn o Monster Munch roast beef... a Fruit Pastilles hefyd. Plis.'

'Dim problem. Wela i di mewn munud.'

Ysgrifennodd Emlyn ei harcheb ar ddarn bach o bapur

a'i roi yn ei boced, cyn mynd ati i roi'r gwaith papur roedd e wrthi'n ei lenwi yn ei ddogfenfag. Gallai orffen hynny'n hwyrach, gyda G&T bach i leddfu'r straen. Caeodd y bag a chodi'r ffôn unwaith eto, gwasgu'r rhif naw dair gwaith ac aros i'r llais electronig ei gyfarwyddo. Ond cyn iddo gael cyfle i fewnbynnu ei ddewis, clywodd leisiau'n codi yn y brif fynedfa. Karim yn sgwrsio gyda rhywun anhysbys. Wedyn, pan oedd Emlyn ar fin gwasgu'r botwm a fyddai'n ei gysylltu â'r heddlu, rhewodd yn yr unfan gan syllu tua'r drws, cyn ailosod y ffôn yn ei chrud yn araf a cheisio gwneud rhyw fath o synnwyr o'r hyn a welai.

'Emlyn,' medd Beca, gan gerdded i mewn i'r swyddfa ac eistedd i lawr heb aros am wahoddiad, er mwyn gorffwyso'r pwysau helaeth yn ardal ei bola.

Syllodd Emlyn arni'n gegagored, heb allu ynganu'r un gair. Roedd ei ben ar chwâl go iawn bellach, a dechreuodd grynu mewn ymateb i'r hyn a welai.

O'i bag llaw mawr, estynnodd Beca amlen drwchus a'i gosod ar y bwrdd o flaen Emlyn.

'Dy arian di yw hwn. Fel ti'n gallu gweld, 'nes i ddim ei ddefnyddio fe.' Gwthiodd yr amlen tuag ato, cyn mwytho'i bola â'i dwylo main a gwenu ar Emlyn yn hunanfoddhaus. Roedd yr olwg yn ei llygaid yn ddigon i rewi gwaed dyn, a'r creithiau ar ei garddyrnau'n amlwg heno, gan nad oedd hi wedi gwneud unrhyw ymdrech i'w gorchuddio fel y byddai'n gwneud ers talwm.

Byrlymai'r atgasedd a'r dryswch yn ddwfn yng nghraidd Emlyn, a chyn i Beca gael cyfle i ddweud gair arall, ffrwydrodd ei emosiynau ac i fyny â fe o'i gadair, ei lygaid ar dân a'i waed yn berwi, cyn gafael yng ngwallt ei gyn-gariad a dechrau ei llusgo tuag at dderbynfa ac allanfa Akuma.

Sgrechiodd Beca. Stryffaglodd. Ond dal i'w llusgo

wnaeth Emlyn. Roedd ei gwallt yn ei ddwrn a'i choesau bach yn gwneud eu gorau i'w chadw'n unionsyth. Ni ddylai hyn ddigwydd i rywun yn ei chyflwr hi. Nid oedd Emlyn yn gwybod beth y byddai'n ei wneud nesaf pan fyddai'n cyrraedd y maes parcio. Câi ei reoli'n llwyr yn awr gan ei reddfau, tra bod ei gallineb mewn trwmgwsg.

Eisteddai Bryn a Karim mewn car yn y maes parcio, rhyw funud yn unig ar ôl rhoi tân i ail sbliff y shifft nos. Roedd Bryn wrthi'n sugno'n galed ar y mwg ac yn hanner gwrando ar Karim yn parablu am ryw ffantasi led-ffeithiol o'i orffennol, pan welodd y ddau swyddog diogelwch y cariadon yn dod tuag atyn nhw, er nad oedden nhw'n ymddwyn fel cariadon confensiynol o gwbwl heno.

'What the fuck?' ebychodd Bryn, pan sylwodd fod Emlyn yn llusgo'r ferch feichiog, gerfydd ei gwallt, tuag at y bin mawr ar olwynion wrth ochr yr adeilad.

'What we do?'

'Wait. See what happens. Smoke.'

Ac wrth i'r Iraciad gymryd y smôc oddi wrth Bryn a'i godi at ei geg, gwyliodd y ddau'n gegagored wrth i Emlyn geisio codi Beca a'i thaflu i mewn i'r bin agored.

'Shit, man. Let's go.'

Allan â Bryn ar unwaith, heb oedi pellach. Gwibiodd draw at y cwpwl, gan adael Karim yn gwylio o'r car. Erbyn iddo gyrraedd roedd Emlyn wedi rhoi'r gorau i geisio codi Beca i mewn i'r bin. Roedd hi'n rhy drwm. Neu falle mai Emlyn oedd yn rhy wan. Bellach, roedd Beca ar ei phengliniau'n sgrechen, ac Emlyn yn dal ei gwallt â'i law chwith ac ar fin chwalu ei thrwyn gyda'i dde.

'Naaaa! Paaaaaid!' sgrechiodd Beca, ei llais yn atseinio oddi ar y waliau cyfagos.

Ond cyn i Emlyn ei tharo, cyrhaeddodd Bryn a gafael ynddo. Rhyddhaodd Emlyn ei afael ar unwaith, ac i ffwrdd aeth Beca i gyfeiriad ei char yn crio a gweiddi a bygwth dial arno.

Gwyliodd Bryn hi'n mynd, ei feddyliau ar ras yn ceisio dygymod â'r hyn y gwelsai Emlyn yn ei wneud. Dylai alw'r heddlu, mae'n siŵr... ac wedyn cwympodd Emlyn ar ei bengliniau a dechrau beichio crio, fel baban. Penderfynodd beidio â gwneud dim i gorddi'r dyfroedd ymhellach. Roedden nhw'n hen ddigon tymhestlog heno'n barod.

Casa Eilfyw-Jones, Llandaf

Syllai Emlyn ar y nenfwd tywyll, ei lygaid led y pen ar agor. Chwyrnai Cariad trwy ei thrwyn wrth ei ochr, a chlywodd sgrechiadau Beca yn atseinio oddi ar furiau ei isymwybod. Beth yn y byd ddaeth drosto fe? A hynny o flaen Karim a'r swyddog diogelwch 'na o Fordthorne. Gallai Beca ei erlyn yn hawdd gyda dau dyst fel 'na. Ac wedyn beth? Sefyllfa wael ganwaith yn waeth.

Dim ond un peth oedd yn glir yn ei ben bellach, ar ôl oriau o bendroni. Nid oedd ffordd hawdd i ddianc o'r cawlach hyn. Braidd yn amlwg, efallai. Ond dyna'r gwir. Byddai'n rhaid iddo ddweud wrth Cariad, a hynny ar y cyfle cyntaf. Byddai'n torri'i chalon, wrth reswm, ond gorau po gyntaf y byddai'n gwybod. Doedd dim pwynt oedi. Dim nawr.

Ond beth am Beca? Beth fyddai hi'n ei wneud nesaf? Dim byd ond dial â chasineb pur oedd ar ei meddwl, ond doedd hynny ddim yn syndod o ystyried ymateb Emlyn i'w hatgyfodiad annisgwyl a'i chyflwr. Teimlai Emlyn yn euog am yr hyn a wnaeth heno. Mor euog â phan oedd yn dymuno i'w fam ei hun farw yn ystod dyddiau tyngedfennol ei brwydr yn erbyn y clefyd eithaf. Beth bynnag oedd agenda ei gyn-gariad, roedd ei blentyn e, eu plentyn nhw, yn dal i dyfu yn ei chroth, felly doedd dim dianc rhag realaeth y sefyllfa, dim mewn unrhyw ffordd. Byddai'n rhaid i Emlyn ddelio â'r sefyllfa. Fel dyn. Byddai Beca yn ôl cyn hir, roedd Emlyn yn gwybod hynny, ac felly byddai'n rhaid iddo ddweud wrth Cariad ben bore, rhag ofn i Beca ei gweld hi cyn iddo wneud.

'Ems,' mwmiodd Cariad. 'Ems.' Trodd Emlyn i edrych arni. Gosododd ei law ar ei braich yn ysgafn. Mwythodd. Yna teimlodd y lleithder o dan ei ben-glin. Yn sydyn, eisteddodd Cariad i fyny yn y gwely, ei llygaid yn sgleinio fel dwy leuad yn lled-dywyllwch y stafell. 'Shit!' ebychodd, gan deimlo'r gwely o gwmpas ei choesau gyda llaw agored. 'Shit!'

'Dim panics nawr, Car,' medd Emlyn gan godi o'r gwely. Gwyddai'n iawn beth oedd newydd ddigwydd. Roedd dŵr ei wraig wedi torri. Roedd y babi ar y ffordd. Napoleon bach ar flaen y gad.

Ai dyma'r amser i ddweud wrthi am Beca? meddyliodd, cyn dod ato'i hun a helpu ei wraig gerdded fel cranc cloff o'r gwely at y gawod. Gadawodd hi yno o dan y llif cynnes gan fynd i wisgo, ffonio'r ysbyty a gwneud paned o de. Byddai gwely'n barod iddi ymhen awr, meddai un o'r bydwragedd. Roedd hynny'n rhyddhad o ystyried rhai o'r straeon arswyd oedd i'w clywed am yr ysbyty ar y winwydden glecs.

'Sdim contractions. Sdim poen,' dywedodd Cariad wrtho pan ddychwelodd i'r en suite gyda phaned o de melys iddi.

'Ond ma dy ddŵr di newydd dorri.'

'Ydy, ond dim contractions. Dim poen.'

'Count yourself lucky' oedd y geiriau aeth trwy feddwl Emlyn, ond 'Bydd y bydwragedd yn gwybod beth i'w wneud. Dere, ma nhw'n disgwyl amdanon ni mewn rhyw hanner awr,' oedd yr hyn a ddywedodd.

Helpodd Emlyn ei wraig i sychu a gwisgo. Roedd Beca ymhell o'i feddyliau nawr. Wrth adael y tŷ a cherdded tua'r Fusion, roedd Cariad yn dal i gwyno bod y dŵr yn diferu'n araf i lawr ei morddwydydd, felly rhoddodd Emlyn dywel ar sedd y teithiwr, cyn ei chynorthwyo i mewn i'r cerbyd. Yna, teithiodd y cwpwl i Ysbyty'r Mynydd Bychan – Cariad yn anadlu'n ddwfn ac Emlyn yn gwneud ei orau i osgoi cynhyrfu gormod. Ffeindiodd le i barcio heb unrhyw drafferth, lai na hanner canllath o fynedfa'r Uned Ferched.

Gyda Cariad mewn gwely a lliain blastig o dan ei thin, ar ward dawel gyda thair o ferched tebyg iddi o ran cyflwr yn gwmni, daeth bydwraig i osod electrodau ar ei bola er mwyn mesur curiad calon y babi a gwneud yn siŵr fod popeth yn iawn. Ar wahân i Cariad ac Emlyn, doedd neb yn poeni rhyw lawer am y diffyg cyfangiadau ac absenoldeb unrhyw boen, ond roedd curiad y galon yn gryf a'r babi'n ymbaratoi. Esboniodd y nyrs ei bod hi'n beth digon cyffredin i'r dŵr dorri rai diwrnodau cyn dyfodiad y sgrechgi, er syndod i Emlyn, gan ei fod e'n credu bod y dŵr yn torri yn arwain yn syth at esgoriad. Ond na. Dim dyna'r gwir.

'It could be a long wait,' oedd geiriau ola'r fydwraig cyn gadael.

Gwenodd Cariad a gafael yn ei law.

'Dwi'n bored yn barod, Ems. Dwi isio i'r babi ddod. Rŵan! Dwi 'di cael llond bol – geddit? – o fod yn feichiog...'

'Fydd dim rhaid aros yn hir nawr, gei di weld.'

'Lle ti'n mynd?' gofynnodd Cariad wrth i Emlyn aflonyddu a dechrau camu am yn ôl oddi wrth y gwely.

'Ffag. Piss. Bydda i 'nôl nawr.' Ac i ffwrdd â fe, gan adael Cariad heb iddi ystyried bod unrhyw beth o'i le.

Troediodd Emlyn goridorau'r Uned Ferched yn chwilio am dŷ bach. Pasiodd stafell â'r drws ar gau, a'r sgrechiadau oedd yn treiddio o'r tu fewn yn ddigon i wneud i ddyn fod eisiau dianc. Aeth yn ei flaen. Drws arall. Babi'n sgrechian. Arwydd da. Sgyfaint iachus. Ac un arall. Lleisiau. Llawenydd. Gwenodd. Roedd y drws olaf ar agor. Drws stafell y pwll geni. Edrychodd Emlyn i mewn. Camgymeriad. Roedd gwaed ym mhobman a'r stafell yn ei atgoffa o set ffilm arswyd.

Yna canodd ei ffôn. Neges destun. Clodd ddrws y tŷ bach tu cefn iddo ac estyn y ffôn o'i boced. Gwyddai pwy oedd yno cyn agor y neges. Llenwodd rhyw wefr iasoer ei gylla, rhyw flas egr ei geg. Agorodd y neges, syllodd ar y ddelwedd. Bola cyfredol Beca, yn bolio oherwydd ei beichiogrwydd. Symbol Siapaneaidd cyfarwydd wedi'i ysgathru ar ei chroen. Gwaed. Atseiniodd yr ystyr rhwng ei glustiau. *Seppuku. Hara-ciri. Seppuku. Hara-ciri. Seppuku. Hara-ciri. Seppuku. Hara-ciri.*

Ar ôl pisio, aeth am sigarét. Ystyriodd y drafferth. Y trybini. Roedd y twll yn ddyfnach nag erioed heno, a rhywun yn taflu pridd ar ei ben. Tagodd y mwgyn, llyncodd ddwy dabled. Teimlai'n well ar unwaith. Ddim yn iawn. Ond yn sicr yn well.

Aeth 'nôl at ei wraig ond roedd hi'n cysgu bellach. Chwarae teg, roedd hi'n tynnu at bump y bore, felly eisteddodd Emlyn yn y gadair fwyaf cyfforddus y gallai ei ffeindio a cheisio gwneud yr un peth ond heb lwyddo.

Uned Ferched Ysbyty'r Mynydd Bychan: Bore Dydd Iau

Cysgodd Cariad yn ysbeidiol am ryw bump awr. Daeth y fydwraig i'w gweld bob hanner awr er mwyn gwirio'r darlleniadau ar y peiriant oedd wedi'i gysylltu â'i bol.

'Unrhyw beth?' gofynnodd Emlyn pan agorodd ei wraig ei llygaid mewn pryd i groesawu'r troli brecwast.

'Na. Dim byd. Dim contractions. Dim poen. Dim. Dwi mor bored, Ems. Dwi'n barod, ti'n gwybod? Rŵan.'

'Aye. Fi'n gwybod. Fi'n mynd am frecwast, iawn? Ti moyn rhywbeth?'

Ond yn hytrach na Jelly Tots, Creme Egg neu Curly Wurly, fel y byddai'n gofyn fel arfer, synnodd cais Cariad Emlyn rhyw ychydig.

'Castor oil,' sibrydodd.

'Beth?' gofynnodd Emlyn, gan blygu tuag ati er mwyn clywed y tro hwn.

'Castor oil.'

'Pam? Sa i'n deall.'

'Cyngor gan Eve. Dyna be wnaeth hi er mwyn esgor…'

'Beth?'

'I osgoi cael ei hindiwsio, Ems. God! Apparently, ma castor oil yn gallu helpu petha i ddechra symud… ti'n gwybod… lawr fan 'na…' Pwyntiodd at ei bol â'i bys.

'Oh, fi'n gweld.' Ond celwydd oedd hynny hefyd. Doedd dim syniad gan Emlyn beth roedd hi'n sôn amdano. 'Ble fi'n prynu castor oil?'

'Chemist. Ond dim o Boots yn y concourse. Dydyn nhw ddim yn 'i werthu fo fanno. Wnes i tsiecio tro dwytha ro'n i yma. Ac os byddan nhw'n gofyn pam bo chdi'n 'i brynu fo, dwed bo chdi'n gwneud siocled.'

'Siocled.'

'Ia, ma castor oil yn cael 'i ddefnyddio mewn siocled.'

'Ok.'

'Ac Ems, elli di 'nôl fy llyfr o adra hefyd? Wnes i anghofio dod â fo neithiwr.'

Cusanodd Emlyn dalcen oer–wlyb ei wraig, a gadael y ward heb oedi wrth unrhyw ddrws.

Wedi mofyn nofel Cariad o'u cartref a gwirio bod y cŵn yn iawn a digon o fwyd yn eu powlenni, penderfynodd Emlyn alw draw yn y swyddfa am ddim rheswm penodol, fel mae execs yn ei wneud o bryd i'w gilydd. Gadawodd y Ford Fusion ar y dreif a neidio i mewn i'r Porsche. Prynodd olew castor o fferyllfa ar Heol Penarth, reit yng nghanol Grangetown, heb i'r fenyw groenddu tu ôl i'r cownter ofyn yr un cwestiwn.

Cyrhaeddodd Akuma, lle croesawodd Kate e gyda 'Beth yn y byd wyt ti'n neud fan hyn?'

Esboniodd Emlyn y sefyllfa iddi, ac wedi iddo ddatgelu nad oedd pwrpas i'w ymweliad ar wahân i wastraffu ychydig funudau ar un o ddiwrnodau hiraf ei fywyd, bachodd Kate ar y cyfle.

'Ti'n gallu gwneud ffafr fach i fi 'te?'

'Beth?'

'Ma golden boy newydd ffonio o Gaeau Llandaf...'

'Golden Boy' oedd llysenw Rod ymysg ei gydweithwyr. 'Ma nhw 'di rhedeg mas o dapiau yng nghanol cyfweliad rhwng y ddau Huw a Cate Le Bon. Ma pob runner arall yn brysur a 'nghar i yn y garej yn cael service, neu bysen i wedi mynd fy hunan. O'n i ar fin galw courier, ond os nad oes ots 'da ti...'

'Wrth gwrs,' a gafaelodd Emlyn yn y tri thâp oedd gan Kate yn barod ar y ddesg. Gadawodd Akuma heb hyd yn oed fynd i mewn i'w swyddfa.

'Pob lwc!' bloeddiodd Kate ar ei ôl.

Gwelodd Emlyn y car du yn ei rear view cyn gynted ag yr ymunodd â thraffig Heol Penarth. Trodd i'r chwith i lawr Sloper Road a dilynodd y car du gan gadw pellter o rhyw ganllath rhyngddyn nhw. I'r dde oddi ar Sloper Road, gan anelu am ganol Treganna, cyn troi i'r dde i Llanfair Road er mwyn osgoi'r tagfeydd traffig, ac ymuno â Cathedral Road dafliad carreg o'r Hannerffordd. Dilynodd y car du fe'r holl ffordd, bron, ond erbyn iddo droi i mewn i faes parcio Caeau Llandaf roedd wedi diflannu.

Camodd Emlyn o'r car gan gynnau sigarét, cyn craffu ei wddwg am Penhill a Pencisely, rhag ofn bod y car du yn dal i'w ddilyn. Doedd dim golwg ohono, felly trodd a cherdded i lawr y lôn goed i gyfeiriad Western Avenue a ffeindio'r criw ffilmio ar safle'r hen gwrs golff, gyda'r ddau Huw yn gorweddian yng nghwmni Cate Le Bon ar flanced bicnic liwgar – y gantores yn chwarae gitâr ac yn canu i'r camera, a'r cyflwynwyr wedi'u hudo'n llwyr.

Wrth agosáu, sylwodd Emlyn fod Cate wedi tyfu ei gwallt yn hir ac wedi ffarwelio â'r fowlen fachgennaidd a wisgai ar ei phen y tro diwethaf iddo'i gweld. Diolch byth. Doedd y steil gwallt hwnnw'n gwneud dim ond drysu Emlyn, ond doedd dim amau benyweidd-dra'r steil newydd.

Daeth y gân i ben. Ymlaciodd y criw. Daeth Rod i gwrdd ag Emlyn. Estynnodd y tapiau i'w brentis, oedd â golwg syn ar ei wyneb.

'Beth yw'r rhain?'

'Tapiau.'

'Ie. Ond... pam...?'

''Nes ti ffonio Kate, naddo fe?'

'Kate?'

'Ie, Kate o'r swyddfa. Hi roddodd y rhain i fi. 'Nes ti ffonio. Wedi rhedeg mas neu rywbeth.'

'Na. Dim fi. Aros funud.' Trodd Rod a gweiddi ar weddill y criw. 'Unrhyw un wedi ordro tapiau?'

'Weird,' meddai Emlyn, gan nad oedd neb wedi gwneud.

'Ma digon o dapiau gyda ni am heddiw.'

'Weird,' ailadroddodd Emlyn, cyn i Rod ddychwelyd at ei waith, gan adael ei fos yn dala'r tapiau yn ei law a rhyw wefr annifyr a dieflig yn cripian ar hyd ei asgwrn cefn.

'Pob lwc, gyda llaw,' gwaeddodd Rod, yn amlwg wedi clywed bod Cariad yn yr ysbyty, ar fin esgor.

Trodd Emlyn ei gefn ar y gweithgarwch, a cherdded ar hyd y llwybr tua'r groesffordd fach yng nghanol y gofod gwyrdd. I'r chwith, ffynnon hynafol oedd wedi sefyll yno am gwpwl o ganrifoedd o leiaf. O'i flaen, mainc. Ac yna sylwodd ar y tawelwch. Dim lleisiau. Dim traffig. Dim bywyd. Dim byd. Ble roedd pawb wedi mynd? Nid oedd cerbyd i'w glywed yn y pellter nac adar yn canu yn y coed. Nid oedd gwynt i'w glywed yn dawnsio ymysg y dail, hyd yn oed. Ceisiodd droi ei ben er mwyn gweld y tîm cynhyrchu tu ôl iddo, ond roedd fel delw rywffordd, ac yn methu gwneud. Cododd gwynt main o'r gogledd gan greu croen gŵydd dros ei gorff, ac yna roedd yn sefyll ar ganol y groesffordd – y byd yn troi er ei fod yntau'n gwbwl llonydd. Peidiodd y troelli heb rybudd, gan adael Emlyn yn benysgafn. Edrychodd i'r chwith. Neb. Dim. I'r dde. Yr un peth. Roedd fel petai amser wedi aros. Eisteddodd ar y fainc yn chwysu. Yn crynu. Ei ben yn ei blu. Y dryswch a'r pryder yn absoliwt.

Cododd ei lygaid yn araf. Gwelodd Beca yn sefyll o'i flaen. Gwisgai ffrog wen laes, y defnydd yn glynu at ei bola crwn. Disgleiriai ei gwallt melyn yng ngolau'r haul.

'Beth ti moyn?' gofynnodd Emlyn, er na chlywodd Beca o gwbwl. Roedd hi mewn llesmair llwyr. Perlewyg. Rholiodd ei llygaid fel marmor gwaetgoch yn ôl yn ei phen. Ymddangosodd cyllell arian finiog yn ei llaw. Un deuddeg modfedd o hyd. Llafn tair modfedd o led. Cododd y gyllell uwch ei phen...

Y diwedd. O'r diwedd, meddyliodd Emlyn, gan aros i'r ergyd ei hollti yn ddau. Ai haeddiant fyddai hynny? Ond na, doedd pethau ddim am fod mor syml â hynny rywffordd. Edrychodd ar ei gyn-gariad a'i gwylio'n gegagored yn suddo'r gyllell yn ddwfn i mewn i'w bola ei hun. Cwympodd i'r llawr ar ei phengliniau, mewn pwll o sgarlad tywyll. Trodd ei ffrog wen yn ffedog cigydd. Ceisiodd Emlyn symud ond roedd ei goesau fel colofnau concrid. Sgrechiodd, ond ni ddaeth unrhyw sŵn o'i geg. Felly gwyliodd, yn ddiymadferth, wrth i Beca symud y llafn a hwnnw'n dal wedi'i angori yn ei bola, yn ei baban, o'r chwith i'r dde, gan dafellu'i pherfedd a'i hepil yn dalpiau gwaedlyd, heb sgrechen na dangos unrhyw emosiwn o gwbwl.

Gwelodd Emlyn ei blentyn yn chwydu o'r groth, trwy'r hollt ym mola'i fam. Chwydodd ar lawr wrth ei draed. Gorweddai'r baban mewn pwll o waed, heb symud. Ymunodd Beca ag e. Cododd Emlyn, ei goesau'n gweithio bellach, a phenglinio ger y bychan.

Gafaelodd ynddo.

Wylodd.

Chwydodd.

Yna gwelodd drempwraig yn cerdded yn araf tuag ato o gyfeiriad Western Avenue. Roedd hi'n gwthio troli llawn... pethau... stwff. Syllodd Emlyn arni, fel petai o dan ei rheolaeth. Sylwodd ar ei hwyneb creithiog, a'i thrwyn bron mor grwm â'i chefn. Roedd hi mor gyfarwydd, ond eto'n hollol estron ar yr un pryd.

Edrychodd o'i gwmpas yn y gobaith o weld pobol eraill, mwy arferol. Ond na, roedd y parc yn dal i fod yn ddifywyd. Ar wahân i'r drempwraig... a'r dyn mewn siwt a gerddai tuag ato o gyfeiriad yr Hannerffordd, gyda dau gi'n grymial ar ben eu tenynnau a dogfenfag du yn ei law arall.

Cododd Emlyn, gan adael ei fab lle cawsai ei eni a'i ladd yr un pryd.

Edrychodd ar Beca am y tro olaf.

Rhedodd.

"NOFELYDD ATHRYLITHGAR A CHANDDO STORI WEFREIDDIOL I'W HADRODD"
Beirniadaeth Gwobr Goffa Daniel Owen 2005

FFAWD CYWILYDD A CHELWYDDAU

LLWYD OWEN

yⅠLolfa

£7.95

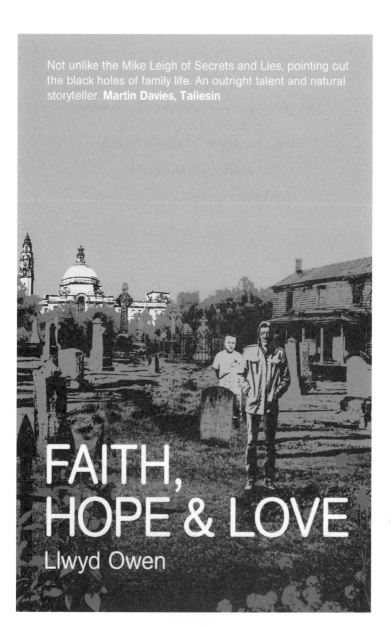

Not unlike the Mike Leigh of Secrets and Lies, pointing out the black holes of family life. An outright talent and natural storyteller. **Martin Davies, Taliesin**

FAITH, HOPE & LOVE
Llwyd Owen

£9.99

Am restr gyflawn o lyfrau'r Lolfa, mynnwch
gopi am ddim o'n catalog
neu hwyliwch i mewn i'n gwefan

www.ylolfa.com

lle gallwch archebu llyfrau ar-lein.

TALYBONT CEREDIGION CYMRU SY24 5HE
ebost ylolfa@ylolfa.com
gwefan www.ylolfa.com
ffôn 01970 832 304
ffacs 832 782